famille 2000

vins et liqueurs

éditions des connaissances modernes s.a.

Adaptation canadienne par les
Éditions de la Famille Canadienne Limitée, Montréal,
sous la supervision de
M. Louis Alexandre Belisle A.C.B.A.
lauréat de l'Académie française
président de la Société canadienne de technologie, Québec.

© **Éditions des connaissances modernes ECM SA**

Distributeurs exclusifs

CANADA : Société Nationale de Diffusion Éducative et Culturelle Inc., Montréal. SONDEC
FRANCE : les Presses Encyclopédiques de France SA., Paris.
SUISSE : l'Office Culturel SA., Genève.
BELGIQUE : les Editions de la Culture Générale SA., Bruxelles.

© 1971 - International copyright by L'Esperto S.p.A. - Printed in Italy by il Resto del Carlino S.p.A.
Photos: SEF - Soldati Wolfango - Pictor - Arborio Mella - Fototeca Nazionale Storica - Scala - Marka - Russo - Borromeo - Frass - I.C.P. - Gili Oberto - Scotch Whisky Association - Begotti Paolo - Josse - Maison des vins - C.I.V.A. - St. Pierre de Chartreuse - Ostuni - De Gregorio Antonio.

Sommaire

INTRODUCTION.

Les raisins de la patience - Une lente mais perpétuelle mutation - Terroirs et microclimats - La vinification : de la chimie à l'alchimie - Le champignon du miracle.

Apprendre à déguster - D'abord des connaissances théoriques - La robe et l'aspect - Le bouquet - Le goût - L'équilibre - Comment reconnaître les différents types de vin - L'achat du vin.

Aération - Température - Eclairage - Humidité - Sécheresse - Tranquillité - Exclusivité - Vinothèque - Mobilier.

Les verres - Carafe et décantation - Le tire-bouchon - La nappe et l'éclairage - Procédés pour rafraîchir ou réchauffer le vin - Température des vins - L'âge optimum des vins - Combien de vins ? Combien de bouteilles ? - Le service des vins - Les fromages et les vins.

VINS ROUGES : L'Alsace - La Bourgogne - Le Jura - Les Côtes du Rhône - La Provence - La Corse - Le Languedoc-Roussillon - Le Sud-Ouest - Les vins de Bordeaux - L'Anjou - La Touraine. VINS BLANCS : L'Alsace - Les vins de Bourgogne - Le Jura - La Savoie - Les Côtes du Rhône - La Provence et la Corse - Le Languedoc-Roussillon - Le Sud-Ouest - Le Béarn - Les vins de Bordeaux - Le pays nantais - L'Anjou - La Touraine - La vallée moyenne de la Loire. VINS ROSÉS : Les vins de Bourgogne - Les vins du Jura - Les Côtes du Rhône - La Provence - La Corse - Le Languedoc-Roussillon - Le Sud-Ouest - Le Bordelais - L'Anjou - La Touraine - Le Berry et le Nivernais - La Champagne.

VINS ROUGES : Piémont - Lombardie - Trentin et Vénétie - Emilie et Romagne - Toscane - Le chianti - Latium - Abruzzes - Campanie - Basilicate - Sicile - Sardaigne. VINS BLANCS : Piémont - Ligurie - Lombardie - Vénétie - Emilie et Romagne - Toscane - Ombrie - Latium - Campanie - Calabre - Sicile - Sardaigne.

VINS ROUGES : Bade - Wurtemberg - Hesse rhénane - Rheingau - Ahr. VINS BLANCS : Bade - Wurtemberg - Palatinat - Hesse - Vallée de la Nahe - Franconie - Rheingau - Moselle.

VINS ROUGES : Neuchâtel - Pinot noir des Grisons - Tessin - Dôle du Valais - Salvagnin de Vaud - Chablais - Lavaux - La Côte - Le Mandement. VINS BLANCS : Neuchâtel - Vaud - Valais - Genève.

VINS ROUGES - VINS BLANCS.

VINS ROUGES : Jumilla - Alicante - Valence - Catalogne - Aragon - Castille - Estramadure - Manche - Provinces cantabriques - Rioja - Baléares - Canaries. VINS BLANCS : Málaga - Jerez.

LA MOUSSE... PRIME ACCORDÉE AU GÉNIE : La vinification - Vendanges et pressurages - Constitution de la cuvée - La méthode champenoise - Les crus liés au terroir ou au raisin - Classement selon les valeurs gustatives - Vin nature de la Champagne - La commercialisation des champagnes - Le bon usage du champagne. LES VINS MOUSSEUX : La méthode rurale - La méthode de la cuve close - Les vins effervescents ou mousseux naturels - Les vins mousseux à appellation d'origine - Les vins mousseux italiens - Les vins mousseux espagnols - Les vins mousseux allemands - Les mousseux et le champagne.

De l'« al-kimiya » à l'« al-kuhl » - Les multiples splendeurs de la distillation - La bière d'avoine du père Noé - Le « whisky » du brave général Agricola - Le whisky du « Mayflower ». LES DISTILLATS DE VINS : Le sel de la mer - La craie du Champagne - Sept siècles de tradition - L'alambic du miracle - Le flair du maître de chai - Les rites sacrés de la dégustation - L'escale préférée du roi-touriste - Cognac for ever - La recette de Talleyrand - Au cœur du pays de d'Artagnan - Les magiciens de Jerez - Le brandy en Italie - Jusqu'au pied des Andes - Marc et grappa - Garçon ! un fil de fer...

LE SCOTCH WHISKY : Tout commence avec de l'eau - La tourbe pour l'arôme - L'orge, céréale vulgaire et précieuse - Le maltage, une opération de première importance - Le moût de malt et la levure - Le scotch et le grain - L'art du mélange - La Distillers Co. Ltd. - Les baronets - Les Buchanan - Les Dewar - Les Logan-Mackie - Les Haig - Les Walker - Les Sanderson - Les Indépendants - Et maintenant, dégustons ! ET LES WHISKIES DES AUTRES PAYS ? LA VODKA : Un alcool « jeune ».

Pulque, tequila et mezcal - Le calvados - L'anis - Liqueurs de fruits - Les herbes - Des fruits encore, puis des fleurs - Le genièvre et ses vertus - Le rhum.

Les apéritifs à base de vin, à la gentiane, à l'anis.

Le « coquetel » de Richard Cœur de Lion - Le dernier verre des deux espions - Les années folles - Cuba si, cola no ! - Le triomphe du « new look » - Les accessoires - Sur les étagères - Glossaire - Classification - Recettes pour une année.

INDEX ANALYTIQUE.

INTRODUCTION

Nous n'avons pas la prétention, dans cet ouvrage, de dresser un tableau complet des vins et des alcools. D'ailleurs, depuis que les techniques traditionnelles de la viticulture et de la vinification ont reçu l'aide de la science moderne, l'ampélographie et l'œnologie ne cessent d'évoluer. D'autre part, chaque région viticole, particulièrement en Europe, s'oriente vers une sélection de plus en plus poussée des cépages, afin d'obtenir toujours plus de vins fins. Il s'est même créé, ces dernières années, de nouveaux terroirs, donc de nouveaux types de vins, en particulier en Corse, en Californie, au Chili ou en Australie. C'est un phénomène d'ordre économique, certes, mais qui répond à une élévation générale du niveau de vie. L'homme qui se contentait autrefois de gros vins et d'alcools plus ou moins brutaux est devenu plus raffiné, donc plus exigeant. Aussi notre but est-il de guider le lecteur dans son choix en lui fournissant les éléments qui lui permettront de développer son éclectisme. C'est que le plaisir de la dégustation des vins et des eaux-de-vie de qualité est un de ceux dont on ne se lasse pas et qui va grandissant au fur et à mesure que l'on avance en âge et que l'on augmente ses connaissances en cet art délicat. S'y adonner entre amis procure des joies profondes. Ne dit-on pas « le verre de l'amitié » ? C'est autour d'une bonne bouteille que celle-ci s'échange, chacun en recevant sa part et la multipliant.

Dans un très beau poème, Charles Baudelaire a dit :

Un soir, l'âme du vin chantait dans les bouteilles:
Homme, vers toi je pousse, ô cher déshérité,
Sous ma prison de verre et mes cires vermeilles,
Un chant plein de lumière et de fraternité!

Mais la joie de vivre ne doit jamais faire oublier la modération, et nous la recommandons en diverses occasions. Conserver toujours cette modération est une question de dignité, et il n'est rien de plus dégradant pour l'homme que de la perdre dans l'alcool. Boire, judicieusement, est avant tout un plaisir intellectuel. Celui qui le comprend dira comme le bon François Rabelais :

Furieux est, de bon sens ne jouit,
Quiconque boit, et ne s'en réjouit.

GENERALITES

Les raisins de la patience

Un repas sans vin est comme un jour sans soleil. Cette appréciation en forme de maxime, attribuée au professeur Georges Portmann, éminent chirurgien, œnophile et œnologue, sénateur, enfin en une époque où le civisme et la IIIᵉ République française siégaient ensemble au Palais du Luxembourg à Paris, exprime sans grandiloquence le fascinant pouvoir que le vin exerce sur les hommes, et son universalité.

Lorsque la première vigne donna son vin, quelque part, semble-t-il, en Transcaucasie (Arménie, Azerbaïdjan, Géorgie), près de mille cinq cents jours s'étaient écoulés, et ceux qui l'avaient plantée louèrent les dieux de récompenser enfin quatre années de patience et d'obstination.

Nul ne saura jamais qui eut l'intuition géniale d'abandonner ainsi quelques arpents de bonne terre à un arbuste au corps noueux et tourmenté, dont les étranges fruits mettaient si longtemps à se changer en vin pour ne plus cesser ensuite d'en produire chaque automne... On comprend aisément dès lors que le mystérieux comportement d'une plante, joint aux vertus du grisant breuvage que ses raisins distillaient pour qui savait s'y prendre, ait incité l'inventeur de la vinification à en rendre grâce aussitôt à Osiris, Dionysos ou Noé.

Beaucoup d'eau a coulé depuis sous les ponts de l'histoire du vin sans nuire à sa notoriété, si bien que sa suprématie est en passe de s'établir bien loin de sa patrie originelle.

La production mondiale dépasse aujourd'hui 5 500 millions de gallons dont quatre pays d'Europe occidentale — France, Italie, Espagne, Portugal — s'adjugent à eux seuls les trois cinquièmes.

Les légionnaires romains furent les meilleurs propagandistes de la viticulture, d'autant que, la conquête du pays achevée, ils s'y installaient souvent pour y jouir d'une paisible retraite, fondant villes et villages et créant alentour des exploitations prospères. Seul de tous les pays occupés par César, l'Angleterre, victime de son climat, ne poursuivra pas les efforts entrepris par ses colonisateurs latins. Mais, pour n'être point vignerons — encore que la corporation soit, de nos jours, représentée par quelques fortes personnalités — les Britanniques réussiront brillamment dans le négoce des vins, de Bordeaux et de Porto notamment.

Ainsi la vigne dessinera les frontières d'une civilisation profondément enracinée, quels que soient les avatars ultérieurs des peuples romanisés. Longtemps, cette géographie spirituelle du vin inspirera écrivains et poètes de l'Occident

conscient d'appartenir à une immense confraternité, dont le vin est à la fois le mot de passe et le levain magique.

Onze siècles déjà avant notre ère, le pharaon Ramsès III crée de nombreux vignobles dans toute l'Egypte.

Le Talmud comme l'Ancien et le Nouveau Testament font référence au double rôle assumé par le vin : sa production revêt, dès la plus haute Antiquité, un caractère économique en même temps qu'il constitue l'offrande la plus appréciée des dieux, qui en sont généreusement pourvus par leurs adorateurs.

Avec Jésus, le vin acquiert une signification hautement métaphysique, puisqu'il est le sang même du Christ, après lui avoir fourni, à Cana, l'occasion de son premier miracle.

Désormais instruits du caractère sacré du vin, l'une des deux espèces grâce auxquelles ils communient avec le fils de Dieu, les chrétiens, et parmi eux les

Les Grecs décoraient volontiers leurs kylix *(vasques), leurs vases ou leurs amphores de scènes célébrant les mérites de la vigne ou du vin. Ainsi Hélène (à gauche) offre-t-elle à boire à Priam, dernier roi de Troie, tandis que les ménades, ferventes zélatrices du culte de Dionysos — dont les Romains feront Bacchus — s'apprêtent (à droite) à en célébrer les rites.*

moines, concourront activement au développement de la viticulture et à sa magnification. L'Eglise sera la première entreprise vinicole du Moyen Age. Les ceps croissent et se multiplient autour des monastères.

Les cisterciens se révéleront ainsi d'excellents maîtres de chai, et le vignoble allemand, le plus septentrional d'Europe, leur doit pour une bonne part son existence, sa prospérité et beaucoup de ses meilleurs crus, à commencer par le

vinicole des Etats-Unis avec 130 à 150 millions de gallons.

L'U.R.S.S. n'est pas en reste avec quelque 400 millions de gallons, et le fameux agronome autodidacte soviétique Mitchourine (1855-1935) est parvenu à créer un cépage capable de résister à une température de —40°F ! Mais le gros de la production est assuré par les républiques méridionales de l'Union soviétique riveraines de la mer Noire et de la mer Caspienne.

Aux antipodes de la vieille Europe, l'Australie possède d'excellentes terres vigneronnes dont les aptitudes particulières permettent d'obtenir d'un même cépage deux produits aussi différents qu'un *bordeaux* et un *porto*. La vigne semble être apparue à Sydney avec les colons britanniques qui y débarquèrent à la fin du XVIIIe siècle. On la cultive aujourd'hui en Australie-Méridionale, mais aussi dans la Nouvelle-Galles du Sud, l'Etat de Victoria, le Queensland et l'Australie-Occidentale, qui, ensemble, font, bon an mal an, 30 à 44 millions de gallons de vins d'une bonne qualité, le plus souvent issus de cépages européens largement diversifiés : *cabernet, sauvignon, grenache, riesling, tokay,* etc. A côté de grandes propriétés et de sociétés coopératives aux mains de ressortissants d'origine anglosaxonne, des immigrants yougoslaves demeurent fidèles à un type d'exploitation plus modeste et échappant aux circuits commerciaux traditionnels.

On pourrait ainsi multiplier les exemples et rappeler — elle est trop méconnue de bien des œnophiles — que la Suisse (22 millions de gallons), où la vigne est cultivée dans douze des vingt-deux cantons qui composent la Confédération, compte plus de deux cents crus différents très caractéristiques de leur terroir, comme le *fendant* et la *dôle* (Valais), le *cortaillod* (Neuchâtel), le *gamay* (genevois), le *dézaley* (vaudois) ou le *herrliberg* (zurichois).

L'attraction du vin n'aura cessé de croître tout au long du XXe siècle, et la plupart des spécialistes s'accordent à penser que des aires de culture, mais aussi des marchés nouveaux et immenses, lui octroieront dès l'an 2000 une véritable universalité.

Les œnologues se fondent notamment sur l'extraordinaire expansion du vignoble japonais, qui est désormais présent dans toutes les grandes expositions mondiales où la qualité de ses produits commence à lui valoir de hautes récompenses, alors même qu'il est confronté à des concurrents européens de réputation séculaire.

La vigne ne donne pas toujours du vin, mais il n'y a point de vin sans vigne.

Certes, d'astucieux escrocs sont bien parvenus, ici ou là, à fabriquer chimiquement un breuvage somptueusement coloré qu'ils vendirent par barriques entières, et un bon prix, à des consom-

célèbre *steinberg*, dont la paternité — comme celle du *clos-vougeot* — revient à saint Bernard de Clairvaux lui-même. Les bénédictins, eux, s'illustreront en Champagne avec dom Pérignon.

Quant aux franciscains, ils introduiront la vigne en Californie au XVIIIe siècle. Le trait le plus marquant de l'histoire du vin, c'est sans doute l'extraordinaire boom qu'il est en train de connaître dans des régions qui lui étaient, hier encore, étrangères. Mais il y a mieux : le goût du vin — formé le plus souvent par la consommation de bonnes bouteilles importées d'Italie, de France ou d'Espagne — incite désormais les Chinois ou les Canadiens, par exemple, à développer et à améliorer constamment la qualité des cépages qu'ils ont su acclimater sur leur propre sol.

Ainsi la production canadienne est-elle aujourd'hui de l'ordre de 10 millions de gallons par an. Ce chiffre peut paraître faible à un Européen alors qu'il témoigne

de l'obstination des viticulteurs établis sur l'isthme relativement tempéré qui sépare le lac Erié du lac Ontario. Avec le vignoble de la vallée d'Okanagan, en Colombie britannique, la superficie totale exploitée atteint 20 000 acres, ce qui relève de l'exploit dans des régions où on estime à 170 par an les journées propices à la maturation du raisin.

Bien que les cépages nord-américains soient encore les plus répandus, les hybrides d'origine française gagnent régulièrement du terrain depuis quelques années. Si les premières vignes furent plantées au début du XVIIe siècle par le Picard Jean de Biencourt, sieur de Poutrincourt, compagnon de Champlain, c'est l'Allemand Schiller, installé près de Toronto au début du siècle dernier, qu'il faut considérer comme le véritable père de la viticulture canadienne.

A l'autre extrémité du continent américain, la Californie est la première région mateurs qui en vantèrent ensuite le bouquet et l'authenticité, mais il s'agit là d'exceptions qui relèvent davantage de l'histoire de la fraude que de celle du jus de la treille.

Au commencement fut la liane. Non seulement la vigne appartient à cette catégorie très particulière de végétaux dont Tarzan use pour se déplacer à travers son royaume, mais elle est, avec le houblon et le vanillier, l'une des trois espèces que l'homme ait réussi à cultiver. Cette domestication est particulièrement fructueuse, puisque la superficie totale du vignoble mondial dépasse actuellement 25 millions d'acres, dont une bonne moitié revient aux quatre grands pays européens producteurs de vin.

Cependant les ampélographes les plus avertis — ainsi nomme-t-on les botanistes spécialisés — n'arriveront probablement jamais à dresser un catalogue précis et complet des caractéristiques de cette plante tout à la fois familière et mystérieuse. Protée du monde végétal, elle défie l'observation phytobiologique et morphologique ; en d'autres termes, les fonctions de ses organes changent tout autant que leur forme. Les inconvénients de cette instabilité chronique sont heureusement rachetés par l'extraordinaire capacité d'adaptation au milieu et au climat. On comprend mieux, dès lors, que la culture de la vigne puisse être entreprise à peu près partout sur la terre, alors qu'elle exige des connaissances très approfondies — surtout s'agissant du vin — et des soins incessants.

Une lente mais perpétuelle mutation

Lorsque l'archéologue met au jour quelque sarment fossile, même pourvu de feuilles, il est naturellement porté à conclure qu'à l'époque — que d'autres vestiges lui permettent de situer avec précision — on cultivait la vigne. Or rien ne peut prouver qu'il s'agit bien d'une vigne cultivée en vue de produire du raisin de table ou du vin, et non d'une liane stérile — la lambrusque — qui très tôt poussa à peu près partout.

Que l'on imagine l'homme aux prises avec les immenses et inextricables forêts des premiers âges. Les armes qu'il va fabriquer, il s'en servira à la fois pour se défendre, chasser, mais aussi débroussailler la jungle inquiétante qui cerne la clairière où il a fait halte. En s'ouvrant un chemin, il s'assure une provision de bois dont il fera bientôt du feu et étend son aire, tout en cueillant des baies sauvages. Autour des troncs des arbres s'enroulent des lianes serpentines, que le soleil peut atteindre à hauteur d'homme, maintenant que la sylve est entaillée de part en part.

Un jour, des siècles ou des millénaires plus tard, grâce aux soins des premiers vignerons conjugués aux bienfaits de la photosynthèse, la lambrusque va se changer en une *Vitis vinifera*.

Mais si la finalité nouvelle de la viticulture paraît désormais fixée pour l'éternité, ce que l'on pourrait appeler sa personnalité échappe aux investigations les mieux fondées. C'est ce qu'exprime fort bien le professeur Louis Levadoux, de l'Institut national français de la recherche agronomique, lorsqu'il écrit : « Le type moyen du cépage se modifie lentement mais irrémédiablement au cours des âges. Les *pinots noirs* cultivés en Champagne de nos jours sont sensiblement différents de ceux du début du siècle et s'éloignent considérablement des formes archaïques qui devaient représenter le type moyen vers le XIIe siècle. »

Inconsciemment d'abord, puis de plus en plus systématiquement à mesure qu'ils perfectionnaient leurs connaissances, les vignerons provoquèrent des mutations et les multiplièrent de telle sorte que l'inventaire des *cultivars* — appellation internationale désignant les variétés cultivées — est à peu près impossible. En effet, là où le profane ne voit qu'un cépage, le botaniste dénombre les *clones* qu'il porte : ce sont les pousses qui permettront de multiplier les plants par greffage, marcottage, bouturage ou encore provignage. Il est inutile de se soucier de sexualité dès lors que celle-ci s'efface devant une capacité de reproduction de type parthénogénétique qui facilite grandement l'extension de la culture. Mais, ce faisant, on peut difficilement éviter que les cultivars ainsi obtenus diffèrent, peu ou prou, mais pratiquement à l'infini, de la plantation dont ils sont issus. Car chaque cépage est composé d'un nombre de clones très variable — de 1 à 1 000 et davantage — sans qu'il soit possible de procéder à des évaluations précises et moins encore de discerner leurs caractères propres. C'est dans ces conditions que l'on constate assez souvent des mutations brusques qui seront désormais héréditaires. Toutefois, le cépage conserve une homogénéité généralement supérieure à celle que l'on obtient dans d'autres espèces.

La complexité des problèmes que doivent résoudre les ampélographes est telle que l'identification d'un seul cépage nécessite une longue étude.

L'harmonisation indispensable à l'élaboration puis à l'application d'une politique agricole européenne impose aux experts des recherches rendues plus délicates

Cornelius Troost (1697-1750) — les Noces de Klerios et Roosie (à gauche) — excelle à peindre un petit monde qui aime boire et chanter. Moins exubérant, Adriaan Van de Velde (1636-1672) s'intéresse davantage (à droite) au vin... qu'aux buveurs.

encore par la multiplicité des législations particulières à chacun des pays producteurs du Marché commun.

Quoi qu'il en soit, les spécialistes sont parvenus à rassembler le tronc puis les principaux rameaux de l'arbre généalogique de la vigne.

Au professeur Negrul, un spécialiste russe, revient le mérite incontestable d'avoir décrit la descendance de la *Vitis vinifera* et situé son implantation géographique. La grande famille de la première vigne à vin est ainsi divisée en trois groupes :

● *Orientalis* : en Asie centrale et au Proche-Orient. Il comprend surtout des vignes à grosses grappes. Six mille ans d'efforts ont conduit des générations de vignerons obstinés jusqu'à la quasi-perfection de la *sultanine*, qui donne un raisin sans pépins, peut-être le plus beau du monde.

● *Pontica* : de la Géorgie au sud de l'Espagne où il produit plusieurs variétés de plants dont les baies sont aussi appréciées sur la table que dans la cuve, tels le *cinsault*, la *clairette* ou le *corinthe*, sans pépins.

● *Occidentalis* : dans l'Ouest européen, de la vallée du Douro, au Portugal, jusqu'au bassin rhénan. La plupart des grands cépages français comme le *pinot* ou le *cabernet* appartiennent à ce groupe prestigieux dont sont issus les meilleurs vins du Vieux Continent. Aucune des

vignes les plus fameuses qui le composent n'échappèrent, dans la seconde partie du XIXᵉ siècle, aux furieux assauts que lui firent subir coup sur coup l'oïdium (1852), le phylloxera (1868), le mildiou (1878) et le black-rot (1885). Le salut vint du pays même — les Etats-Unis — qui avait engendré ces quatre fléaux. Greffées sur des plants américains, les antiques souches latines y puisèrent les forces d'une vie nouvelle.

Les hybrideurs français, notamment, obtinrent à partir des *Riparia rupestris* des plants très robustes capables de produire un raisin en parfait état, même après avoir subi une forte gelée. Leur culture n'a jamais été introduite dans les terroirs producteurs de grands crus dont les cépages nobles doivent obligatoirement répondre à des critères extrêmement précis.

Les plus grands résultent pourtant d'hybrides améliorés, par des siècles de culture attentive. Et si dans quelques-uns des plus célèbres n'entre qu'un seul cépage, beaucoup d'autres sont le fruit de l'assemblage de plusieurs variétés de raisins. L'affaire se complique en quelque sorte sur le terrain. Le *beaujolais*, par exemple, est issu d'un unique cultivar : le *gamay*. Mais il a fallu créer plusieurs *gamays* en fonction de la nature géologique du lieu d'exploitation de la vigne, de l'ensoleillement et des conditions climatiques locales.

Réunis à la cathédrale de Ferrare, ce panneau de la chaire (à gauche) représente les Vendanges et ce bas-relief le Mois de septembre.

On en revient heureusement de plus en plus à des standards conformes aux normes établies par les spécialistes — ampélographes et œnologues — pour préserver l'authenticité du produit.

Terroirs et microclimats

Toutefois, hors, bien sûr, la bénédiction des dieux, on peut se demander quelle mystérieuse conjonction de hasards géologiques et de données phytobiologiques favorise la naissance d'un cru dans un périmètre extrêmement limité, immuable depuis des siècles, tandis que, de part et d'autre, de tel *château* renommé on ne produira qu'un vin banal.

La terre et le cépage ne suffisent pas, et c'est alors que l'on découvre l'importance du rôle joué par les microclimats, dont les effets bienfaisants s'exercent parfois sur quelque vingt-cinq acres seulement.

Ainsi la quasi-totalité des plus grands noms du vignoble bourguignon tient depuis le XIIᵉ siècle sur une étroite écharpe de terre tournée vers l'est, qui s'effiloche sur 37 milles, de Dijon, au nord, à Cheilly, au sud. Or, malgré les

progrès considérables accomplis dans tous les domaines de l'agronomie depuis quelque huit cents ans, on n'a jamais réussi à coudre la plus petite pièce au manteau taillé ici par saint Bernard et ses compagnons, qui réunirent autour de l'abbaye qu'ils venaient de fonder les parcelles dispersées jusqu'alors et dont ils firent le *clos-vougeot*.

Il semble donc — et nombre de spécialistes inclinent aujourd'hui à le penser — qu'un contexte météorologique très localisé l'emporte en la matière sur les caractéristiques géologiques du terroir. On constate par ailleurs que la vigne pousse volontiers sur des terres pauvres où la plupart des autres cultures échoueraient. Dès 1857, l'ampélographe français Victor Rendu avait décelé cette remarquable capacité d'adaptation.

« En présence, écrivait-il, de la variété prodigieuse de terrains où cette plante prospère, n'y aurait-il pas témérité à déterminer d'une manière absolue le sol, par excellence, que préfère la vigne ? En France, en effet, on la voit réussir dans les crayons de la Marne et résister parfaitement aux sols lourds et marneux tels que ceux des meilleurs crus du Jura ; elle fait la richesse des calcaires oolithiques de la Côte-d'Or ; les débris granitiques ne lui sont pas moins favorables, les excellents vins de la Côte-Rôtie et de l'Hermitage sont là pour l'attester ; les vignes de la Malgue (près de Toulon) sont assises sur le schiste ; le vignoble de Capbreton, sur un sable presque pur... »

Reste alors le travail du vigneron : il est sans doute le seul vrai secret qui fait — dans tous les cas — le meilleur vin. Son effort s'applique à la pratique difficile de deux sciences bien distinctes : la culture et la vinification. On a vu comment les agressions répétées subies au siècle dernier par tous les cultivars d'Europe avaient mis en danger de mort les attributs d'une civilisation millénaire. Le péril passé, les cépages ressuscités, le raisin, de nouveau, se changera en un nectar dont nul ne peut prédire ce qu'il sera, quelle qu'ait été la vigilance passionnelle de l'homme pendant la longue attente qui précède la vendange.

La vinification : de la chimie à l'alchimie

La fermentation n'est pas une mince affaire. Chimiquement, il s'agit de la décomposition du sucre en deux éléments essentiels : le gaz carbonique et l'alcool éthylique, phénomène mis en évidence par Gay-Lussac. Mais on sait aujourd'hui qu'il en résulte un certain nombre d'autres produits — 4% du composé initial — parmi lesquels de la glycérine et des substances azotées.

Les agents qui permettent le déclenchement de la réaction sont des enzymes libérés par les levures que porte le raisin.

Certaines d'entre elles ont une action déterminante au plus haut degré sur le goût et le bouquet, qui confèrent à un grand vin sa finesse. Bien des experts l'attribuent à une levure sauvage particulièrement riche en esters.

Ainsi, de la rigueur scientifique de la formule de Gay-Lussac, en revient-on à l'alchimie qui règne encore en maîtresse sur de bien étranges mutations. Ces rites mystérieux de la nature ne sont pas étrangers à la séduction qu'exerce sur l'homme la culture d'une liane dont le comportement lui échappe, jusque dans les changements qui s'opèrent sur le fruit qu'on vient de lui ôter.

La couleur même du vin suscite la curiosité du profane.

Le jus du raisin est toujours blanc — à l'exception de celui des cépages dits *teinturiers*. Seule la peau le colore au cours de la fermentation. Mais si on la retire après pressurage, on pourra très bien faire du vin blanc avec du raisin rouge, très souvent appelé noir.

Quant aux vins rosés, ils ne sont pas issus d'un coupage — vin rouge, vin blanc — mais résultent de la vinification de raisin noir. L'opération ne va pas sans difficulté, car la couleur sera pour beaucoup dans le choix ultérieur du consommateur, qui appréciera peu la teinte saumonée tirant parfois sur le jaune, révélatrice d'une mauvaise sélection des cultivars originels. Bien d'autres critères entrent en ligne de compte dès lors qu'on en arrive à la commercialisation. Le goût du grand public, même dans les pays où le vin est devenu une boisson quotidiennement présente sur des millions de tables, n'est pas aussi bien formé qu'on serait en droit de l'espérer. Les notions d'appellation d'origine contrôlée ou de mise en bouteilles à la propriété résistent assez mal à l'efficacité d'une publicité intelligente. A l'authentique noblesse d'un cru, dont l'étiquette est limitée à l'énoncé des indications légales assorties d'un millésime et de la photo d'une maison de maître cernée de vignes, il arrive que l'acheteur occasionnel préfère une image de marque qui chantera sur le mode lyrique les vertus d'un breuvage quasi magique, dispensateur d'une joie de vivre bien factice...

De même que l'enfer est, dit-on, pavé de bonnes intentions, les propos de quelques prétendus experts adroitement manipulés par d'habiles agents de relations publiques, agissant pour le compte de puissants groupes industriels, induiront en tentation le consommateur trop crédule.

Enfin, les plus honnêtes spécialistes, exploitants ou négociants, ne peuvent demeurer insensibles à l'évolution de tendances étroitement liées à l'alimentation et au mode de vie d'une clientèle qui conditionne directement l'avenir de leur entreprise.

Longtemps la conservation du vin ne

Des paysages où pousse la vigne émane la même radieuse lumière : en Italie, près d'Ovada (en haut à gauche) et à San Stefano d'Ombra (en bas à gauche), ou en France (ci-dessus) non loin de Cognac.

dépendit que de son degré alcoolique. Dans les régions abondamment ensoleillées, le problème ne se posait guère. Ailleurs, il en allait très différemment et mieux valait ne point trop attendre pour vider les tonneaux de la dernière vendange. Bien souvent leur contenu avait tourné au vinaigre avant qu'on en ait seulement bu la moitié. Il est vrai que jusqu'au XVIIIe siècle on ignore le liège, qui seul assurera une étanchéité convenable. Ce n'est donc pas par fantaisie que le roi d'Angleterre boit jeune le *bordeaux claret* que les négociants britanniques lui expédient d'Aquitaine. Personne n'aurait alors la fâcheuse idée de laisser un *médoc* vieillir quatre ans avant de le vendre ; et l'on taxerait de folie le malheureux vigneron du Sauternais qui attendrait pour vendanger l'apparition de la pourriture noble qui a fait, depuis, la réputation mondiale du *château-d'yquem*.

Le champignon du miracle

Ce phénomène naturel modifie profondément les conditions de la vinification. La fermentation s'en trouve considérablement prolongée puisqu'elle peut se poursuivre plusieurs mois. A l'origine de ce processus se trouve un champignon, le *Botrytis cinerea*, qui se développe à la surface du grain de raisin, où il produit une pellicule. Humidité et chaleur se conjuguent alors pour parfaire cette action qui *rôtit* la grappe et la réduit à une poignée de grains flétris et rabougris. Cet aspect, peu engageant pour le profane, révèle une extrême concentration de sucre tandis que l'acidité disparaît. Typique de la maturation des cépages d'où sont issus les *sauternes* et d'autres vins de la même région, mais aussi d'Alsace et d'Anjou, cette méthode originale est employée en Allemagne dans les vignobles rhénans et mosellans. Elle nécessite une surveillance d'autant plus rigoureuse que le vin ainsi produit demeurera plusieurs années en barriques avant d'être mis en bouteilles. Ouillages et soutirages seront régulièrement opérés pendant cette longue période où s'élaborera l'un de ces exquis nectars. On peut regretter qu'ils ne jouissent plus aujourd'hui, notamment en France, de l'audience qu'ils s'étaient acquise à juste titre auprès de la majorité des œnophiles. Sans doute ces grands crus pâtissent-ils, depuis une quinzaine d'années, de l'évolution des habitudes alimentaires qui ont modifié le goût du consommateur dont la préférence va de plus en plus, en toutes circonstances, aux blancs très secs.

Trop souvent relégué au rang des vins de dessert, un *sauternes* demeure pourtant l'accompagnement le plus somptueux d'un foie gras servi nature.

La mode, on le voit, peut faire et défaire bien des réputations. Le *beaujolais* — et c'est tant mieux — lui doit beaucoup. Sans doute l'accession de quelques jeunes et talentueux chefs lyonnais à une notoriété internationale n'est-elle pas non plus étrangère à la popularité de ce vin rouge jeune d'entre Bourgogne et Côtes-du-Rhône. Il reste qu'il s'accommode avec le même bonheur du zinc d'un bougnat parisien et de la table fleurie de roses rares d'un grand restaurant londonien ou québécois. Si toute religion est d'abord un moyen de communiquer pour mieux se comprendre et se confondre dans la recherche d'un accomplissement commun, celle du vin conquiert chaque jour de nouveaux fidèles.

Certes, les rites ont changé, souvent à la faveur de l'élévation générale du niveau de vie qui a conduit bien des catéchumènes insuffisamment instruits à pécher contre le goût, mais ce ne sont là que fautes vénielles aisément réparables.

Car ouvrir le plus grand nombre à la connaissance d'une civilisation où la culture de l'intelligence et de la sensibilité de l'homme est intimement liée à l'amour que lui inspire cette terre qui le porte, c'est s'essayer à composer la plus fascinante des leçons de choses.

LE RITUEL DU VIN

Apprendre à déguster

Le vin est l'objet de nombreuses légendes, le prétexte à d'intarissables anecdotes, surtout en ce qui concerne le « mystère de la dégustation ». La littérature, les récits populaires, les histoires que l'on raconte à table après boire ont embelli de poésie et enrichi de merveilleux les exploits de certains dégustateurs.

L'un des plus anciens récits (connus) de cette sorte se trouve dans *Don Quichotte*, où l'on voit Sancho identifier dès la première gorgée son cher vin de Ciudad Réal. On connaît aussi l'histoire de ce fin bec bourguignon qui avait parié de reconnaître, les yeux bandés, tous les crus qu'on lui présenterait. L'épreuve se déroula en présence de nombreux témoins, et, lorsqu'il eut « tasté » et reconnu une trentaine de vins aux origines les plus diverses et indiqué leur millésime, l'assistance l'acclama : il avait gagné, sans aucun doute. On allait lui ôter son bandeau lorsque l'un des spectateurs s'écria :

« Pas encore. Il reste une dernière expérience à tenter ! »

Et il lui mit un verre dans la main. L'homme huma, goûta, s'imprégna le palais, réfléchit, recommença l'opération, réfléchit encore longuement, puis finit par déclarer :

« Je ne vois pas ce que c'est. Toutefois, je peux dire une chose : c'est très mauvais et je n'en ai jamais bu, mais c'est tout. J'ai perdu ! »

Au milieu des rires, on lui enleva son bandeau : il s'aperçut alors qu'il tenait un verre d'eau.

Bien entendu, les véritables experts ne manquent pas de rappeler que la dégustation n'est pas une science mathématique, qu'un dégustateur, qu'un connaisseur peut être plus ou moins doué, mais que son art ne va pas jusqu'à la divination. En réalité, le professionnel qui possède un palais exercé et aussi des dons naturels peut classer les vins qu'il goûte, selon leur origine, dans leur grande ligne générale, mais il ne peut prétendre davantage.

Il a besoin de tous les organes de ses sens : les yeux, le nez, le palais, la langue. Son but pratique est d'apprécier les qualités du vin qu'il achète ou de surveiller l'évolution des crus qu'il « élève » dans ses chais.

Bien entendu, la dégustation demande un long apprentissage et une consommation assez régulière. Point n'est besoin d'en abuser (au contraire !) pour devenir, sinon un expert, du moins un amateur éclairé. Lorsqu'elles s'en mêlent, les femmes sont, en la matière, aussi savantes, sinon plus, que les hommes. Il est même possible qu'elles soient plus doués. En tout cas il est normal que leur perception des saveurs et des parfums soit plus déliée que celle de bien des hommes qui diminuent la sensibilité de leur palais avec le tabac et les mauvais alcools.

D'abord des connaissances théoriques

La connaissance des vins, de toute évidence, implique celle de la vigne. Elle est l'aboutissement d'une expérience millénaire que la science moderne a portée à un degré relatif de perfection.

Un connaisseur doit savoir ce qu'il découvrira dans la bouteille avant de la déboucher. Et voici les sources principales auxquelles il doit puiser :

● La *géographie*, c'est-à-dire la carte viticole de tous les crus, de tous les terroirs.

● L'*histoire*, avec les époques de création et d'expansion des vignobles, sans négliger l'anecdote et les confréries vineuses.

● La *gastronomie* et les caractères principaux des vins, corsé, léger, sec, liquoreux, avec les millésimes les plus récents et les plus prestigieux, l'âge et la température auxquels on doit les boire, etc.

● Le *vocabulaire*, c'est-à-dire la terminologie du professionnel, ou tout au moins de l'amateur averti, car chaque qualité, chaque défaut est défini par un mot précis et évocateur.

● Le *matériel*, qui possède son importance, car on ne tâte pas un bon cru avec n'importe quel récipient. Bien des œnophiles affirment que le « taste-vin » de métal appartient au folklore. Ils reprochent à la tasse d'offrir une trop large surface. Aussi préfèrent-ils de plus en plus un verre de cristal blanc en forme de tulipe, qui permet à la lumière de jouer sur la « robe » du vin et de concentrer vers le nez du buveur son arôme et son bouquet.

Mais, dans tout ce rituel, car c'en est un, il ne faut jamais oublier que l'officiant doit être « en état de grâce ». En effet, pour que son jugement soit sain, il doit se présenter à l'épreuve la bouche fraîche, sans arrière-goût de tabac, d'eaux-de-vie, de liqueurs ou de mets épicés. L'heure que l'on donne comme la meilleure se situe le matin vers 11 heures ou l'après-midi vers 17 heures, à condition que le repas de midi ait été léger.

On sait que pendant un dîner, qu'il soit fin ou non, on peut éprouver un grand plaisir à boire de bons vins, mais il n'est pas possible de les déguster, c'est-à-dire de les juger avec le maximum d'objectivité. Si la dégustation a lieu lorsqu'on est à jeun, il est prudent de grignoter quelques carrés de pain accompagnés d'un peu de fromage du type gruyère ou de quelques morceaux de pâte cuite au fromage. Il est conseillé d'autre part de se rincer la bouche entre deux crus. Lorsque ceux-ci sont trop nombreux à goûter, les experts se contentent de s'en imprégner les papilles gustatives et rejettent ce qu'ils ont pris dans la bouche. Ce n'est certes pas ragoûtant, mais la prudence et la conscience professionnelle le leur commandent.

Enfin, personne n'est capable de juger convenablement un vin à la première gorgée, d'autant plus qu'il s'agit en l'occurrence d'accomplir un véritable effort intellectuel de concentration. En effet, il convient de définir successivement un certain nombre de points importants : la couleur et l'aspect, l'arôme, le bouquet, l'équilibre de ces qualités et la persistance de l'une ou de plusieurs d'entre elles, enfin le goût.

La robe et l'aspect

Il n'est pas d'usage de parler de la teinte du vin, mais de sa « robe ». Elle peut être rouge, blanche, rosée, grise, mais aussi brillante, terne, foncée, claire, sombre, fanée, riche, pure ou voilée.

Dans les blancs, elle est jaune-vert, serin, or, paille ou ambre. Le vert est signe de jeunesse, le roux de vieillissement ; dans les rosés, la couleur est grise, rosé faible, œil-de-perdrix, rosé vif, tuilée ou pelure d'oignon ; dans les rouges, elle est rubis, franche, grenat, pourpre, violette, brique, tuilée, cinabre, pelure d'oignon. La nuance bleutée indique la jeunesse d'un vin, le jaune une décadence qui s'amorce tout doucement.

Un rouge trop foncé est dit « trop habillé » ou « trop chargé ». Une robe agréable à voir a « de l'œil », et le vin est « bien habillé ». D'autre part, on ne doit jamais confondre la robe et l'éclat dû à la pureté. Si elle est absolument limpide, on peut supposer un manque de saveur. En revanche, un léger trouble est le signe d'un produit naturel et vivant. Cet examen de la robe est extrêmement intéressant, car il peut permettre de déceler de nombreux défauts et des maladies telles que la tourne, la casse blanche, la casse bleue, etc. Il arrive qu'un vin limpide soit traversé de petites bulles qui montent vers la surface. C'est en général le signe d'une fermentation inachevée ou parfois mal conduite. Toutefois, ce phénomène d'effervescence se produit de façon naturelle chez certains crus comme le *crépy* (blanc), le *gaillac perlé*, et certains mousseux italiens.

Le cas le plus caractéristique est celui de l'*étoile* (blanc du Jura), qui prend la mousse de façon spontanée au printemps. Avant l'application des lois sur les appellations d'origine, il n'était pas rare que

les fabricants de *champagne* vinssent s'approvisionner à L'Etoile pour faciliter la champagnisation de leurs vins et augmenter leur production, grâce à de savants mélanges.

Lorsqu'on les fait tourner à l'intérieur du verre, certains vins présentent un aspect visqueux : on dit alors qu'ils « font l'huile ». Il s'agit là d'une maladie, la « graisse », qui provient le plus souvent d'un manque d'alcool et de tanin. Mais certains blancs de grande classe contiennent, à la suite d'une longue fermentation en barrique, une quantité sensible de glycérine qui leur confère beaucoup d'onctuosité.

Le bouquet

Il s'agit bien entendu de l'odeur du vin ! Parlant de cet organe si précieux qu'est le nez, un dégustateur de la Confrérie des Chevaliers du taste-vin a déclaré : « C'est une sentinelle avancée qui évite bien des surprises à la bouche ! » Cette vérité est admise dans tous les chais du monde où l'homme de l'art surveille souvent à l'odeur l'évolution du contenu

des barriques dont il a la responsabilité. Ce spécialiste hautement qualifié dira volontiers qu'il existe plusieurs bouquets, ainsi qu'on le verra par la suite. Quoi qu'il en soit, ce qu'on appelle bouquet est en général un ensemble extrêmement complexe de sensations olfactives perçues par ceux qui sont doués d'un odorat développé, comme c'est le cas des maîtres de chai. N'oublions pas que la langue et le palais, organes du goût, sont très loin de différencier autant de saveurs que l'odorat ne différencie de parfums. Il est d'ailleurs évident qu'un homme fortement enrhumé se trouve à ce propos plutôt handicapé, car bon nombre d'odeurs ne lui sont plus perceptibles, ou tout au moins sont-elles très atténuées.

La meilleure façon de permettre aux plus subtiles senteurs de s'exhaler consiste à remplir au tiers un verre à pied de cristal dont la forme rappelle celle d'une tulipe bien épanouie et dont la contenance est équivaut environ à un demiard. On fait tourner le liquide d'un léger mouvement du coude, de manière que, réchauffé légèrement et bien aéré, le vin puisse ainsi s'oxyder et laisser peu à peu son

arôme se dégager. C'est le moment de le humer d'une profonde aspiration, en recommençant à plusieurs reprises.

Les experts décèlent trois bouquets successifs : le parfum primaire ou originel, qui est particulièrement reconnaissable dans les vins jeunes; le secondaire, qui atteint son maximum grâce à la fermentation, si toutefois elle a été bien conduite; puis le tertiaire, qui apparaît peu à peu et se développe au cours des années de vieillissement.

Certains crus de Beaujolais, quand ils sont dégustés jeunes, c'est-à-dire comme ils doivent l'être, offrent des exemples typiques de bouquets secondaires; ainsi la violette avec le *fleurie*, la pivoine et la prune avec le *brouilly*, la pêche et la framboise avec le *juliénas*.

Mais le bouquet tertiaire, qui se développe par la suite, est quelque chose de mystérieux. Certes, on sait qu'il provient de l'oxydation du vin pendant son vieillissement, mais il s'agit là de combinaisons chimiques naturelles si complexes, si délicates, que l'on pense irrésistiblement à un secret d'alchimiste ! Dans les stades précédents, on a évoqué

les fleurs et les fruits; mais on parle maintenant de musc, d'humus, de poivre, de santal, de venaison, de champignon. Le cas de certains blancs du Jura est typique à ce propos, mais c'est le *château-chalon* qui peut en fournir le meilleur exemple. Lorsqu'on le déguste, après sept à huit ans de maturation en fût et quelques années de bouteille, la première impression qui se dégage est un goût de noix; puis l'arôme se renforce d'une odeur de pierrailles chauffées au soleil, qui se mêle aux senteurs de sous-bois humides après une pluie d'automne.

C'est l'ensemble bien équilibré de ces trois bouquets qui donne aux grands crus ce que les fins gourmets et les connaisseurs appellent le « spectre odorant ». Si celui-ci est aussi durable que puissant, on dit que le vin a le « nez long ».

Le goût

Ce n'est pas du premier coup qu'il est possible de se forger une opinion exacte. Pour réussir l'opération, un dégustateur dira qu'il faut d'abord — à peu près

comme on briserait un os bien cuit pour en extraire la moelle — apprendre à « casser » une gorgée. Tout d'abord on la retient sur le bord de la langue afin de voir si le vin est frais, tiède, souple, dur, doux ou amer. On l'étale ensuite sur la langue en gardant la bouche bien close; on la rassemble au centre, on la brise par une aspiration d'air exécutée en faisant une sorte de moue avec les lèvres, puis on la projette vers l'arrière-bouche.

C'est alors que les parfums montent vers les fosses nasales et que l'on a vraiment l'impression de boire et de respirer le vin dans le même temps. Généralement, lorsqu'il est arrivé à ce point, le dégustateur professionnel rejette sa gorgée en exécutant avec la bouche un mouvement que le novice n'aura peut-être pas le bonheur d'imiter à sa première tentative, mais il y parviendra sans peine après quelques essais.

Il reste alors au palais un arrière-goût auquel les amateurs attachent une juste importance. Car c'est selon la persistance de celui-ci que l'on jugera finalement un vin. Bien entendu, il existe une différence

à ce propos entre les rouges et les blancs, car les premiers sont assez « courts » (maximum 11 secondes) et les seconds nettement plus « longs » (maximum 25 secondes).

D'ailleurs, un expert français, M. Louis Orizot, a dressé, à titre indicatif, un tableau des temps. Le voici :
- vin ordinaire, de 1 à 3 secondes ;
- vin de qualité, de 4 à 5 secondes ;
- grand vin, de 6 à 8 secondes ;
- vin blanc sec, de 8 à 11 secondes ;
- vin blanc liquoreux, 18 secondes ;
- grand *sauternes*, *château-chalon*, 20 à 25 secondes.

L'équilibre

La dernière qualité, particulièrement évidente si elle fait défaut, c'est l'équilibre. Il est en effet facile de se rendre compte qu'un vin est trop liquoreux, ou trop acide, ou trop corsé. Mais si toutes les qualités se fondent en un tout harmonieux, alors il s'agit d'un grand cru. L'amateur averti le reconnaîtra très vite par la sensation de chaleur, de confiance et de plénitude qu'il ressentira.

Le langage du vin

On ne peut goûter pleinement le vin que si l'on comprend son langage, et pour faire partager sa joie à ses amis il faut savoir la traduire. En manière d'initiation, voici une série de termes connus de tous les amateurs, mais il est bien entendu que ce vocabulaire n'est nullement limitatif et que chaque dégustateur averti a le droit absolu de créer les expressions qui lui sont nécessaires, afin de rendre toutes les nuances de ses sensations gustatives.

Acerbe : vin issu de mauvais cépages ou de raisins n'ayant pas atteint leur maturité. Il est dur, âpre, acide.

Aigre : saveur acide très prononcée.

Amertume : goût contracté par de très vieux et très grands vins, souvent par suite d'un excès de tanin; on dit qu'ils tournent à l'amer.

Amour : s'emploie surtout en Bourgogne. Un vin qui a de l'amour est bouqueté, plein de feu et de sève.

Apre : astringent, rude, difficile à avaler. Il agace les dents comme la prunelle ou l'oseille.

Arôme : principe odorant. Le bouquet en est la plus haute expression.

Astringent : qui prend aux gencives. Chargé en tanin.

Bois : goût provenant d'un trop long séjour en fût ou d'un fût mal soigné.

Bouqueté : qui exhale finement son parfum.

Bourguignotte : qui rappelle le *bourgogne*.

Bourru : vin jeune qui sort de la cave ou du pressoir et dont la transparence est obscurcie par une grande quantité de lie, c'est-à-dire de matières insolubles nées de la fermentation, qui d'ailleurs dans son cas n'est pas encore terminée.

Cachet : caractéristique d'un vin. On dit aussi qu'il a du caractère.

Capiteux : riche en alcool, qui échauffe le cerveau.

Cassé : « malade », trouble, ayant perdu saveur et vigueur.

Chair, charnu : s'applique à un vin qui a une certaine consistance. Un vin peut être tel sans avoir beaucoup de corps.

Chapeau sur l'oreille : se dit d'un produit qui entre en décadence.

Chargé : épais, trop coloré.

Charpenté : bien constitué.

Chat : flatteur, difficile à définir.

Commun : sans race, indigne d'un grand vin.

Complet : équilibré, présentant un ensemble harmonieux de caractères.

Corps, corsé : vin ayant une force vineuse, un goût prononcé, une substance charnue, le contraire d'un vin léger, faible, froid. On dit aussi qu'il est étoffé.

Corsage, cuisse, jambe : plus ou moins corsé mais aussi parfois un peu lourd.

Coulant : friand et moelleux.

Court : de saveur faible et surtout fugace.

Cru, crudité : qui n'est pas encore arrivé à maturité et conserve une verdeur désagréable.

Délicat : peu chargé de tartre et de parties colorantes. Un tel vin peut avoir du spiritueux, du corps et du grain, mais ces qualités doivent être combinées de telle sorte qu'aucune ne domine.

Dentelles : un vin qui « tombe en dentelles » est un vin décoloré, passé, qui ne conserve plus aucune saveur. Il arrive même à faire penser à une toile d'araignée.

Dépouillé : vin débarrassé par le repos des particules solides qui troublaient sa limpidité. La robe d'un vin se dépouille avec l'âge.

Distingué, élégant : délicat, qui plaît au goût.

Dur, dureté : manquant de moelleux, désagréable au palais. Contraire : tendre.

Equilibré : se dit d'un vin ayant peu de corps, d'alcool. Il en est cependant d'assez agréables.

Ferme : qui a beaucoup de corps, de la force, du nerf, du mordant. S'applique aussi à un vin qui n'a pas acquis sa parfaite maturité et conserve encore de la verdeur. C'est une qualité pour un vin plein, moelleux, dont la fermeté tempère la saveur fade.

Ficelle : un vin dont il ne reste plus que la ficelle est un vin trop vieux qui a perdu toutes ses qualités.

Filant : huileux, malade.

Fin : les vins fins proviennent de cépages sélectionnés. Ils se distinguent par la délicatesse de leur sève, leur vinosité, l'agrément de leur arôme et de leur bouquet, la netteté et la franchise de leur goût, la limpidité de leur robe.

Finir : on dit des vins qui se conservent, gagnent de la qualité en vieillissant et sont moins sujets que d'autres à subir une dégénération, qu'ils finissent bien. C'est la caractéristique des vins de garde.

Fluet : maigre, de peu de corps.

Fort : spiritueux, corsé, savoureux, propre à durer longtemps et à donner du ton à l'estomac. On dit encore qu'il est chaud et qu'il a du feu.

Foxé : qui a pris un goût trop violent provenant de cépages hybrides.

Frais : qui procure une agréable sensation de fraîcheur et a conservé les meilleures qualités d'un vin jeune.

Franc de goût : synonyme de droit de goût. On qualifie ainsi les vins qui n'ont pas d'autre saveur que celle que leur donne le raisin. Ceux qui ont un goût de terroir, quoique très naturels, ne sont pas dits francs de goût.

Friand : agréable, frais, se boit toujours avec un plaisir renouvelé, s'applique surtout aux vins jeunes. On dit d'un vin friand qu'il a un « goût de revenez-y ».

Froid : vin dont l'arôme se dégage mal, comme restant enfermé en lui-même.

Fruité : saveur de raisin frais, goût franc de la grappe.

Fumeux : qui fait monter à la tête des fumées, des vapeurs. On le qualifie aussi de casse-tête.

Généreux : pris en petite quantité, ce vin produit une sensation de bien-être, de chaleur à l'estomac et un effet tonique.

Gouleyant : facile à boire.

Goût de terroir : vin ayant un rapport direct avec la constitution du sol.

Grain : sensation assez curieuse produite par certains vins, surtout jeunes, comme si le liquide se trouvait parfois doublé d'une matière encore mouvante mais un peu granuleuse. Indique aussi une légère âpreté, nullement désagréable.

Grand : les grands vins sont ceux qui, par l'ensemble de leurs qualités, ont une supériorité incontestable et incontestée.

Gras : moelleux, qui a de la chair.

Grêle : mince.

Léger : peu de corps, de couleur, de grain.

Liquoreux : vin plus ou moins capiteux, ayant conservé une saveur douce, sucrée, plaisante.

Louche : trouble, d'une couleur désagréable.

Mâché : vin ayant de la chair, du moelleux et du gras. Il emplit la bouche et semble avoir assez de consistance pour être mâché.

Madérisé : terme réservé aux vins blancs qui prennent en vieillissant une teinte topaze brûlée et une saveur rappelant celle du *madère*.

Maigre, mince : très léger, manquant de corps, de vinosité, de sève, de couleur. A la dégustation, un vin maigre qui donne l'impression de ne rien avoir entre la langue et le palais.

Mat : sans grain, sans esprit.

Moelle : un vin qui a de la moelle est onctueux sans être liquoreux. Il a de la consistance, du corps, point d'âpreté.

Moelleux : caractéristique des vins contenant beaucoup de glycérine et de matières gommeuses, qui tiennent le milieu entre les vins secs et les vins liquoreux. Un vin moelleux flatte le palais et chatouille agréablement les muqueuses.

Montant : partie aromatique et spiritueuse qui monte au cerveau d'une manière imperceptible et provoque un état d'euphorie des plus agréables.

Mordant : qualité qui réunit à beaucoup de corps du spiritueux et du bouquet.

Mou : manque d'acidité, de caractère, de nervosité.

Mouche : agglomérat de résidus qui se forme près de l'épaule de la bouteille à mesure que le vin se dépouille.

Mouchoir : on appelle « vin de mouchoir » un vin si délicatement bouqueté qu'on pourrait en verser quelques gouttes sur un mouchoir, comme on le fait pour les parfums.

Moustille : se dit d'un produit légèrement effervescent.

Nerveux : vin réunissant assez de corps, de spiritueux, de sève et de force pour se maintenir longtemps au même degré de qualité.

Plat : sans corps, ni saveur, ni vivacité. Toujours de mauvaise garde.

Pleurer : si l'on fait tourner du vin gras et charnu dans un verre, des gouttes adhèrent aux parois et descendent lentement comme des larmes. Un vin qui pleure est souvent un très grand vin.

Primeur : précoce, qui réalise rapidement ses qualités. En conséquence, vin à boire jeune.

Puissant : très corsé, très étoffé.

Queue-de-paon : expression qui s'emploie pour quelques très grands vins dont l'arôme, comme irisé, se déploie dans la bouche comme une queue de paon et persiste parfois plus d'une minute.

Queue-de-renard : dans certaines vieilles bouteilles, on trouve comme une coulée de lie à l'endroit où la mouche se forme. De cette coulée, le vin a été affecté, son bouquet s'est altéré et son goût modifié : on dit alors qu'il a tourné en queue de renard.

Racé : de grande classe, correspondant bien aux caractères de son appellation.

Renardé : s'emploie pour le *champagne* à la place de foxé.

Robe : couleur qui est due aux éléments tanniques contenus dans le vin.

Rond : plein, gras, charnu, très souple.

Savoureux : sève abondante et agréable.

Sec : caractéristique d'un vin blanc dont la saveur est dépourvue de sucre, mais qui est agréable à boire. Il chauffe la langue et excite vivement le système nerveux. Un vin rouge sec manque à la fois de chair et de moelleux et son goût est astringent. Certains vins rouges ont le défaut de sécher en vieillissant.

Sève : âme du vin, sa force et sa saveur qui se développent lors de la dégustation.

Souple : tendre et moelleux.

Spiritueux : alcool naturel du vin produit par la fermentation.

Suave : un vin suave produit une impression douce, harmonieuse, irrésistible. Il fait la queue de paon.

Tendre : vin facile à boire, « gouleyant ». Le contraire de dur.

Terroir (goût de) : qui tient à la nature et à la composition du terrain sur lequel le vin est récolté. Le plus répandu de ces goûts spéciaux est celui de « pierre à fusil ».

Tomber dans ses bottes : en parlant d'un vin, signifie dégénérer, devenir de saveur nulle.

Tourner : s'agissant des vins, s'altérer ou se décomposer. Lorqu'un vin a tourné à l'aigre, sa dégénérescence est complète.

Tuilé : se dit d'un vieux vin rouge qui présente une robe décolorée d'un rouge brique ou orangé.

Usé : complètement dépourvu de ses qualités vineuses, soit par un défaut d'élevage en fûts, soit par un trop long séjour en bouteilles.

Velouté : très fin et très moelleux, fait éprouver au palais la sensation de son parfum et de son goût agréable. On dit d'un tel vin qu'il descend dans la gorge, en culotte de velours.

Vénusté : indique une charpente peut-être un peu lourde, mais puissante.

Vert : un défaut lorsque cette saveur astringente est due au manque de maturité du raisin, une qualité lorsqu'il s'agit d'un vin jeune qui contient une heureuse proportion d'éléments acides, lui assurant une bonne conservation. D'où le dicton « Vin vert, riche Bourgogne », « Vin vert, vin de fer ».

Vieillarder : entrer en dégénérescence.

Vif, vivacité : qui impressionne vivement les papilles, qui a du nerf, du mordant.

Vineux : qui a beaucoup de force, de spiritueux, parfois aux dépens de la finesse.

Vinosité : goût et force vineuse. Ce qualificatif est quelquefois employé pour indiquer le plus haut degré de spiritueux.

Comment reconnaître les différents types de vins

Le vin a toujours été considéré comme une chose précieuse et, depuis l'Antiquité, tous les régimes politiques se sont préoccupés de sa protection. Ils y sont parvenus avec plus ou moins de bonheur, faute surtout d'une conception d'ensemble et peut-être aussi de la collaboration active des vignerons.

En France, c'est précisément l'un d'eux, le baron Leroy de Boiseaumarié, propriétaire à Châteauneuf-du-Pape, qui, à partir de 1923, proposa toute une série de mesures qui aboutirent à la législation sur les appellations d'origine. Elle allait s'étendre non seulement à tout le vignoble français, mais encore servir de modèle aux grands pays vinicoles.

Les appellations d'origine sont au nombre de deux : les appellations d'origine contrôlée (AOC), qui visent les vins les plus réputés actuellement; les vins délimités de qualité supérieure (VDQS), reconnus comme de bons vins régionaux. En réalité, la frontière entre les deux catégories est loin d'être définitive, car les progrès de la vinification et une certaine évolution du goût du consommateur amènent parfois l'Institut national des appellations d'origine (INAO) à faire passer un vin de la seconde appellation à la première, comme cela s'est produit récemment pour le vin de Cahors. Il n'y a aucune différence en ce qui concerne la protection de ces deux catégories. Pour toutes deux, le contrôle (qui est sévère) porte sur l'aire de production, la nature des cépages, la taille et les méthodes de culture, le rendement maximal à l'acre, les méthodes de vinification et le degré alcoolique minimal. Un certain nombre de VDQS ne peuvent être livrés à la consommation sans l'avis d'une commission officielle de dégustation. Les vins de consommation courante (VCC) se divisent en trois grands groupes : les produits de marque, qui sont en général des « assemblages » et ne doivent pas titrer moins de 9,5° ; les appellations simples, qui concernent des vins produits dans une région particulière mais non délimitée sur le cadastre ; les vins de pays, qui sont produits dans une région déterminée à partir de cépages autorisés et qui ne doivent pas titrer moins de 8,5°. Certains sont désignés selon la formule : « Vin de pays du canton de ... ».

Cette cave vénitienne vaut davantage encore par la polychromie rustique de sa voûte que par l'agréable bouquet de ses pinots rosés qui exalte admirablement la saveur du brodetto, la soupe de poisson des pêcheurs de cette région d'Italie. Curieusement, les bouteilles de vin sont indifféremment rangées debout (ci-contre à gauche) ou couchées (à droite) dans des casiers muraux.

L'achat du vin

Pour le consommateur qui se fonde sur de très simples indications, l'achat du vin ne présente pas de difficultés majeures. Le spectre d'autrefois, celui de la fraude, est devenu beaucoup moins redoutable, tant à cause de la sévérité des contrôles que du coût élevé de la main-d'œuvre qu'on devrait employer pour « trafiquer ».

Les différentes catégories de fournisseurs présentent toutes des avantages et des inconvénients. Le vigneron récoltant livre un vin net et franc, mais il vend en tonneaux et il ne dispose pas d'une grande variété de crus. Les coopératives sont le gage d'une qualité régulière, mais celle-ci est parfois obtenue aux dépens de l'originalité. Le négociant éleveur dispose, lui, d'une gamme étendue de vins d'années et de crus différents, sa vinification est soignée, elle limite les risques de la mise en bouteilles si on la fait soi-même, mais les prix sont plus élevés et l'on se heurte parfois à une certaine banalisation. Le détaillant présente l'avantage d'offrir à la consommation immédiate une grande variété.

Quels vins acheter ? Tout dépend des goûts du consommateur, mais, actuellement, l'opération la plus avantageuse, et de loin, est celle qui porte sur de grands crus achetés jeunes. Sans doute les prix sont-ils déjà très élevés, mais il faut tenir compte du fait qu'un grand vin millésimé gagne chaque année 30% de sa valeur.

Quelle quantité acheter ? La réponse à cette question dépend particulièrement de trois éléments : budget, genre de vie, lieu d'habitation. Il est bien évident qu'un amateur vivant à la campagne et menant un train de vie élevé a tout avantage à se constituer d'emblée une cave importante. Elle lui permettra de faire face à toutes les situations.

Il arrive que parmi les problèmes à résoudre en priorité figure celui du vin quotidien, « qui va avec tout » et dont on ne se lasse pas, type *beaujolais* en France. Mais l'amateur n'a que l'embarras du choix, non seulement dans des régions comme les Corbières et les Coteaux du Languedoc, mais encore parmi les plus réputées des appellations.

En ce qui concerne le contenu de la cave à grands vins, voici quelques indications. Une petite cave peut déjà abriter une réserve fort honorable. Il faut éviter l'échantillonnage et choisir les bouteilles par trois, voire par six ou douze. Les chiffres suivants sont conseillés à la fois pour la consommation et le vieillissement :

9 blancs secs : Alsace, Jura, Bourgogne, Savoie, Côtes-du-Rhône, Provence, Languedoc, Bordeaux, crus locaux et étrangers ;
3 blancs demi-secs ou moelleux : Alsace, Bordeaux, Loire ;
3 rosés : *tavel*, Anjou, Arbois ;
6 rouges légers : Bourgogne, Bordeaux, crus locaux ;
6 rouges corsés : Bourgogne, Côtes-du-Rhône, Languedoc, Bordeaux ;
3 grands vins doux : *frontignan, banyuls, sauternes, monbazillac, quarts-de-chaume;*
3 vins de Champagne, dont un « nature ». Soit, à trois bouteilles par vin, une centaine de bouteilles environ.

Deux à trois cents bouteilles permettent de constituer un solide fonds de cave et offrent évidemment une plus grande diversité :
12 blancs demi-secs ou moelleux (voir plus haut) ;
36 blancs secs (voir plus haut) ;
24 rosés : Bourgogne, Jura, Côtes-du-Rhône, Provence, Languedoc, Bordeaux, Loire, Tunisie, Algérie ;
Parmi les rouges :
12 *côte-de-nuits* ;
12 *côte-de-beaune* ;
12 *beaujolais* ;
12 *arbois* ;
 6 *côte-rôtie* ;
 6 *hermitage* ;
 6 *châteauneuf-du-pape* ;
12 *graves* ;
12 *saint-émilion* ou 12 *pomerol;*
12 *champagne* dont 3 « nature » ;
 6 grands vins doux (voir plus haut).

En arrivant progressivement à 1 500 ou 2 000 bouteilles, un amateur vigilant peut espérer avoir dans sa cave une digne représentation de tout ce qui compte dans le Gotha des vins de France. S'il se veut « européen » — et il sera alors bien inspiré, car la plupart des grands vins produits hors de France sont beaucoup moins coûteux —, il en ajoutera un millier, venus d'Italie, d'Espagne, de Hongrie et de Rhénanie.

Une cave n'est pas vraiment complète si elle ne contient pas aussi un « registre de cave ». Y figurent non seulement les « entrées » (avec l'indication des prix d'achat) et les « sorties », mais aussi les appréciations diverses du propriétaire et des invités. Le registre de cave permet de suivre la maturation des vins et aussi, à l'occasion, de retrouver un millésime ou un nom de cru que l'humidité fait disparaître. Enfin, il constitue un précieux document non seulement sur la situation du vin à une certaine époque, mais également sur la psychologie de l'amateur. C'est une sorte de « journal intime », qui fait de son auteur, à ce titre, un fidèle serviteur du vin.

LA CAVE

« La cave ne sert pas à conserver le vin, elle sert à l'accueillir », disait un vieux vigneron de Bourgogne pour marquer toute l'importance qu'il donnait au local où le vin termine sa maturation. Il est vrai qu'une cave, pour qu'elle soit bonne, doit réunir un grand nombre de qualités, mais, contrairement à une opinion trop répandue, il n'est pas si difficile de s'en créer une. Il suffit d'un peu de bonne volonté et de quelque ingéniosité. Voici, pour aider ceux qui veulent tenter l'expérience, les différents points qu'il faut prendre en considération.

Aération

La cave doit être bien close sans pour autant sentir le « renfermé ». C'est pourquoi un soupirail est indispensable pour aérer de temps en temps le local. Si l'on a le choix, il faut le pratiquer au nord ou à l'est, l'air étant plus frais dans ces directions.

Température

On recommandait autrefois de maintenir une température de 54°F l'hiver et de 63°F l'été. Ces constantes sont toujours valables, mais les progrès des techniques de vinification ont conduit à plus de tolérance. On peut même aller, pour certains vins, jusqu'à 75°F. Il est vrai que les changements de température doivent se produire de manière presque imperceptible : ce sont, en effet, les sautes du thermomètre qui sont dangereuses.

Certes, les moyens modernes de climatisation permettent d'obtenir une température rigoureusement constante d'un bout à l'autre de l'année. Mais, s'il faut veiller à ce que l'isolement soit bon, il n'est pas nécessaire qu'il soit parfait. Il y aurait même des inconvénients à cela, car le vin, pendant sa maturation, « suit » les saisons, tout comme la plante dont il est issu. Ne pas oublier non plus que les chaudières, les tuyaux du chauffage central sont, pour le vin, des ennemis particulièrement redoutables. Sur les murs, un enduit blanc (mauvais conducteur de la chaleur) ajoute à la protection.

Retenons surtout qu'on peut considérer comme très satisfaisante une cave dont la température ne dépasse pas 68°F. Au-delà de 75°F, les vins blancs jeunes risquent de fermenter une seconde fois. Certains rouges, cependant, s'en accommodent fort bien, surtout lorsqu'ils sont riches en tanin ou en alcool.

Eclairage

La cave doit être de préférence sombre, éclairée simplement par un soupirail que l'on pourra, au besoin, aveugler avec une couverture ou un châssis mobile. Faut-il en rester à la bougie ou peut-on utiliser l'électricité? On ne croit plus aujourd'hui qu'une ampoule électrique puisse nuire au vin, mais, si la cave est petite, pourquoi ne pas conserver la bougie ? Elle ajouterait au local un charme vieillot, sans compter qu'elle permet de mieux mirer les bouteilles.

Humidité

L'atmosphère de la cave doit être sèche. Toutefois, une certaine humidité — juste ce qu'il faut pour empêcher le dessèchement des bouchons — n'est pas à craindre, à condition, cependant, qu'elle ne soit pas trop importante, car elle risquerait alors de provoquer le pourris-

La perfection d'un artisanat intimement lié au miracle du vin apparaît dans la pureté de ligne d'un tonneau (ci-dessous), comme dans les niches de cette vieille cave (à droite), qui la font ressembler à un village troglodytique.

sement du liège et de détruire les étiquettes. Pour y remédier, on recouvrira le sol de sable fin ou de mâchefer et l'on revêtira les murs d'un enduit spécial.

Les colles et les papiers à étiquettes utilisés actuellement sont beaucoup plus résistants qu'autrefois. On peut, avec du fil de fer, attacher des étiquettes en plastique sur les rayons à bouteilles, mais le mieux est encore de tenir soigneusement à jour un registre de cave qui aura de surcroît l'avantage d'évoquer, plus tard, certaines joies bien précises.

Sécheresse

Les caves trop sèches sont rares, et c'est heureux, car leur action est des plus insidieuses. La sécheresse peut provoquer une importante évaporation du vin à travers les douves du tonneau comme à travers le liège du bouchon. L'air pénètre alors à l'intérieur du récipient et peut provoquer une oxydation excessive qui peut « casser » le vin. Si la cave est trop sèche, on en augmentera l'humidité en posant sur le sol une bassine pleine d'eau. Pour éviter que celle-ci ne se corrompe, on peut verser dedans une petite pelletée de braises.

Tranquillité

Sur ce point, il semble que le vin ait accepté de vivre avec son époque. Un ancien manuel de vinification affirmait que l'on pouvait gâter le vin en lui jouant du... Wagner ! Aujourd'hui, la *pop music* semble le laisser indifférent ; il supporte même les vibrations provoquées par le passage des camions ou même du métro. Si l'on a rarement des surprises de ce côté-là, c'est que les vins actuels sont plus stables que ceux d'autrefois.

Exclusivité

C'est le côté « star » du vin, autrement dit son intolérance pour tout ce qui possède une odeur. Aucun chimiste n'a encore réussi à expliquer de manière satisfaisante pourquoi un fromage, un fruit, un légume, placés dans le voisinage d'une bouteille bouchée et cachetée, communiquent leur goût au vin qu'elle contient. Ce fait avait déjà été remarqué par Pline l'Ancien, qui écrivait, il y a de cela dix-neuf siècles : « Il faut éloigner des caves les fumiers, les racines d'arbre, tout ce qui donne de l'odeur, laquelle passe très rapidement au vin. » En conclusion, une cave propre où le vin n'aura d'autre compagnie que la sienne.

Vinothèque

Si votre maison ne possède pas de cave, ne désespérez pas pour autant. Les matériaux modernes (laine de verre, fibrociment, etc.) ainsi que les nouvelles

techniques de climatisation rendent possible l'installation, dans l'appartement même, d'une *vinothèque*, qui a tous les avantages de la cave sans en avoir les inconvénients.

A la campagne les maisons ont toujours une cave. Mais si, par hasard, celle-ci était inutilisable, il est bon de se rappeler qu'un coin de grange fera aussi bien l'affaire. On y disposera un tas de sable bien sec dans lequel on enfouira les bouteilles, le sable et le vin faisant, d'une manière générale, bon ménage.

Mobilier

Le tonneau. — L'outre donnait au vin une odeur spéciale, l'amphore lui communiquait un goût de poix, car, pour la rendre imperméable, on enduisait de cette matière visqueuse l'intérieur du récipient. Enfin vint le tonneau, qui allait permettre à la vinification des progrès considérables. Le premier avantage du tonneau est de ne pas gêner le vin pendant sa maturation, car on peut, tant que dure la fermentation, garder la bonde ouverte si la « respiration » du vin à travers les douelles n'est pas suffisante. Son rôle est aussi de fournir du tanin au jeune vin. Ce point est si important que, dans le Bordelais, tous les grands vins sont placés dans des fûts de chêne neufs.

Rappelons que si l'on a intérêt à faire séjourner l'alcool le plus longtemps possible dans un tonneau, il n'en est pas de même pour le vin, qui risque de s'y sécher ou de prendre un désagréable goût de bois. Il arrive qu'un vin soit inférieur à un autre, bien qu'ils soient de même origine, simplement parce qu'on a retardé de quelques semaines sa mise en bouteilles. Il est vrai que de telles erreurs ne sont jamais commises par les professionnels, mais un amateur peut se tromper. En moyenne, la durée du séjour en tonneau est de quelques mois pour l'*alsace*, le *muscadet*, le *beaujolais*, le *tavel* ; de un an pour le *bourgueil*, le *chinon*, les *côtes-du-rhône*, le *bourgogne* blanc ; de deux ou trois ans pour le *bourgogne* rouge et les *bordeaux* ; de quatre à cinq ans pour les *corbières* ; de six ans pour le *château-chalon*.

S'il rend d'excellents services, le tonneau est cher et d'un maniement délicat. Mal soigné, il se gâte très vite et, souvent, irrémédiablement. Il faut, chaque fois qu'on le vide, le laver avec de l'eau bouillante à laquelle on aura additionné une bonne dose de gros sel. Le rinçage se fait à l'eau froide. On lavera un tonneau neuf avec quelques litres de vin chaud. Dans le cas où on ne l'emploierait pas immédiatement, il faut le faire égoutter puis le passer au soufre, cette dernière opération devant être répétée tous les six mois. Lorsqu'on désire s'en servir, il faut d'abord s'assurer de sa propreté. Pour cela on plonge à l'inté-

rieur, à l'aide d'un fil de fer, une bougie allumée. Le tartre des parois doit être brillant et sans taches. S'il est recouvert d'une mousse jaunâtre qui, grattée, laisse un dépôt noir, le tonneau ne vaut plus rien : les spécialistes conseillent alors d'en faire des... bacs à fleurs !

Le chantier. — Vide ou plein, un tonneau ne doit jamais être posé contre un mur ou sur le sol, mais sur un *chantier*. On appelle ainsi un tréteau de bois incurvé posé sur des briques ou des madriers à cinquante centimètres du sol. Il existe dans le commerce des chantiers perfectionnés qui permettent de faire varier l'inclinaison du tonneau lorsqu'on veut le vider complètement.

Les casiers. — On en trouve différents modèles dans le commerce à des prix raisonnables. Mais, si l'on aime le bricolage, on peut les construire soi-même avec des caissettes en bois que l'on demandera à son épicier. Il faut seulement veiller à ce que l'inclinaison des bouteilles soit suffisante pour que le bouchon tout entier soit au contact du vin.

Les bouteilles. — Il en est de toutes les formes, chaque commerçant tendant à vouloir donner à ses produits une « image de marque » facilement reconnaissable. C'est là une ambition légitime mais qui peut entraîner des excès regrettables : il existe ainsi quelques bouteilles de *beaujolais* dont la forme rappelle curieusement celle du *château-chalon*.

Le vin, produit de tradition, ne devrait pas donner lieu à de telles fantaisies. Chaque cru mérite sa forme : l'amateur sérieux réservera la flûte à l'*alsace*, la fillette à l'*anjou*, la mâconnaise au *pouilly-fuissé*, la bordelaise au *bordeaux*. Le vin de Champagne, toujours vendu en bouteilles, ne donnera jamais lieu, de ce côté-là, à des surprises. Peut-être est-il bon de rappeler que ce vin est toujours champagnisé dans des bouteilles normales et que c'est seulement après l'opération de dégorgement qu'on remplit les quarts et les magnums (1.5 pinte).

La bouteille n'a pas seulement l'avantage d'être un récipient de conservation facile à manier. Grâce aux réactions qu'elle permet entre le vin et l'air, à travers le bouchon, elle favorise une constante amélioration du produit.

Goulot et bouchon étant de taille identique quelle que soit la bouteille, la contenance de celle-ci prend une importance capitale. En effet, le vin contenu dans une petite bouteille est proportionnellement plus aéré que celui qu'on enferme dans une grande, aussi vieillira-t-il plus vite. De nos jours, un vin bien vinifié décline, dans un quart, après la deuxième année, après cinq ans dans une bouteille de 75 cl (une chopine et demie), après huit ans dans un magnum.

La propreté du contenant est évidemment d'une importance capitale pour la bonne conservation du vin. On rincera donc

centimes on risque de perdre toute une cuvée. Le vin peut attraper le « goût de bouchon », ce qui, mystérieusement, arrive parfois, même lorsque toutes les précautions ont été prises. Un bouchon trop court, poreux, permettant des échanges trop faciles, provoque un vieillissement prématuré. Pour les grands vins, surtout si l'on envisage de les conserver longtemps, on utilisera des bouchons de liège de la meilleure qualité, neufs, d'une longueur de 1.5 à 2 pouces. Avant de s'en servir, on les fera tremper une demi-journée dans de l'eau fraîche (jamais d'eau chaude !) puis dans un peu de vin. Ne jamais conserver les bouchons neufs à la cave : ils peuvent prendre un goût de moisi.

Les étiquettes. — Elles datent de l'Antiquité. En Grèce, chaque récipient portait une inscription indiquant le nom du cru et celui des magistrats en exercice, ce qui permettait d'en déduire l'année de la récolte ou celle de la mise en amphores. On y trouvait aussi, mais pas toujours, le nom du producteur ou du commerçant.

Les Romains devaient reprendre ces méthodes, comme le prouvent les amphores découvertes au fond de la mer, en particulier celles qu'on a trouvées au large d'Anthéor (Var).

En France, l'usage voulut pendant très longtemps que l'on marque les casiers avec de petites plaques d'argent, de céramique, de métal argenté. Elles portaient des indications de type général, comme *sauternes*, *graves*, etc., parfois complétées par le nom de la paroisse (celle de Saint-Laurent-de-Médoc était très réputée) et même, mais beaucoup plus rarement, par un nom de cru.

Au cours du XIXe siècle se répandit la coutume de frapper les bouteilles au bas du col, lors de la fabrication, d'une empreinte inaltérable, ce qui d'ailleurs présentait l'inconvénient de faciliter la fraude. On a trouvé de telles bouteilles, portant l'estampille *château-margaux*, dans un fort situé non loin de Darwin, en Australie. Ce fort ayant été détruit et abandonné en 1839, on en a conclu qu'elles avaient pu être offertes par Dumont d'Urville lors de son expédition de 1838.

Actuellement, tout vendeur de vins en fûts fournit à l'acheteur un nombre suffisant d'étiquettes. Mais tout amateur a le droit, naturellement, d'en créer pour lui-même à sa guise. On peut même y faire imprimer des maximes (comme on colle des ex-libris sur les ouvrages de sa bibliothèque), ainsi que le faisait le Dr Ramain, lequel céda la sienne (« Toujours en vin, jamais en vain ») à la Confrérie des Chevaliers du taste-vin.

Le meilleur papier ne résistant pas pendant des années à l'humidité, il est recommandé de porter des indications précises sur chaque casier, et même de dresser un plan détaillé de la cave.

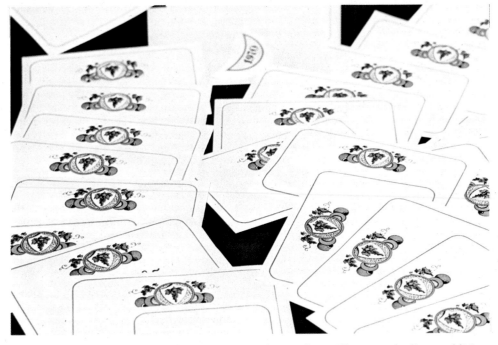

La qualité du liège employé dans la fabrication des bouchons, qui préserveront le vin des atteintes du monde extérieur, conditionnera un vieillissement convenable. Parmi les plus réputés sont ceux d'Espagne (ci-dessus en haut). L'étiquette (ci-dessus) est la carte d'identité d'une bonne bouteille : sans elle (en haut à gauche) qui saurait dire son nom et son âge ?

chaque bouteille avec de l'eau additionnée de 0.75 once d'acide borique par pinte ou de 0.07 once de potasse ou de soude. L'égouttage, goulot en bas, doit durer vingt-quatre heures. Lorsque l'on est très pressé, on peut rincer les bouteilles avec du vin ou, mieux encore, avec de l'eau-de-vie.

Les bouchons. — Il n'est pas d'économies plus désastreuses que celles portant sur ce point. Pour vouloir gagner quelques

LE VIN SUR LA TABLE

Les verres

Le verre n'est pas si récent qu'on le croit communément. Dans l'« hexagogone », il succéda, dès l'époque gallo-romaine, à la corne d'auroch des Gaulois pour être remplacé au Moyen Age par des chopes de grès ou d'étain. Sa forme rappelait, le plus souvent, celle de la coupe, comme on peut le constater au musée du Champagne, à Epernay, qui en possède une belle collection.

Tout, dans un verre, doit concourir à mettre le vin en valeur, et non pas à décorer la table. Le verre idéal est en cristal non coloré, afin que l'œnophile se complaise déjà à la vue de son breuvage préféré et puisse en apprécier la couleur. Ses parois sont minces et non taillées (« comme une coquille d'œuf », disent les amateurs), afin que rien de superflu ne s'interpose entre les lèvres et le liquide. Il possède un pied, toujours élégant, qui facilite l'opération consistant à faire tourner le vin pour mieux en saisir le bouquet. Enfin, sa forme même a une telle importance que la plupart des grandes régions vinicoles ont créé leur propre modèle. La Bourgogne a choisi un verre pansu et bien équilibré, le Bordelais une forme à peu près semblable, mais plus élancée, l'Alsace un verre à pied très haut, parfois coloré, la Champagne la célèbre flûte, qu'on remplace parfois par un verre « tulipe ». D'une manière générale, les vins blancs sont moins exigeants, sur ce chapitre, que les vins rouges. Les verres ballons trop larges, dans lesquels le vin est en contact avec l'air sur une superficie relativement trop grande, favorisent une oxydation excessive des vins blancs et gênent la concentration des esters dans les vins rouges.

Carafe et décantation

Décanter un vin, c'est le transvaser de sa bouteille d'origine dans le récipient qui sera porté sur la table. Cette opération a pour but d'aérer le vin ou de le séparer, lorsque c'est nécessaire, de son dépôt. Celui-ci, qui est en lui-même un signe de qualité, s'accumule sur le fond et les flancs de la bouteille et trouble le vin au moment du service.

La décantation, de nos jours, n'a plus l'importance qu'elle prenait autrefois, car le filtrage des vins avant leur mise en bouteilles est devenu plus rigoureux. De plus, on les laisse vieillir beaucoup moins longtemps. Il est très rare qu'un vin blanc ait besoin d'être décanté, de même qu'un *bourgogne*, mais les vieux *bordeaux* requièrent parfois le transvasement.

On ira chercher la bouteille à la cave quelques heures avant l'opération et on la laissera reposer debout pour que toutes les particules tombent au fond.

La carafe sera lavée à l'eau chaude, puis rincée au vin, suffisamment à l'avance pour qu'elle puisse sécher d'elle-même.

La décantation, qui peut se pratiquer au moment de servir ou quelques heures auparavant, se fera très lentement, à l'aide d'un entonnoir en verre ou, à défaut, en plastique. L'opérateur se servira d'une bougie pour mieux surveiller le mouvement des particules dans la bouteille et arrêter l'opération dès que celles-ci se présentent au goulot. Si le vin ne doit pas être servi aussitôt, on bouchera la carafe avec un tampon d'ouate peu serré, qui permettra l'oxydation du vin tout en empêchant la chute des poussières. C'est ainsi que les *bordeaux* gagnent à être décantés plusieurs heures à l'avance et les grands *graves* presque un jour entier. Pour les *bourgognes,* on peut attendre le dernier moment.

La décantation a ses adversaires, qui prétendent que cette opération peut détruire un vin précieux et qu'il est criminel de courir un pareil risque. Il suffit, disent-ils, de remonter de la cave la bouteille choisie, de la laisser reposer quelques heures debout et de verser le vin directement dans les verres, avec d'infinies précautions, quitte à perdre le fond de la bouteille.

Le tire-bouchon

Ce petit appareil a son importance, car le bouchon de certaines vieilles bouteilles peut se révéler coriace ou trop fragile. On en trouve divers modèles dans le commerce, fondés sur des principes différents. On en choisira un pourvu d'un système qui permette l'extraction du bouchon « en douceur ».

La nappe et l'éclairage

Les nappes de couleur présentent le désavantage de « tuer » la robe du vin. Préférez-leur l'ancienne nappe blanche bien glacée dans laquelle les vins se refléteront comme au-dessus d'un miroir ou d'une pièce d'eau.

L'éclairage qui tombe directement du plafond « écrase » le vin; on lui en préférera un à hauteur d'homme et on évitera les tubes luminescents.

Les dessous de bouteille sont indispensables.

Procédés pour rafraîchir et réchauffer le vin

Pour rafraîchir le vin, rien ne vaut une bonne vieille glacière, qui a sur le réfrigérateur l'avantage de ne pas fonctionner par secousses. Si l'on doit pourtant utiliser celui-ci, on veillera à le régler à l'avance sur une température point trop basse, car il y a toujours danger de « casser » le vin. Rappelons qu'un vin rouge ne se rafraîchit qu'à la cave.

Le seau à glace (dont on peut accélérer les effets, quoique ce ne soit pas recommandable, en y versant une poignée de

• **Vins rouges.** L'usage se répand de boire frais certains rouges, surtout s'ils sont légers et jeunes : *arbois, beaujolais, bourgueil, riceys,* vins de Touraine, etc. Les *bordeaux* doivent être chambrés, mais il est préférable qu'ils ne dépassent pas la température de 64ºF. Il convient de les monter de la cave la veille, de leur faire passer la nuit dans une pièce assez fraîche et de ne les apporter dans la salle à manger que quelques heures avant le repas. Afin de permettre au vin de s'oxyder, on débouchera la bouteille à ce moment-là et on posera le bouchon sur le goulot.

Une certaine sensation de fraîcheur ne nuit pas aux *bourgognes.* On pourra donc les chambrer dans une pièce dont la temperature sera de deux ou trois degrés moins élevée que celle de la salle à manger. On les débouchera aussi deux heures avant le service.

Le *châteauneuf-du-pape* est, parmi les grands vins rouges, celui qui se boit à la température la plus basse, c'est-à-dire entre 54 et 57ºF. On ne montera de la cave et on le débouchera deux ou trois heures avant de le servir.

• **Les champagnes.** Tous les *champagnes* ne doivent pas être traités de la même manière. Les *champagnes* doux et nouveaux seront frappés, les bons rafraîchis, tandis que les grands *champagnes* vieux et millésimés seront servis à la température de la cave.

• **Vins de liqueur et divers.** *Muscats, banyuls, málaga* ne doivent pas être rafraîchis. Le *porto* blanc gagne à être porté à une température légèrement inférieure à celle de la pièce, le rouge davantage même que le blanc.

• **Le goût de bouchon.** L'amateur détecte cet accident en flairant le bouchon dès qu'il a ouvert la bouteille, en un geste devenu chez lui instinctif.

• **Les verres.** On ne remplit jamais un verre à ras bord, mais à moitié seulement, voire au tiers. Cela permet au vin de développer tout son bouquet.

L'âge optimum des vins

On peut dire, d'une façon générale, que plus un vin requiert d'années pour sa maturation, plus longue est la période pendant laquelle il conserve toutes ses qualités. Plus lente aussi sera sa chute. Il y a naturellement de nombreuses exceptions, qui, toutes ou presque, sont des exceptions heureuses. Il existe ainsi des vins « de primeur », c'est-à-dire des vins à boire jeunes, comme le *beaujolais,* le *pouilly-fuissé,* le *bourgueil,* qui, certaines années, supportent gaillardement dix ou vingt ans de bouteille. En revanche, les vins dits « de garde », qui sont riches en alcool et en tanin, méritent d'être conservés longtemps. Les vins d'une année médiocre peuvent être très agréables, mais ils ne supporteront pas un vieillissement aussi long que ceux d'une grande année.

sel) reste la solution la plus acceptable. « Chambrer le vin », c'est l'amener progressivement à la température de la salle à manger. Afin de ne pas lui faire subir de trop brusques variations, on évitera absolument de l'approcher d'un poêle ou d'un radiateur. Lorsqu'il n'est pas trop froid, la chaleur des mains tenant le verre suffira à le réchauffer.

En cas d'urgence, on peut utiliser l'un des deux procédés suivants :

Remplir d'eau chaude une carafe, agiter pour réchauffer le verre, jeter l'eau. Rincer la bouteille avec un peu du vin à servir et décanter le reste de la bouteille.

La seconde méthode est parfois utilisée en Bourgogne. Elle consiste à tremper la bouteille, pendant dix secondes environ, dans de l'eau chaude, puis à l'envelopper dans une serviette où on la garde pendant cinq minutes. Une partie de la chaleur du verre passe dans le vin et commence à le dégourdir.

Température des vins

Un vin de qualité moyenne, servi dans de bonnes conditions, est préférable à un grand vin débouché au dernier moment. Beaucoup de maîtresses de maison, qui passent pourtant des heures devant leur cuisinière, refusent, par ignorance, d'accorder au vin les quelques instants que nécessite sa préparation.

• **Vins blancs et rosés.** Tous les rosés, les vins de la Loire, d'Alsace, les *bourgognes,* les « petits vins » divers, doivent être servis frais, entre 43 et 54ºF, ce qui correspond à peu près à la température de la cave.

Pour les *bordeaux* blancs, tout dépend du cru. Les vins moyens (*entre-deux-mers,* par exemple) seront rafraîchis, tandis que les grands *sauternes* jeunes seront servis frappés.

En revanche, le *château-chalon* sera légèrement chambré.

L'ÂGE OPTIMUM DES VINS

Alsace
Sylvaner, riesling, gewürztraminer . . . . de un à quatre ans
Pinot, riesling . . . . de deux à six ans
(La Confrérie de Saint-Etienne conserve dans ses caves des *riesling* de 1834, restés « jeunes et frais ».)

Bourgogne
Vins blancs . . . . . de deux à six ans
Vins rouges . . . . . de quatre à huit ans

Mâconnais
Vins blancs et rouges de un à trois ans

Beaujolais
Vins rouges . . . . . de trois mois à trois ans

Jura
Vins rosés et blancs de quatre à six ans
Vins rouges . . . . . plus de cinq ans
Vins jaunes . . . . . de six ans à deux cents ans
(Il existe du *vin jaune* d'Arbois datant de 1774.)

Savoie
Vins rouges et blancs de un à quatre ans

Côtes-du-Rhône
Côtes-du-rhône, gigondas, etc. . . . . . . de un à quatre ans
Vins blancs de Condrieu, *château-grillet, saint-joseph, châteauneuf-du-pape* . . . . de quatre à dix ans
Tavel . . . . de un à quatre ans

Provence
Vins blancs et rosés de un à trois ans
Vins rouges . . . . . de deux à quatre ans

Languedoc
Vins blancs et rosés de un à trois ans
Vins rouges . . . . . de six mois à deux ans

Roussillon
Muscat, rancio . . . de six à vingt ans

Jurançon
Vins blancs . . . . . de deux à huit ans

Madiran
Vins rouges . . . . . de cinq à dix ans

Pacherenc du Vic-Bilh
Vins blancs . . . . . de un à six ans

Bordeaux
Vins blancs et vins moyens . . . . de deux à dix ans
Grands vins rouges . de quatre à vingt ans
(De nombreuses bouteilles de vin de Bordeaux restent buvables après un siècle.)

Monbazillac, Bergerac, Montravel
Vins moyens . . . . de deux à quatre ans
Grands vins . . . . . de quatre à dix ans

Nantes
Muscadet . . . . . . de six mois à deux ans

Anjou et Saumur
Vins blancs . . . . . de cinq à dix ans
Grands vins rouges de deux à six ans
Vins rouges et rosés moyens . . . . de un à trois ans

Touraine
Chinon, vin rouge ou rosé . . . . de deux à quatre ans
Bourgueil rouge . . . de quatre à huit ans
Vins moyens . . . . de un à quatre ans

Coteaux du Loir
Jasnières . . . . . . de dix à vingt ans

Sancerre
Vins blancs et rosés de trois mois à deux ans
Vins rouges . . . . . de six mois à deux ans

Menetou-Salon
Vins blancs . . . . . de trois mois à deux ans

Quincy et Reuilly
Vins blancs . . . . . de trois mois à deux ans

Pouilly-sur-Loire
Comme vin de primeur, ou de deux à quatre ans

Champagne
Vin nature de Champagne . . . . de un à cinq ans
Champagnes courants de trois à cinq ans
Champagnes millésimés . . . . de quatre à huit ans

Les vins et les mets

L'accord entre les vins et les mets est tout naturel si les plats sont bien cuisinés et les vins sincères. La tradition et les œnophiles garantissent les neuf commandements que voici:

1. A chaque plat son vin.
2. Les vins blancs secs avant les vins rouges.
3. Les vins légers avant les vins corsés.
4. Les vins frais avant les vins chambrés.
5. Séparer chaque vin par une gorgée d'eau.
6. Servir les vins dans leur meilleure saison.
7. Un grand vin ne doit pas figurer seul dans un repas.
8. Les vins blancs liquoreux ne conviennent pas aux viandes noires ou aux gibiers.
9. Les vins rouges sont à éviter avec les coquillages et les poissons.

Combien de vins ?

Un vin, c'est la formule simple qu'on applique en famille et qu'on peut conserver lorsqu'on reçoit des amis intimes. Deux vins, un blanc et un rouge, suffisent pour un repas amical, surtout si l'on est peu nombreux. Trois vins, un blanc, deux rouges, permettent un très bon repas. Avec quatre ou cinq vins, c'est le « grand jeu » auquel tout gastronome souhaite se livrer quatre fois par an. Deux blancs ou deux rosés pour les hors-d'œuvre et le poisson, deux rouges pour le rôti et le fromage, un *champagne* millésimé ou un grand vin d'usage peu courant (*château-chalon, château-grillet*) pour terminer.

Combien de bouteilles ?

Au moins une pour deux convives. Le bon vin est bienveillant pour l'homme. Les fameux « mélanges » que redoutent tant de personnes, par préjugé ou manque de chance, ne sont, lorsqu'ils sont bien conduits, qu'un plaisir supplémentaire. Une bouteille de vin naturel pour deux personnes n'est pas une quantité suffisante pour porter à la tête.
Chaque vin a son rythme, lequel varie aussi avec les différents moments du repas. On boit davantage de vin léger que de vin corsé, comme on a davantage tendance à lever son verre au début du repas qu'à la fin. Trois bouteilles d'un friand *chablis* dureront moins longtemps qu'une seule d'un liquoreux *quarts-de-chaume*. Il est bon de toujours prévoir quelques bouteilles supplémentaires. Rien n'est plus triste qu'une fin de repas pendant laquelle les verres restent désespérément vides.

Le service des vins

Il existe, incontestablement, des correspondances entre ce que l'on mange et ce que l'on boit. C'est pourquoi les ouvrages spécialisés donnent souvent des listes de mets avec les vins qui peuvent le mieux contribuer à enchanter le palais des gourmands. Cela est si vrai que beaucoup de personnes n'osent manger tel bon plat avec tel vin que si l'autorisation en a été donnée par quelque gourmet dont l'excellence du palais est universellement reconnue. Nous ne faillirons pas à la règle, et le lecteur trouvera dans les pages qui vont suivre une abondante liste de conseils, dont le premier et le plus important est celui-ci : on peut tout manger avec un vin de sa région, si vraiment il est excellent.

Mets qui ne supportent aucun vin
Hors-d'œuvre à la vinaigrette, salades et mets à la vinaigrette, fromages à la crème, entremets au chocolat, fruits frais acides.

Mets à proscrire avec les vins rouges
Crustacés, pâtes alimentaires, sauce blanche et sauce madère, fromages blancs, plats sucrés.

Accords conseillés

● *Soupes*
Potages, bouillons légers du type bouillon de poule : vins rouges légers, crus locaux.
Bouillons puissants, soupes paysannes, du type pot-au-feu ou garbure : crus rouges du Beaujolais, *passe-tout-grain*, crus rouges du Val de Loire, *corbières*, vins de l'Hérault et du Gard, rosés de Provence, *cahors*, vins locaux.

● *Charcuteries*
Vins de diverses régions : Lorraine, Aube, Sarthe, Vendée, Auvergne, Pays basque, Pyrénées, Provence, Savoie, Jura, Beaujolais, *bourgueil, chinon*, Bordeaux, *gaillac* sec.

● *Crustacés et coquillages crus*
Vins blancs secs assez légers, *sylvaner, riesling*, vin de Moselle, *pouilly-fuissé,*

pouilly fumé, sancerre, quincy, muscadet, gros-plant, tous les vins secs du Val de Loire, *graves, entre-deux-mers*, petits *sauternes, clairette* du Languedoc, *tavel*, rosés et blancs de Provence, blancs de Savoie et du Jura, blanc de Chablis, *aligoté, chardonnay.*

● *Foies gras*
Vins blancs (si le foie gras est servi au début du repas), tels que *meursault, corton-charlemagne, montrachet, barsac, sauternes, monbazillac, quarts-de-chaume*, blancs d'Alsace tirés du *pinot gris, gewürztraminer, jurançon, champagne* nature ou extra-dry ; vins rouges (si le foie gras est servi après le rôti), tels que *beaune, médoc, pomerol, saint-émilion, châteauneuf-du-pape.*

● *Poissons, coquillages, crustacés cuits*
Pour les poissons cuits dans une sauce au vin, on boira du vin même qui a servi à la cuisson.
Poissons frits ou servis froids avec une sauce relevée: tous les vins blancs secs, et particulièrement ceux qui ont été cités pour les crustacés et les foies gras, auxquels on peut ajouter le *médoc* blanc, le *condrieu*, l'*ermitage*, le *château-chalon.*
Civet de langouste : *banyuls, rancio.*
Brandade : *clairette* de Bellegarde, *tavel.*
Homard à l'américaine, écrevisses à la Newbourg : vins rouges ou rosés corsés tels que le *châteauneuf*, le *tavel*, le *gigondas,* les rosés de Provence et les grands vins blancs secs ou moelleux (*corton-charlemagne, ermitage, châteauneuf-du-pape, château-grillet, château-chalon, graves, barsac, sauternes).*
Bouillabaisse et bourride : rosés et blancs de Provence et du Languedoc.
Brochet au beurre blanc : vins blancs secs ou moelleux (*muscadet, gros-plant*, vin d'Anjou, *vouvray, saumur, quincy, sancerre, pouilly fumé, chablis, mâcon-viré, beaujolais, saint-pourçain*, blancs du Poitou, de Vendée, *graves, cérons, barsac, sauternes).*

Turbot, sole à l'amiral : un vin blanc sec de bonne tenue tel que le *pouilly-fuissé*, le *meursault*, le *puligny-montrachet*, l'*arbois-pupillin*, le *graves*, le *jasnières* vieux ; ou un vin blanc moelleux : crus de Savennières, *coteaux-du-layon*, *premières côtes-de-bordeaux*, *barsac*, *sauternes*.

● *Plats froids*

Pâté de poisson, pâté en gelée, chaud-froid de volaille, poularde en gelée, bœuf en gelée : vins blancs (*meursault*, *montrachet*, *corton*, *condrieu-ermitage*, *châteauneuf-du-pape* blanc, *quarts-de-chaume*, *coteaux-du-layon*, *champagne* nature, *riesling*) ; vins rouges (*beaune*, *mercurey*, *moulin-à-vent*, *médoc*, *champigny*).
Aspics, ballottines, terrines, pâtés de gibier : vins rouges (*bouzy*, *côte-de-nuits*, *côte-rôtie*, *ermitage*, *châteauneuf-du-pape*, *pomerol*, *cahors*, *saint-émilion*).

● *Œufs*

Préparations simples ou à la crème : vins blancs pas trop corsés, secs ou moelleux. Préparations au vin rouge, aux pommes de terre, à l'ail : vins rouges de bonne tenue, du type *beaujolais* ou de celui des crus bourgeois *médoc*.
Omelette aux champignons ou aux truffes : grands vins rouges (*chambertin*, *romanée*, *clos-vougeot*, *médoc*, *graves*, *pomerol*, *saint-émilion*).

● *Volailles*

Poulet en sauce : vins blancs cités pour le brochet au beurre blanc ; vins rouges cités pour les soupes paysannes.
Poulet rôti : vins rouges souples (*fleurie*, *côte-de-brouilly*, *saint-amour*, *mercurey*, *pernand-vergelesses*, *monthélie*, *volnay*, *fixin*, *vosne-romanée*, *bourgueil*, *chinon*, vins du Haut-Médoc, *graves*, *pomerol*, *lalande-de-pomerol*, *saint-émilion*, vin de sable).
Dinde et oie aux marrons, pintade : vins rouges corsés (*pommard*, *nuits-saint-georges*, *corton*, *ermitage*, *côte-rôtie*, *châteauneuf-du-pape*, *côtes-de-fronsac*, *saint-émi-*

lion, *pomerol*, *château-mouton-rothschild*).
Poularde à la Souvorov : mêmes vins rouges que pour la dinde aux marrons, mais dans les plus hauts crus (*musigny*, *bonnes-mares*, *chambertin*, *clos-de-tart*, *richebourg*, *la tâche*, *romanée-conti*, et en Bordelais les meilleurs *graves*, *médoc*, *pomerol* et *saint-émilion*).

● *Viandes de boucherie*

Veau : les mêmes vins que pour le poulet rôti ou en sauce.
Mouton en sauce : les mêmes vins que pour le poulet ; rôti ou grillé : les mêmes que pour la dinde aux marrons.
Bœuf en sauce : les mêmes vins que pour le poulet rôti ; rôti ou grillé : les mêmes que pour le poulet rôti et la dinde aux marrons.
Porc : les mêmes vins que pour le poulet rôti ou en sauce.

● *Gibier*

Faisan rôti, farci, à la Périgueux : vins rouges d'un corps moyen cités pour le poulet et la poularde à la Souvorov.
Lièvre rôti : les mêmes vins que pour la dinde aux marrons.
Lièvre à la royale, bécasse, perdreau truffé : les mêmes vins que pour la poularde à la Souvorov.
Salmis : les mêmes vins que pour la dinde aux marrons.
Marcassin, chevreuil, cerf : vin rouge très corsé (*côte-de-nuits*, *châteauneuf-du-pape*, *côte-rôtie*, *gigondas*, *fitou*, *saint-émilion*, *pomerol*).

● *Champignons*

Morilles : *château-chalon*, *arbois*, *l'étoile*, vins de Savoie.
Cèpes : *saint-émilion*, *pomerol*, *corbières*.
Girolles et mousserons : *tavel*, *beaune*, *lirac*, *graves* rouge, *arbois*, *côtes-de-provence*.
Truffes : *champagne* brut, *blanc de noirs*, grands *bourgognes* et grands *bordeaux* rouges cités pour la poularde à la Souvorov.

● *Légumes*

Choux-fleurs, endives, épinards, laitues, petits pois, navets, quelle que soit la préparation : vins rouges légers cités pour le poulet rôti.
Pommes de terre (toutes préparations), haricots et tous légumes farineux, cardons, céleris, aubergines, choux au lard : tous les vins rouges corsés cités pour la dinde aux marrons.

● *Entremets et desserts*

On peut conseiller, quoique ces mets ne mettent vraiment en valeur aucun cru, les vins pétillants et sucrés (*vouvray*, *blanquette* de Limoux, *saint-péray*, *gaillac*) et les vins liquoreux légers (*anjou*, *monbazillac*).
Si l'on ne conseille plus le *champagne* à la fin des repas, il est bon toutefois de parer à l'imprévu et d'en mettre quelques bouteilles au frais.
Certains mousseux étrangers constituent également d'agréables vins de dessert, tels le *moscato d'Asti*, le *moscato spumante* ou encore un bon *sekt* allemand.

● *Pâtisserie*

Vins doux naturels (*muscat*, *banyuls*, *frontignan*, *vin de paille* du Jura) ou grands vins (*sauternes*, *château-chalon*, avec gâteau de noix ou gâteau de Pithiviers, notamment).
Biscuits et petits fours : vins doux et *champagnes* demi-secs ou doux, vins locaux.

● *Fruits*

Melon : *porto*, vin blanc sec, *frontignan*, *banyuls*.
Pêches, abricots, fraises, framboises : vin rouge bouqueté.
Poires : tous les vins, surtout les rouges.
Autres fruits frais non acides : vins blancs moelleux (*anjou*, *monbazillac*, *bordeaux*).
Amandes, noisettes, noix : tous les vins.
Fruits frais acides : aucun vin ne leur convient.

Les fromages et les vins

Alsace
Munster, munster au cumin : *gewürztraminer, riesling, côte-de-beaune, graves* rouge, *côtes-du-rhône.*

Anjou
Crémet : *anjou, vouvray,* vins de Saumur, de Touraine.
Bleu de Laqueuille : *morgon, ermitage, châteauneuf-du-pape, haut-médoc, rully* rouge.

Auvergne
Bleu d'Auvergne : *morgon, ermitage, cornas, haut-médoc, graves* rouge.
Chevreton du Forez, chevreton de Viverols : *saint-pourçain* blanc ou rosé.
Fourme d'Ambert : *beaujolais-villages, côtes-du-rhône-villages, saint-pourçain, saint-émilion, pomerol, fronsac.*
Fourme du Cantal : *saint-pourçain, côte-d'auvergne, chanturgues.*
Gaperon : *saint-pourçain* rouge, *beaujolais, côtes-du-rhône.*
Murol : *chinon, bourgueil, beaujolais.*
Saint-nectaire : *chinon, bourgueil, beaujolais.*

Berry
Chavignol-sancerre, crottin de Chavignol : *pinot* et *sauvignon* de Sancerre, *quincy, pouilly fumé, pouilly-sur-loire.*

Bourbonnais
Chevrotin de Souvigny : *saint-pourçain* blanc et rosé, *pouilly.*
Petit bessay : *saint-pourçain* rouge, *beaujolais.*

Bourgogne
Cîteaux : *côte-de-nuits, côte-de-beaune.*
Aisy cendré : *mercurey, rully, ermitage, cornas, morgon, côte-de-nuits-villages.*
Bouton-de-culotte, Charolles, Chevreton de Mâcon : *mâcon* rouge, *rully, mercurey, mâcon-villages.*

Epoisses, saint-florentin, soumaintrain : *corton, pommard, pernand - vergelesses, nuits - saint - georges, gevrey - chambertin, côte-rôtie, saint-émilion, pomerol.*

Bretagne
Abbaye-de-la-meilleraye, nantais dit « fromage du curé » : *muscadet, gros-plant du pays nantais, chinon, touraine, saumur, bourgueil* rosé, *beaujolais,* tous les vins rosés fruités ayant du corps.
Caillebotte, crémet : *muscadet, gros-plant du pays nantais, coteaux-d'ancenis, coteaux-de-la-loire.*

Champagne
Brie : vins nature de Champagne, *bouzy, cumières, beaujolais-villages, pomerol, lalande-de-pomerol, chinon, bourgueil, savigny, pernand-vergelesses, volnay.*
Carré de l'Est : mêmes vins que pour le brie, vins rouges de Franche-Comté et d'Arbois, *côtes-du-jura.*
Cendré de Les Riceys : *rosé-des-riceys, bouzy, beaujolais-villages, hautes-côtes-de-beaune, côte-rôtie.*
Chaource : *rosé-des-riceys, beaujolais,* rosés de Bourgogne, rosés de Provence.
Langres, chaumont : *corton, pommard, pernand-vergelesses, nuits-saint-georges, gevrey-chambertin, côte-rôtie, saint-émilion, pomerol, haut-médoc, graves* rouge.

Comtat Venaissin
Picodon de Valréas : *ermitage* blanc, *saint-péray, coteaux-de-pierrevert, coteaux-de-diois.*

Comté de Foix
Bethmale, orrys, oustet : *fitou, corbières, madiran, cahors.*

Corse
Broccio frais : vins blancs et rosés de Corse, de Cassis, de Bandol, des Coteaux d'Aix-en-Provence.
Broccio vieux, niolo, venaco : vins rouges du cap Corse, *sciaccarello, patrimonio,* vins du Sartenais.

Dauphiné
Pétafine de Voiron, sassenage : *gigondas, cornas, châteauneuf-du-pape, côtes-du-rhône-villages, côte-rôtie.*
Picodon de Dieulefit : *gigondas, cornas, châteauneuf-du-pape, côtes-du-rhône-villages.*
Tommes de Crest, de Romans, de Saint-Marcellin : *côtes-du-rhône, lirac, beaujolais.*

Flandres
Mont-des-cats : vin rouges et rosés légers de Bordeaux, de Bourgogne, du Beaujolais, de Touraine, de Provence.
Bergues : *corbières* du Roussillon, *coteaux - du - languedoc, mâcon, beaujolais.*
Boulettes d'Avesnes, dauphin, gris de Lille puant : *beaujolais-villages, côtes-du-rhône-villages, ermitage, graves* rouge, *haut-médoc, saint-émilion.*
Boulettes de Cambrai : tous les vins légers rouges ou rosés de Bourgogne, du Bordelais, de Touraine, de Provence.
Mignon - maroilles, maroilles, sorbais : *beaujolais - villages, côtes - du - rhône - villages, côte-rôtie, côte-de-nuits, côte-de-beaune, côtes-de-provence* rouge.

Franche-Comté
Bleu de Bresse, bleu de Gex, bleu de Septmoncel : *beaujolais-villages, roussette de Seyssel, arbois, côtes-du-jura.*
Cancoillotte : tous les vins blancs, rosés ou rouges des Coteaux du Jura et, en général, tous les vins fruités et corsés.
Comté, morbier : *côte-de-nuits-villages, mâcon, beaujolais, arbois, côtes-du-jura.*

Gascogne
Amou : *pacherenc-du-vic-bilh,* vins blancs et rosés du Béarn et de l'Armagnac, *tursan.*

Ile-de-France
Brie de Coulommiers, brie de Melun, coulommiers : *beaujolais, côtes-du-rhône, côte-de-nuits, côte-de-beaune, saint-émilion, pomerol, graves* rouge, *médoc.*

Languedoc

Bleu de Loudes ou du Velay : *costières-du-gard, gigondas, côtes-du-rhône-villages, saint-joseph, tavel, coteaux-du-languedoc.*

Limousin

Tomme de Brach : *saint-pourçain-sur-sioule* rouge, *côtes-du-rhône, bourgueil.*

Lorraine

Gérardmer : *vins gris de Toul, sylvaner,* vins allemands de Moselle, vins blancs d'Alsace non musqués.

Géromé, géromé anisé, saint-rémy : *gewürztraminer, riesling, graves* rouge, *ermitage, côte-de-beaune.*

Lyonnais-Forez

Arôme de Lyon (rigotte ou saint-marcellin ayant macéré dans l'alcool), rigotte de Condrieu, mont-d'or : *beaujolais, côtes-du-rhône, côte-rôtie, saint-joseph.*

Fourme de Montbrison : *beaujolais-villages, côtes-du-rhône-villages, saint-pourçain* rouge, *saint-émilion, pomerol, fronsac.*

Sarasson : *mâcon-villages, pouilly-fuissé, beaujolais* blanc.

Maine

Abbaye-d'entrammes, abbaye-de-laval : *muscadet, coteaux-d'ancenis, touraine, gros-plant, chinon, bourgueil* rosé, *sancerre, pouilly-fuissé.*

Massif central

Bleu des Causses, bleu de Quercy : *morgon, ermitage, cornas, haut-médoc, graves* rouge, *cahors, fitou, côte-de-nuits.*

Normandie

Pavé d'Auge, pavé de Moyaux, pont-l'évêque : *côte-de-nuits, côte-de-beaune, côte-rôtie, beaujolais-villages, saint-émilion, pomerol* (liste non restrictive, tous les bons vins convenant à ces fromages).

Livarot, lisieux : *corbières, côtes-de-provence, côtes-du-rhône, ermitage, château-neuf-du-pape, beaujolais.*

Orléanais

Pithiviers au foin, chécy cendré, gien, olivet cendré, pannes cendré, patay cendré, vendôme cendré : *saint-nicolas-de-bourgueil, chinon, champigny,* vins des *coteaux-du-loir,* rosés de *touraine-amboise,* rosés de l'Orléanais.

Selles-sur-cher : vins blancs des *coteaux-du-loir, jasnières.*

Olivet bleu, vendôme bleu : vins des coteaux de Touraine, *pinot gris* de l'Orléanais.

Picardie

Rollot : *beaujolais, côtes-du-rhône, côte-rôtie, côte-de-nuits, côte-de-beaune, cahors.*

Poitou

Caillebotte, jonchée niortaise : *anjou* blanc et rosé, *anjou rosé de cabernet.*

Chabichou, chef-boutonne, mothe-saint-héray : *anjou* et *touraine* rouges, *côtes-de-bourg, fronsac.*

Chabichou frais : vins blancs secs, *sancerre, pouilly.*

Provence-Comté de Nice

Brousse du Rove : vins blancs des *coteaux-d'aix* et des *coteaux-des-baux.*

Brousse de la Vésubie : *bellet, côtes-de-provence, patrimonio.*

Fromage fort du Ventoux ou cachat d'Entrechaux : vins rouges du mont Ventoux, *côtes-du-rhône, châteauneuf-du-pape, gigondas.*

Tomme arlésienne ou de Camargue, ou gardian : *coteaux-du-languedoc, clairette* de Bellegarde, blancs de Cassis et de Bandol, *tavel.*

Savoie

Tamié : vins de Savoie blancs, *arbois, côtes-du-jura* blanc.

Chevrotin des Aravis, beaufort, tomme au marc : *mondeuse, côtes-du-rhône, châteauneuf-du-pape, beaujolais.*

Tomme de Beaufort, beaufort (jeune) : *roussette,* vins de la Loire, *ermitage* blanc.

Reblochon : *beaujolais, médoc, côte-de-beaune,* vins blancs fruités type *chablis.*

Vacherin d'Abondance : *crépy, ayze,* vins blancs de Seyssel.

Touraine

Sainte-maure : vins blancs et rosés de *touraine-amboise* et de *saumur.*

Autres fromages fabriqués en France

Chester français : vins rouges astringents et corsés.

Edam français, gouda français, mimolette : vins rouges souples et fruités.

Edam étuvé français, gouda étuvé français : vins rouges corsés et bien charpentés.

Saingorlon : *ermitage, cornas, haut-médoc, graves* rouge, *bourgogne, beaujolais.*

Saint-paulin : *bourgognes* et *bordeaux* légers.

Fromages double et triple crème de grande marque

Boursin, caprice-des-dieux, excelsior, magnum, monsieur-fromage, saint-gildas-des-bois, tartare : vins légers et fruités, rosés et rouges légèrement charpentés, comme les *beaujolais, côtes-du-rhône, côtes-de-provence,* les vins des *coteaux-du-languedoc* et des *coteaux-de-la-loire.*

Fromages de grande marque à pâte souple non enrichie

Ducs et toutes autres marques : mêmes vins que pour les fromages précédents.

Il va de soi que la liste proposée ici n'a

rien d'impératif ; Michel Lemonnier affirme même qu'« un grand vin se mange tout seul ». Néanmoins, si l'on peut boire un vin sans l'accompagner de fromage, rien n'empêche, bien sûr, de déguster l'un avec l'autre. L'essentiel est que, usant de l'aide-mémoire que constituent les présentes pages, mais surtout en se fondant sur son propre goût, le lecteur parvienne à se débarrasser de tout préjugé en la matière.

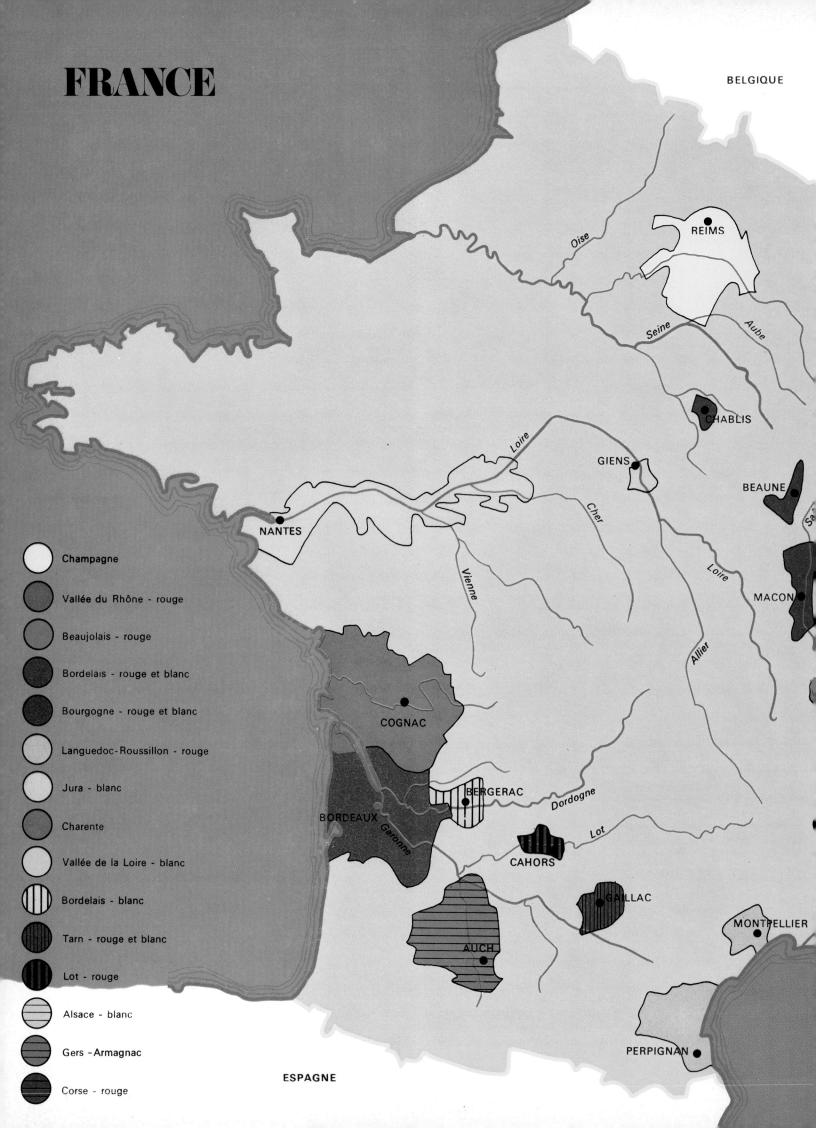

FRANCE

BELGIQUE

ESPAGNE

Champagne

Vallée du Rhône - rouge

Beaujolais - rouge

Bordelais - rouge et blanc

Bourgogne - rouge et blanc

Languedoc-Roussillon - rouge

Jura - blanc

Charente

Vallée de la Loire - blanc

Bordelais - blanc

Tarn - rouge et blanc

Lot - rouge

Alsace - blanc

Gers - Armagnac

Corse - rouge

REIMS

CHABLIS

GIENS

BEAUNE

MACON

NANTES

COGNAC

BERGERAC

BORDEAUX

CAHORS

GAILLAC

MONTPELLIER

AUCH

PERPIGNAN

Oise

Seine

Aube

Loire

Cher

Loire

Allier

Vienne

Dordogne

Lot

Garonne

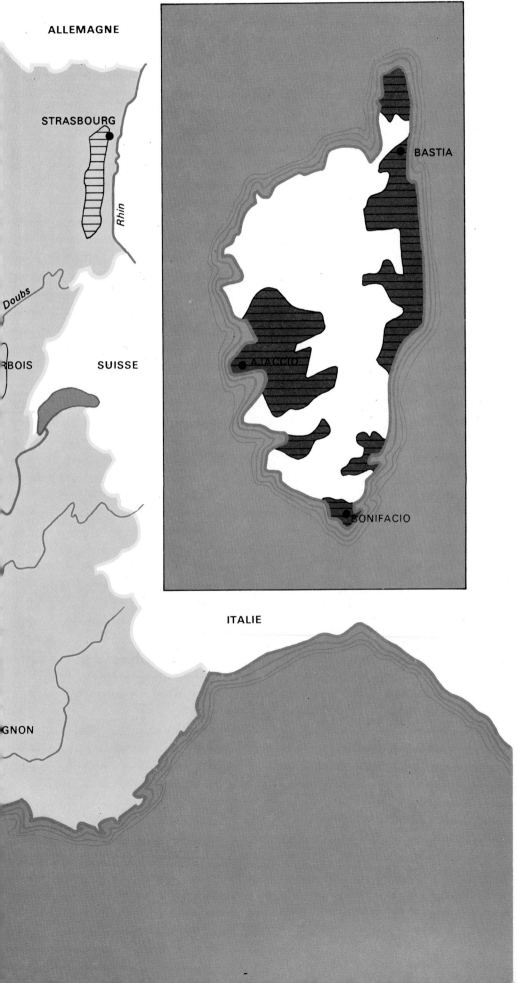

Pour le Français, il existe deux aliments sacrés : le pain et le vin. La tradition, fort lointaine, en remonte aux Gaulois. La civilisation celtique était d'ailleurs essentiellement agricole et artisanale. Le blé du pays était apprécié jusqu'à Rome et la concurrence des vins gaulois gênait suovent les commerçants romains, et les proconsuls obligèrent parfois les vignerons de la Narbonnaise à arracher leurs ceps. Ce qui est sûr, c'est que les peuplades celtiques ont su très tôt soigner le vin, puisque c'est chez elles que fut inventé le tonneau.

Au Moyen Age, la culture de la vigne s'était propagée jusqu'au cœur de régions fraîches et humides comme la Bretagne, la Normandie et la Belgique. Que valaient les vins qu'on y produisait ?

Il faut dire aussi que pendant au moins mille cinq cents ans, et même jusqu'à ces dernières années, rares étaient les agriculteurs qui ne possédaient pas quelques arpents de vigne et de blé. Il s'agissait souvent d'une hérésie économique contre laquelle luttaient les agronomes. Mais quelle fierté, quelle joie pour le paysan de pouvoir dire : « Je fais mon pain avec mon blé et je bois le vin de ma vigne ! » Certains continuent à respecter cette tradition qui leur est chère (et qui leur coûte cher), mais qui se trouve fortement ancrée. En 1600, dans *Théâtre d'agriculture et mesnage des champs*, Olivier de Serres, qui fut au XVIᵉ siècle le père des agronomes français, a écrit textuellement : « Après le pain vient le vin, second aliment donné par le Créateur à l'entretien de la vie et le premier célèbre par son excellence. »

Deux cent soixante-six ans plus tard, Pasteur, dans son étude sur le vin, affirmait que celui-ci est la plus saine et la plus hygiénique des boissons. Sa vigne familiale, où il effectua ses travaux en 1866, existe toujours à Arbois. La société des Amis de Louis Pasteur, qui en est devenue propriétaire, en a confié l'exploitation à un grand viticulteur de la région. Mais, bien entendu, le vin qu'elle produit n'est pas commercialisé.

On peut dire que pendant de longs siècles les Français ont toujours essayé de développer leur vignoble. Actuellement, sur quatre-vingt-quinze départements, neuf seulement ne sont pas producteurs de vin. Mais la chance de la viticulture française est de posséder des terroirs nombreux, bien typés, et qui permettent d'offrir de grands crus très variés à la consommation.

D'autre part, et surtout depuis son entrée dans le Marché commun, sa politique a été d'éliminer patiemment les plants médiocres et de les remplacer par d'autres, peut-être moins productifs, mais donnant des vins fins. Effectué bien sûr en dehors des terroirs déjà célèbres depuis plus d'un millénaire, cet effort vers la qualité commence à donner des résultats remarquables.

Vins rouges

Lorsqu'il est question de vignoble et de vin, chacun propose sa hiérarchie personnelle. Le classement géographique n'est-il pas le plus clair et le plus objectif ? Le vignoble français décrit, approximativement, une couronne autour du Massif central ; la suivre dans le sens des aiguilles d'une montre nous paraît la solution la plus simple.

L'Alsace

Ce sont surtout des blancs dont la finesse et la variété sont extraordinaires. On y récolte peu de rouges, mais issus du *pinot noir*, ils sont excellents.

La Bourgogne

Il est certain que les vins de cette région étaient déjà connus à l'époque gallo-romaine. Plus tôt, prétendent certains. C'est cependant au Moyen Age, sous l'impulsion de deux puissantes abbayes, Cluny et Cîteaux, que la viticulture prit tout son essor.

On cultive en général deux cépages seulement, le *pinot noir* pour le rouge, le *chardonnay* pour le blanc. Une production peu abondante et une grande réputation ont pour conséquence inévitable des prix élevés.

La partie viticole de la province se divise en six sous-régions dont les produits sont parfois très différents. On trouve du nord au sud : le Chablis, la Côte de Nuits, la Côte de Beaune, le Chalonnais, le Mâconnais, le Beaujolais. La classification y est très nuancée. C'est ainsi qu'elle fait état de soixante-cinq appellations contrôlées. Fort heureusement, pour déguster une bonne bouteille, il n'est pas nécessaire de les savoir par cœur.

On trouve d'abord trois catégories : *bourgogne*, *bourgogne grand ordinaire* et *bourgogne passe-tout-grain*.

Appellations villages : vont en tête, comme il se doit, celles des plus grands crus, *chambertin*, *chambertin-clos-de-bèze*, *clos-de-la-roche*, *clos-saint-denis*, *bonnes mares*, *musigny*, *clos-de-vougeot*, *romanée*, *romanée-conti*, *romanée-saint-vivant*, *richebourg*, *la tâche*, *échézeaux*, *grands échézeaux*, *corton*.

La Côte de Nuits englobe sous ce nom un certain nombre de localités qui produisent toutes plusieurs crus : Fixin avec ses beaux rouges ; Gevrey-Chambertin qui s'honore d'une véritable couronne dont les fleurons, dans l'ordre hiérarchique, s'appellent *chambertin*, *chambertin-clos-de-bèze*, *charmes-chambertin*, *mazoyères*, *chapelle*, *griotte*, *latricières*, *mazis*, *ruchottes*, *clos-saint-jacques*, *véroilles*, *combottes*, *cazetiers*, *combe-aux-moines*, *estournelles*, *lavant*. Vins fermes, veloutés, colorés, francs, ardents.

Pour Morey-Saint-Denis, cinq appellations : *bonnes mares*, *clos-de-tart*, *clos-de-la-roche*, *clos-saint-denis*, *clos-des-lambrays*. Ce sont des vins très étoffés qui prennent, avec l'âge, beaucoup de souplesse.

Le Chambolle-Musigny en possède trois principales qui sont *musigny*, *bonnes mares* (en partie) et *chambolle-musigny* ; on caractérise sa production en disant qu'elle est nerveuse, étoffée et bouquetée.

A Vougeot, deux appellations : *clos-de-vougeot* et *vougeot*, qui donnent des vins corsés et fins à odeur de truffe.

Ceux de Vosne-Romanée, au nombre de huit, c'est-à-dire *romanée-conti*, *richebourg*, *romanée*, *la tâche*, *romanée-saint-vivant*, *grands échézeaux*, *échézeaux*, *vosne-romanée*, sont corsés, moelleux, bouquetés à la fois et d'une très grande distinction.

Nuits-Saint-Georges : sous cette appellation et sous celle de la Côte de Nuits-Villages, les vins sont puissants, corsés et enveloppés. Ils peuvent être bus jeunes, ou relativement jeunes, mais ils s'améliorent encore en prenant de l'âge.

La Côte de Beaune, voisine de la précédente, en fournit de moins puissants, mais de plus nuancés ; les *corton* sont les plus célèbres.

Vieillis pendant quelques années, ils peuvent soutenir parfois la comparaison avec les plus grands. Parmi les appellations de cette côte, signalons *ladoix* et *pernand-vergelesses* ; la première rappelle le *corton* et la seconde offre des vins pleins de feu qui vieillissent bien. Ceux de Savigny sont bouquetés, fins, parfumés et moelleux ; ceux de Beaune délicats, bouquetés et généreux sans lourdeur.

Ceux des Hospices de Beaune sont extrêmement variés. Il faut, à ce propos, bien préciser qu'il ne s'agit pas d'un cru, mais d'une appellation, car sur le domaine des hospices, qui englobe plusieurs des meilleures communes, on aura du *corton*, du *pommard*, du *meursault*, etc. Les vins de la Côte de Beaune sont d'une qualité assez voisine et un peu plus légers ; les *pommard* bouquetés, fermes, charpentés et de bonne garde dans une belle robe rubis, et les *volney* élégants, suaves et fins. Meursault, célèbre pour ses blancs, produit aussi des rouges fruités, corsés et élégants ; de même Puligny-Montrachet et les siens sont à la fois forts et doux. Les *chassagne-montrachet* rappellent beaucoup ceux de la Côte de Nuits et Santenay en donne qui sont à la fois fermes, moelleux et délicats. L'appellation *côte-de-beaune-villages* s'applique à un mélange de deux vins rouges provenant de seize communes.

Le château de la Rochepot, typique de l'architecture bourguignonne du XVe siècle (certaines parties datent du XIe), est l'un des éléments touristiques de la région viticole de Beaune.

La Côte chalonnaise produit surtout des vins dont l'appellation est générique : *bourgogne, bourgogne aligoté,* etc., mais qui comporte aussi plusieurs crus. Ce sont ceux de Mercurey, corsés, fins et bouquetés ; de Givry, charpentés et fins ; de Rully, corsés, solides et un peu « paysans ».

Le Mâconnais est une région surtout connue pour ses blancs, mais ses rouges, vendus sous l'étiquette *bourgogne* ou sous celle de *mâcon* et de *mâcon supérieur,* sont vraiment excellents ; la dernière qualification indique un degré alcoolique plus élevé, mais tous sont frais, faciles à boire, et se consomment jeunes.

Le Beaujolais, tout en appartenant à la région bourguignonne, possède une personnalité qui lui est propre et qui fait, sinon sa gloire, du moins sa popularité. Sa production moyenne, qui couvre 15 000 hectares, atteint cent millions de bouteilles au total. Le cépage employé à peu près exclusivement est le *gamay.* Les vins du Beaujolais sont légers, fruités, « gouleyants » ; ils se boivent souvent en carafe, jeunes, et, disent les vignerons, à la « température du puits ». Ils se présentent sous douze étiquettes différentes qui correspondent à autant de types. Le « supérieur » est plus alcoolisé ; les « villages » proviennent de terroirs soigneusement délimités (vingt-huit communes dans le Rhône et huit en Saône-et-Loire). Ils sont fruités, vifs et nerveux.

Enfin, il existe une catégorie de *beaujolais* premiers crus qui possèdent leurs dévots, et dont voici la liste par ordre alphabétique :
● *brouilly,* 2 000 acres et 880 000 gallons, colorés, corsés, au goût de raisin frais ;
● *chenas,* 463 acres et 132 000 gal., fruités, distingués, bouquetés, à la robe transparente (peuvent se garder plusieurs années);
● *chirouble,* 625 acres et 220 000 gal., gais, solides, charpentés, fruités, au léger parfum de violette ;
● *côte-de-brouilly,* 500 acres et 176 000 gal., fruités, charnus et capiteux, autrement dit des brouilly « accentués » ;
● *fleurie,* 1 750 acres et 550 000 gal., flatteurs, délicats, soyeux, très fruités, se boivent jeunes ;
● *juliénas,* 1 325 acres et 400 000 gal., nerveux, étoffés, belle robe rubis, vieillissent assez bien ;
● *morgon,* 1 375 acres et 616 000 gal., charnus, généreux, robustes, à bouquet particulier de groseille et de kirsch ;
● *moulin-à-vent,* 1 750 acres et 485 000 gal., corsés, vineux, bien charpentés, robe rubis, odeur de jujube ; se conservent très bien ; certaines bouteilles, issues d'une bonne année, peuvent être bues à dix ou quinze ans d'âge ;
● *saint-amour,* 538 acres et 17 600 gal., fruités, bien colorés ; puissants lorsqu'ils sont dans leur pleine jeunesse, ils s'arrondissent en deux ou trois ans ;

Le Jura

Le vignoble jurassien est l'un des plus anciens de France, et pour ce qui est des vins rouges et rosés en particulier, la ville d'Arbois en est la capitale. Sa production était appréciée déjà par Pline le naturaliste, au Ier siècle de notre ère. D'après les documents retrouvés tant à Paris qu'ailleurs, on sait que les rois de France eux-mêmes, dès le XIIIe siècle, en faisaient un usage constant, du moins jusqu'à Louis XIV.

Les rouges — comme d'ailleurs les rosés — sont issus des cépages *ploussard, trousseau, pinot noir* ou *pinot gris* ; ils sont francs, ardents, fruités, équilibrés, subtils, avec beaucoup de personnalité. Il n'est pas rare que les viticulteurs arboisiens en possèdent des bouteilles de vingt à trente ans d'âge. Après un certain nombre d'années, il leur arrive de se madériser légèrement, ce qu'apprécient

bien des amateurs. Vendus sous l'appellation *arbois, arbois-pupillin* ou *côtes-du-jura*, les rouges jurassiens sont toujours originaux et souvent de très grande classe. Après une éclipse due aux ravages du phylloxera, le vignoble s'est reconstitué et s'étend encore, car il n'a pas retrouvé toute sa superficie d'autrefois. Il y parviendra sans doute d'ici quelques années, car la demande est plus forte que la production, et les viticulteurs replantent dans la zone d'appellation contrôlée.

Les Côtes du Rhône

Cette région de vignobles est l'une des plus étendues de France. Elle couvre sept départements, depuis Vienne jusqu'à Avignon.

C'est dans cette région, sous l'impulsion du baron Le Roy de Boiseaumarié, qu'est née la législation des appellations d'origine contrôlées (AOC). Quoi qu'il en

fut, le vignoble comprend aujourd'hui :
- les Côtes du Rhône, c'est-à-dire cent trente-huit communes produisant environ 9 millions de gallons, de vins francs, robustes et généreux, titrant au moins 11° ;
- les Côtes du Rhône avec mention du département pour soixante-douze communes seulement. On ajoute le nom du département si le vin titre au moins 9,5° et le nom de la commune s'il atteint au moins 10,5°. Ainsi nous avons : *côtes-du-rhône Rhône, côtes-du-rhône Loire, côtes-du-rhône Ardèche, côtes-du-rhône Drôme.*

Pour les *côtes-du-rhône* avec mention de la commune, voici les plus réputés :
- *côtes-du-rhône Gigondas*, dans le Vaucluse, plein de sève, il dégage son bouquet après deux ou trois ans de fût ;
- *côte-du-rhône Cairanne*, voisin du précédent, charnu et bien charpenté ;
- *côtes-du-rhône Loudun*, non loin d'Uzès dans le Gard, charnu et bouqueté ;

Le vignoble de Provence, connu dès l'Antiquité, est l'un des plus ensoleillés de France.

● *côtes-du-rhône Vacqueyras,* même région que le *gigondas* et comparable à celui-ci ;
● *côtes-du-rhône Vinsobres,* dans la Drôme, riche, bouqueté, un peu plus tendre que le *vacqueyras.*
Du nord au sud, on trouve d'abord le *côte-rôtie,* capiteux et très bouqueté après cinq ou six ans. On distingue le *côte blonde,* délicat et léger, et le *côte brune,* plus puissant, donnant 26 400 gallons.
Le *cornas,* en face de Valence, a besoin d'un vieillissement de deux à trois ans. Il devient alors fin et moelleux. Produit sur 300 acres, il fournit 44 000 gallons.
L'*hermitage,* sur la commune de Tain (Drôme), couvre 400 acres pour donner 66 000 gallons. Il a une belle robe pourpre et un parfum de terroir.

Son voisin, *crozes-hermitage,* s'étend sur onze communes et 875 acres. On en vinifie 132 000 gal. Plus léger que les autres, plus frais, avec un petit goût de framboise lorsqu'il a un peu vieilli, il se conserve bien.
Dans l'Ardèche, le *saint-joseph* est situé sur six communes, dont Tournon, et ses 200 acres produisent 33 000 gal. d'un vin séveux et fruité qui se garde bien.
Le *châteauneuf-du-pape* (Vaucluse) est le plus célèbre et le plus important de toute cette vallée, avec 6 250 acres et 1 760 000 gallons. Lent à se faire, il est généreux, corsé, avec un bouquet particulier de « garrigue chauffée au soleil ».
Le vignoble de Lirac (Gard) est situé en face de celui de Châteauneuf-du-Pape avec 4 500 acres et 880 000 gal. Ce sont des vins agréables et frais qui peuvent être consommés assez jeunes, ce qui est plutôt rare pour les grands crus de la vallée du Rhône.

La Provence

Cette belle région, dont il faudra reparler à propos des rosés, est aussi celle des plus anciens rouges de France. Ils sont issus d'une douzaine de cépages dont le *carignan,* le *cinsault,* le *grenache* et le *mourvèdre.* Les appellations contrôlées sont au nombre de quatre :
● le *cassis* (Bouches-du-Rhône), corsé, velouté, chaleureux ;
● le *bandol* (huit communes du Var), entre La Ciotat et Toulon, est ferme et astringent lorsqu'il est jeune, mais après dix-huit mois à deux ans de bouteille, il devient à la fois corsé et délicat, exhalant un parfum qui rappelle celui de la violette;
● le *bellet* (Alpes-Maritimes) est une très ancienne dénomination dont l'aire de production, malheureusement très réduite, a été patiemment reconstituée ces dernières années; il est fruité, vif, léger;

● le *palette* provient d'un petit vignoble qui s'étend sur trois communes des Bouches-du-Rhône dont Aix-en-Provence. C'est un cru distingué, nuancé, délicat et en même temps chaleureux.

La Corse

Ses vins sont tous originaux et généralement excellents. Ils bénéficient d'un statut spécial datant de 1801. Le meilleur est le *patrimonio*, qui bénéficie de l'appellation contrôlée depuis 1968. Il est chaleureux, bouqueté, mais assez peu vinifié en rouge.

Le Languedoc-Roussillon

C'est une région de grande production et de vins très variés. On n'y trouve actuellement qu'une seule appellation d'origine contrôlée, le *fitou*, dans l'Aude. Ce vignoble est situé au sud de Narbonne, sur sept communes des Corbières maritimes. Produit sur un sol caillouteux à faible rendement, son vin est puissant dans sa jeunesse et dépasse souvent les 12° prévus par la loi. Vieilli en fûts pendant deux ans, il prend de la souplesse et du bouquet.

Le Sud-Ouest

Le vignoble englobe les bassins de l'Adour, de la Garonne et de la Dordogne (bien entendu le Bordelais exige une étude à part) et ne possède pas d'unité géographique.
Il est entouré de terroirs, dont la plupart produisent des vins intéressants. Quelques-uns de ceux-ci sont à l'origine des deux plus célèbres alcools de France, l'*armagnac* et le *cognac*.
Si les cépages employés dans le Sud-Ouest sont nombreux, c'est que, par tâtonnements successifs, on a cherché à adapter chacun d'eux aux sols, aux « climats » multipliés à l'infini, où il était destiné à prospérer. Les résultats sont d'ailleurs excellents. La législation actuelle reconnaît six appellations d'origine contrôlée :
● *Bergerac* (Dordogne) qui, autrefois réputé, puis négligé, accomplit actuellement sur le marché un retour victorieux. Il est léger, frais, fruité.
● *Côtes-de-bergerac*, voisin du premier, couvrant trente communes sur les bords de la Dordogne, il est assez corsé et vieillit bien.
● *Côtes-de-duras* (Lot-et-Garonne), qui se situe dans la vallée de la Dropt, affluent de la Garonne, offre un vin tonique, franc et robuste.
● *Pécharmant*, qui est l'aristocrate du groupe, habite un territoire situé entre Bergerac et la Dordogne. Coloré, corsé, il a de la « mâche » et gagne encore à être dégusté après deux à trois ans de bouteille.
● *Cahors* (Lot), qui est l'un des plus anciens de France. Il a été trop long-

temps oublié. Reconstitué depuis 1956, il reprend aujourd'hui la place qui lui était normalement destinée, parmi les meilleurs. Il est très solide, supporte cinq ans de fût et dix ans de bouteille. C'est alors que ses qualités apparaissent : force, équilibre, bouquet. Certains amateurs, toutefois, l'aiment jeune.
● *Madiran* (Pyrénées - Atlantiques et Hautes-Pyrénées). Il a connu lui aussi la même mésaventure que le *cahors* et, tout comme lui, a été remis à son rang. D'une belle robe foncée et moirée, il est corsé, ferme, bien charpenté. On ne doit pas le livrer à la consommation avant qu'il n'ait accompli vingt mois de fût. En outre, il est fortement conseillé de le laisser cinq à six ans en bouteille.

Les vins de Bordeaux

Le vignoble bordelais aurait été créé sous l'occupation romaine au Iᵉʳ siècle de notre ère. Peut-être est-il plus ancien. Mais ses vins sont devenus célèbres à partir du XIIIᵉ siècle, et même du XIIᵉ, au temps où la région constituait un fief de la dynastie anglaise des Plantagenêts. Les Britanniques d'aujourd'hui, qui désignent comme autrefois ses rouges sous le nom de *claret*, sont restés ses fidèles clients et certaines familles de Grande-Bretagne demeurent propriétaires d'exploitations réputées. Les Américains commencent à s'y intéresser.

Issus de différents cépages, ces vins sont généralement obtenus par « assemblage » en cuve. L'aire de production, tout entière dans le département de la Gironde, est située surtout (rappelons qu'il s'agit des rouges) de part et d'autre de la Garonne et de la Dordogne ainsi que de la Gironde. Avec une production qui va, selon les années, de 44 à 66 millions de gal. en appellations d'origine contrôlées (rouges et blancs), le Bordelais fournit à lui seul la moitié de la production totale française des vins fins.
La classification. - En cette matière, il n'y a pas seulement abondance, il y a encore grande diversité. Tout d'abord, on relève quatre appellations génériques : *bordeaux, bordeaux supérieur, bordeaux rosé ou clairet, bordeaux mousseux*. On trouve ensuite quarante-deux appellations régionales ou communales, tant en rouges qu'en blancs. Ce sont les premiers qui nous intéressent et en voici la liste :
Saint-Emilion se présente avec neuf appellations satellites. Ce sont *saint-georges-saint-émilion, montagne-saint-émilion, lussac-saint-émilion, puisseguin-saint-émilion, sables-saint-émilion, côtes-de-fronsac, côtes-de-canon-fronsac, pomerol, lalande-de-pomerol*.
Médoc et Haut-Médoc avec six appellations communales : *saint-estèphe, saint-julien, listrac, moulis, margaux, pauillac*.
Rouges et blancs de même dénomination : *blaye* ou *blayais, premières côtes-de-blaye,*

bourg ou *côtes-de-bourg* ou *bourgeais*, *sainte-foy-bordeaux*, *graves-de-vayres*, *premières côtes-de-bordeaux*, *graves*, *bordeaux-côtes-de-castillon*.

Le *saint-émilion* peut se définir ainsi : générosité et richesse, ensuite plénitude ; tels sont les principaux caractères des vins de Saint-Emilion. D'une belle couleur vive, que le vieillissement rend veloutés, un peu amers les deux ou trois premières années, ils s'épanouissent par la suite et atteignent leur sommet entre dix et vingt ans.

Selon leur classement, les étiquettes portent :

- *saint-émilion premier grand cru classé* (A et B) ;
- *saint-émilion grand cru classé* ;
- *saint-émilion grand cru* ;
- *saint-émilion*.

Les premiers grands crus classés sont ceux de « Château A », avec *ausone* et *cheval-blanc*, et de « Château B » avec *beauséjour*, *belair*, *canon*, *clos-fourtet*, *figeac*, *la gaffelière*, *magdelaine*, *pavie*, *trottevieille*.

Les grands crus classés « Château » et grands crus sont si nombreux qu'il est difficile de les citer tous. En voici quelques-uns à titre d'exemple : *château-d'angelus*, *château-beauséjour*, *château-belair*, *dutertre-dangay*, *haut-sarpe*, *monbousquet*, *puy-razac*, etc.

Les caractères des vins provenant des communes voisines sont assez divers ; le *saint-georges-saint-émilion* est corsé, solide, bouqueté et vieillit bien (*bellevue* et *tourteau*).

Le *montagon-saint-émilion*, assez souple et fin, peut se boire jeune. Son appellation englobe plus de cinquante châteaux, parmi lesquels *beauséjour* et *maison-blanche*.

Les *lussac-saint-émilion*, *puisseguin-saint-émilion*, *parsac-saint-émilion*, *sables-saint-émilion*, nerveux, fermes, bien charpentés, peuvent être dégustés plus jeunes que les *saint-émilion*.

En ce qui concerne les *pomerol*, *lalande-de-pomerol* et *néac*, il s'agit là de trois AOC distinctes. Tous sont charnus, pleins de sève, avec une belle couleur brillante. L'AOC *pomerol* est l'une des rares qui ne comporte pas de classement officiel, et afin de guider les amateurs, voici une liste de crus appréciés et donnés à titre indicatif : *pétrus*, *lafleur*, *vieux-cortan*, *l'évangile*, *trotanoy*, *petit-village*, *la conseillante*, *la fleur-pétrus*, *nénin*, *mazeyres*, *l'église*, *laviolette*...

Le *côtes-de-canon-fronsac* et le *côtes-de-fronsac* sont nés sur des terroirs voisins,

Le château de Saumur, comme la ville dont il porte le nom, est un haut lieu tout chargé d'histoire. Et ce ne sont pas seulement les vins si friands du vignoble angevin qui l'ont rendu célèbre.

si voisins même qu'ils se ressemblent. Ils sont généreux, fermes, corsés, avec parfois une saveur légèrement épicée.

Les *médoc* rouges figurent parmi les meilleurs du monde. Délicats, brillants, séveux, bouquetés, moelleux, ils réunissent toutes les qualités que l'on est en droit d'exiger des très grands vins. On prétend que certaines bouteilles, provenant des grandes années, peuvent dépasser cent ans.

Leur région se divise, pourrait-on dire, en deux appellations : *haut-médoc*, en ce qui concerne la région située du côté de Bordeaux et qui abrite tous les plus grands crus, et *médoc* pour la partie la plus voisine de l'océan.

Les appellations locales sont :

Pauillac, avec deux premiers crus, *château-lafite-rothschild* et *château-latour* ; trois deuxièmes crus avec *mouton-rothschild*, *pichon-longueville* (baron) *pichon-longueville* (comtesse Lalande) ; enfin, à la suite, un quatrième cru et onze cinquièmes.

Margaux : tout d'abord en premier cru *château-margaux*, ensuite cinq deuxièmes avec *rauzan-ségla*, *rauzan-gassies*, *durfort-viviens*, *château-las-combes*, *brown-cantenac*, et neuf troisièmes suivis de trois quatrièmes.

Saint-julien : cinq deuxièmes qui sont *léoville-las-casas*, *léoville-poy-ferré*, *léoville-barton*, *gruaud-larose*, *ducru-beaucaillou* ; ajoutons deux troisièmes et cinq quatrièmes.

Saint-estèphe : deux deuxièmes avec *cos-d'estournel* et *montrose* ; un troisième, un quatrième et un cinquième.

Moulis et *listrac* sont des crus « bourgeois » supérieurs. Enfin, Blanquefort, Macan, Ludon, Lamarque, Saint-Laurent, Cussac sont des communes réputées classées *haut-médoc*.

Jusqu'au XVe siècle, le vignoble de Graves occupait une partie de la ville actuelle. C'est lui qui est à l'origine des vins dits de Bordeaux, et alors plus justement nommés. La nomenclature officielle reconnaît treize crus classés, auxquels il faut ajouter de nombreux autres dénommés « bourgeois » parce qu'ils appartenaient autrefois à des bourgeois bordelais. Il s'agit, entre autres, de *haut-brion*, *nission-haut-brion*, *haut-bailly*, *pape clément*, *malartic-la-gravière*, *latour-martillac*, *chevallier*.

Les rouges connus sous les appellations *premières côtes-de-bordeaux*, *entre-deux-mers* sont riches en tanin, généreux et assez bouquetés. Ils supportent bien le vieillissement. Les *entre-deux-mers*, plus particulièrement, sont fruités et, dans leur jeunesse, un peu verts.

Les *sainte-foy-bordeaux* et les *graves-de-vayres* sont corsés et certains rappellent les *pomerol*. Les *blayes* et *bourgeais*, généreux, colorés et corsés, s'améliorent encore en vieillissant.

Pratiquement, la situation des rouges du Bordelais sur le marché peut se résumer ainsi : trois grandes régions, Saint-Emilion, Pomerol, Médoc, atteignent des prix très élevés dans leurs meilleurs crus. Dans les autres, les prix sont plutôt modérés et l'on peut dire parfois en dessous du mérite de leur production. L'amateur de *bordeaux* rouges a donc tout intérêt à faire son choix lui-même, selon ses goûts. Mais c'est là une affaire d'opinion.

L'Anjou

Cette province est surtout productrice de blancs, mais ses rouges sont réputés. Ils proviennent des cépages *cabernet-franc* et *cabernet-sauvignon*. La législation en vigueur retient deux AOC et met en valeur plusieurs crus; tout d'abord l'*anjou* qui couvre plusieurs dizaines de communes de Maine-et-Loire. Les vins légers, frais et fruités sont à boire jeunes. Ensuite le *saumur*, ferme, fruité, bouqueté, qui se conserve assez bien et qui s'étend au sud de la ville sur dix ou douze communes. Les crus principaux sont *champigny-le-sec*, *saint-cyr-en-bourg*, *dampierre-sur-loire*, *allonnes*, etc.

La Touraine

Le vignoble tourangeau a été celui des moines, des rois et des poètes. On se souvient des derniers et surtout de Ronsard, de Rabelais, de Vigny et de Balzac. Les cépages utilisés sont assez nombreux : *cabernet-franc*, *pinot noir*, *malbec*, *gamay*, *cabernet* et *meslier*. Il existe sept appellations d'origine contrôlées.

La Touraine donne un vin léger, fruité, délicat que l'on boit plutôt jeune.

L'aire de production s'étend sur une vaste superficie, de la sortie de Blois, à 16 milles à l'ouest de Tours, sur une largeur atteignant parfois 25 milles.

Les vins supérieurs de la région sont appelés *touraine-amboise* et *touraine-mesland*. Ils sont très fruités et très élégants. Le *bourgueil*, sur sept communes situées le long de la Loire, est ferme, résistant et il est recommandé de le laisser vieillir. Avec l'âge apparaît un net goût de framboise.

Saint-Nicolas-de-Bourgueil est la meilleure commune productrice. Aussi a-t-elle droit à son appellation particulière. Son vin est extrêmement délicat, fin, distingué, équilibré ; ses qualités s'épanouissent avec l'âge.

Le Chinon s'étend autour de la ville qui lui donne son nom, sur sept communes de la rive gauche de la Loire. Il est souple, frais dès la première année, avec un parfum de violette.

Les Coteaux du Loir (Indre-et-Loire et Sarthe) représentent un territoire étroit qui longe le Loir sur environ 40 km, de part et d'autre de Château-du-Loir. Il s'agit d'une production limitée mais donnant un vin original, riche en tanin.

« De vigne en grappe, ah ! voyez la jolie grappe ! » comme le dit une célèbre chanson à boire que l'on chante souvent en Bourgogne. Voici le moment si désiré et à la fois si redouté des vendanges. Seront-elles « payantes » ? C'est pour le viticulteur la période la plus dure de l'année. Mais c'est aussi la plus joyeuse, car elle est toujours l'occasion de nombreuses fêtes, et si la récolte est bonne, elle console de toutes les peines et de toutes les craintes de l'année. Le folklore est indissociable des vendanges.

Lorsqu'en 1918 l'Alsace est redevenue française, les viticulteurs alsaciens n'ont pas été sans éprouver quelques inquiétudes bien naturelles quant à l'avenir de leur profession. Il était normal que la concurrence des vins de l'intérieur provoquât chez eux quelque souci. Pourraient-ils écouler leurs produits ? Ils ont vu très rapidement que leurs crus étaient appréciés sur tout le marché parce qu'ils le méritaient amplement. Et leur entrée dans la Communauté économique européenne, ces dernières années, n'a pas manqué de leur apporter des satisfactions supplémentaires.

Vins blancs

En recommençant la même opération que pour les rouges, c'est-à-dire en faisant le tour de France dans le sens des aiguilles d'une montre, nous trouvons tout d'abord la Lorraine avec la Moselle.

Les vins de la Moselle française, très anciennement connus, ne représentent qu'une très faible production. Ils sont pourtant excellents et très prisés des amateurs. Ils ont droit au label VDQS, c'est-à-dire vins délimités de qualité supérieure. Il existe aussi deux appellations : *côtes-de-toul* et *vins de la Moselle.*

L'Alsace

On affirme, dans ce pays, que le vignoble est antérieur à la conquête romaine. En tout cas, c'est l'un des plus anciennement réputés de France.

Ce succès devait s'affirmer pendant plus d'un millénaire, jusqu'à la guerre de Trente Ans, pendant laquelle la région fut ravagée. La production vinicole mit fort longtemps à retrouver son niveau normal. Plus tard, lorsque l'Alsace fut annexée par l'Empire allemand, et après les dommages considérables causés par le phylloxera, le gouvernement impérial « favorisa », de façon plutôt autoritaire, la plantation d'*hybrides*. Il recherchait, en effet, non la qualité mais la quantité, pour des raisons économiques évidentes. Mais après son retour à la France, l'Alsace retrouva sa vocation naturelle qui est de produire des vins fins.

La classification adoptée pour tous ceux-ci obéit à des règles qui sont particulières et uniques en France. Produits sur une région déterminée, très vaste, puisqu'il s'agit d'une bande de terrain longue de 68 milles, les crus sont désignés non pas selon l'usage d'après les terroirs d'origine ou les assemblages, mais d'après les cépages dont ils sont issus. « Alsace » ou « Vin d'Alsace » s'applique à un vin titrant au minimum 8°. La mention est complétée par celle du cépage ou par celle de *zwicker* ou de *edelzwicker* s'il s'agit d'un assemblage. Vin d'Alsace grand vin, grand vin d'Alsace, vin d'Alsace grand cru sont trois expressions équivalentes qui s'appliquent à des vins titrant au moins 11°, et provenant de cépages nobles. Cette indication, obligatoire sur l'étiquette, est facultativement complétée par la mention du climat ou de la commune d'origine.

Les variétés, plants ou cépages, qui jouent un si grand rôle dans la connaissance des vins d'Alsace, sont les cépages courants : *chasselas, knipperlé* ; les cépages fins : *sylvaner, pinot blanc (klevner)* ; les cépages nobles : *riesling, gewürztraminer* ou *traminer, muscat, tokay d'Alsace (pinot gris).*

Voici les caractères des différents vins d'Alsace :

Zwicker : assemblage de plants ordinaires avec au moins un plant noble.

Edelzwicker ou *gentil* : assemblage de variétés nobles.

Les vins suivants proviennent exclusivement du cépage qui les désigne :

Chasselas : léger, pétillant, frais.

Sylvaner : sec, fruité, bouquet léger.

Pinot blanc (ou *klevner*) et *auxerrois* : ils sont très voisins, frais, légers, fruités.

Riesling : sans doute le plus généralement apprécié en Alsace, fruité, bouqueté, sec et corsé, très complet.

Muscat : léger, fruité, sec et musqué.

Traminer et *gewürztraminer* : issus du même cépage, ils ne se différencient que par leur bouquet, plus prononcé dans le second. Ce sont les plus bouquetés de toute l'Alsace.

Pinot gris ou *tokay d'Alsace* : délicat, corsé, épicé, sec et pourtant très souple.

Les régions et les crus. - Trois régions sont particulièrement réputées : celle qui s'étend de Guebwiller à Westhalten, celle qui va d'Eguisheim à Bergheim, celle de Barr. Parmi les crus plus spécialement appréciés, citons :

● *Sylvaner* : région de Barr (dans le Bas-Rhin), de Rouffach (dans le Haut-Rhin).

● *Muscat* : Riquewihr, Ribeauvillé, Voegtlinshoffen.

● *Riesling* : Riquewihr, Zellenberg, Ribeauvillé, Dambach, Eguisheim, Ammerschwihr, Kaysersberg, Mittelwihr.

Tous se boivent jeunes ou entre deux et quatre ans, mais certaines années peuvent se conserver longtemps.

Les vins de Bourgogne

Les vins blancs de Bourgogne ont été célèbres avant ses vins rouges.

Un seul cépage est à l'origine de tous les grands blancs, le *chardonnay*. Un autre joue un rôle très important, l'*aligoté*, puisqu'il donne son nom au cru.

Toutes les grandes régions citées pour les rouges sont « doublées » par une production de grands blancs. Il s'y ajoute même une région supplémentaire, celle de Chablis.

Classification des blancs de Bourgogne

Elle est parallèle à celle des rouges.

Appellations génériques : *bourgogne, bourgogne aligoté* (qui peut être un assemblage d'*aligoté* et de *chardonnay*), *bourgogne ordinaire* ou *bourgogne grand ordinaire.*

Appellations de villages : viennent en tête celles qui groupent les plus grands crus : *musigny, corton, charlemagne, corton-charlemagne, montrachet, chevalier-montrachet, bâtard-montrachet.*

La région de Chablis. - C'est la seule région de Bourgogne qui produise exclusivement des blancs. Ils sont frais, légers, finement bouquetés, titrant au minimum 10°, avec une belle robe pâle aux reflets

verts. On peut les boire jeunes, mais un vieillissement de quelques années est conseillé. La classification officielle reconnaît trois types principaux :

● *Chablis grand cru.* - Ce sont, en principe, les plus fins. Sept terroirs seulement ont droit à l'appellation : Vaudésir, Preuses, les Clos, Grenouilles, Bougros, Valmur, Blanchots.

● *Chablis.* - Cette appellation se divise elle-même en deux, car les vins qui sont produits sur certaines parcelles ont droit à la mention *chablis premier cru* portée sur l'étiquette. Voici les principales : Mont-de-Milieu, Montée-de-Tonnerre, Fourchaume, Forêts, Vaillons, Melinots, Côtes de Léchets, Beauroy, Vaucopins, Vogros et Vaugiraut.

● *Petit-chablis.* - Ils sont récoltés dans le périmètre de l'appellation, mais d'une constitution moins solide que les précédents.

La Côte de Nuits. - Cette région, si riche en rouges célèbres, ne compte qu'un grand cru de blanc, *musigny.* Toutes les communes ont une production intéressante mais souvent très réduite : Fixin, Morey-Saint-Denis, Nuits-Saint-Georges. Notons l'appellation *vougeot* qui peut s'appliquer à des rouges et à des blancs, alors que *clos-de-vougeot* ne concerne que des rouges.

La Côte de Beaune. — 7,500 acres produisent les plus célèbres blans de Bourgogne. Parmi les dix-sept communes productrices, voici celles dont les crus sont les plus réputés :

● *Aloxe-Corton.* - Trois grands crus : *corton, charlemagne, corton-charlemagne ;* complets, riches, bouquetés, puissants et de longue garde, ils peuvent cependant se boire jeunes. Certains climats situés sur les communes voisines de Ladoix-Serrigny et Pernand-Vergelesses comptent parmi les grands terroirs.

● *Beaune.* - Production peu abondante de blancs secs et fruités qui sont fort appréciés des amateurs. Il suffit de citer le *clos-des-mouches.*

● *Meursault.* - Commune réputée pour ses vins blancs. D'une superbe robe dorée à reflets verts, à la fois corsés et tendres, frais et chaleureux, au parfum d'amande et de noisette, ils semblent se jouer des contrastes. On peut les consommer jeunes, mais il est conseillé de les boire après trois ou quatre ans.

Certains climats sont classés « premiers crus » : *aux perrières, perrières-dessus, perrières-dessous, charmes-dessus, charmes-dessous, genévrières-dessus, genévrières-dessous.*

● *Puligny-Montrachet.* - Cette commune s'honore de six appellations contrôlées : *montrachet, chevalier-montrachet, bâtard-montrachet, bienvenues-bâtard-montrachet, criots-bâtard-montrachet, puligny-montrachet.* Ils sont connus pour leur insurpassable bouquet, où l'on retrouve l'amande, la noisette et la douceur du

miel, sans qu'ils puissent cependant être qualifiés de « doux ».

Parmi les climats de l'appellation *puligny-montrachet,* il faut connaître : le Cailleret, les Combettes, les Pucelles, les Folatières, Calvoillons, le Champ-Canet, les Chalumeaux, les Referts, Sous-le-Puits, la Garenne, Hameau de Blagny.

● *Chassagne-Montrachet.* - Cette commune produit des vins un peu moins bouquetés que les précédents, mais avec beaucoup de corps et de fruit. Les plus prisés sont : *morgeot, morgeot dit abbaye-de-morgeot, la boudriotte, la maltroie, clos-saint-jean, les chènevottes, les champs-gainz, grandes ruchotes, la romanée, les brussolles, les vergers,* *les macherelles, chassagne* ou *cailleret.*

● *Rully.* - Commune du Chalonnais productrice de crus fins, à la belle robe d'un jaune-vert, à la saveur de noisette, corsés et vieillissant bien. Les plus réputés sont à Margotey, Grésigny, Vauvry, Mont-Palais, Meix-Caillot, les Pierres, la Bressande, Champ-Clou, la Renarde, Pillot, Cloux, Raclot, Raboursay, Ecloseaux, Marissou, la Fosse, Chapitre, Préau, Moulesne.

● *Montagny.* - Cette commune, située au sud de la précédente, ne donne que des blancs. Légers, fruités, ils passent pour « tenir la bouche fraîche et la tête libre ». Ce sont *les charmelottes, les chantoiseaux, les vignes-du-soleil, le crouzot...*

D'autres communes de Bourgogne offrent, mais en petite quantité, des blancs ayant droit à l'appellation : *savigny-lès-beaune, chorey-lès-beaune, auxey-duresses, saint-aubin, santenay, mercurey, givry.*

Le Mâconnais. - La production moyenne dépasse 3 300 000 gal. Tous ses crus sont souples, fruités. Plusieurs ont désormais la réputation de très grands crus.

● *Mâcon, mâcon supérieur, mâcon-villages.* - Ce sont trois appellations qui se succèdent en ordre ascendant. *Mâcon* et *mâcon supérieur* ne sont différents que par le titre d'alcool : 10° pour le premier, 11° pour le second. Tous deux sont issus de *chardonnay* et de *pinot blanc* sur toute l'étendue du vignoble. Pour l'appellation *mâcon-villages*, on a sélectionné les meilleurs terroirs des quarante-trois communes productrices qui peuvent être autorisées à faire figurer leur nom sur l'étiquette, par exemple *mâcon-viré*.

● *Saint-verand*. - Cette appellation récente concerne une dizaine de communes dont les vins secs et fruités sont plus fins que les précédents.

● *Pouilly-fuissé, pouilly-loche* et *pouilly-vinzelles*. - Tous trois concernent des produits très proches du point de vue de la qualité, seul le premier est connu. Il est de loin le plus important : 600 ha produisant quelque 440 000 gal. Le vignoble est réparti sur cinq communes : Fuissé, Solutré, Pouilly, Vergisson et Chaintré. Taux alcoolique minimum : 11° et 12° pour les premiers crus. Parmi ces derniers, citons : *la frérie, les bouthières, les crays, la maréchaude, les clos, les ménestrières, le clos-ressier, les chevrières...* Les *pouilly* se caractérisent par leur belle robe dorée à reflets verts, leur élégance, leur parfum d'aubépine en fleur et une sorte de sécheresse caressante.

Arbois est une petite cité au cœur du vignoble. Le clocher de sa collégiale est célèbre. Un proverbe dit : « A Arbois, on y sonne et on y boit. »

Le Beaujolais. - Les blancs du Beaujolais ne sont pas encore très connus hors de leur région d'origine (et de Paris naturellement). C'est qu'ils ne représentent encore que 5% de la production totale du Beaujolais. Leur classification est la même que celle des *beaujolais rouges*, mais elle ne comporte pas de crus.

● *Beaujolais, beaujolais supérieur, beaujolais-villages*. - Les deux premières appellations ne sont séparées que par le degré alcoolique : 9,5° pour la première, 10,5° pour la deuxième. La troisième est réservée à trente-cinq communes sur la zone de l'appellation générale. Tous sont issus de *chardonnay*, avec appoint éventuel de *pinot* ou d'*aligoté*. La réputation des meilleurs climats se dégage peu à peu : Anse, Fleurie, Saint-Amour-Bellevue. Ils sont vifs, légers et frais, de conservation délicate et gagnent à être bus dans l'année.

Le Jura

Le vignoble du Jura pourrait bien être le plus ancien de France si l'on admet que les cépages étrusques ont effectué leur déplacement par les Alpes et la Suisse, itinéraire pour le moins plausible.

Il s'étend sur 50 milles de long, mais il est loin de former une bande continue. Pour la production de blanc, un cépage domine, le *savagnin*. Il est complété par le *chardonnay*, le *gamay blanc*, le *pinot blanc*.

Côtes du Jura. - L'appellation concerne une très vaste superficie répartie sur douze cantons dont nous citerons les meilleurs : Arbois, Arlay, Poligny.

Issus de *chardonnay* et de *pinot blanc*, les vins titrent au minimum 10°. Ils sont vifs et frais avec un fort bouquet de terroir.

Arbois. - L'aire de production s'étend sur douze communes dont voici les plus réputées : Arbois, Pupillin, Montigny-les-Arsures, Mesnay, Molamboz. Issus de *chardonnay* (melon d'Arbois), ils titrent au minimum 10,5°. Secs, fruités, généreux, avec un bouquet de noisette et de ronce en fleur, ils ne dégagent toutes leurs qualités qu'après quelques années de bouteille.

L'Etoile. - L'aire d'appellation comprend trois communes : l'Etoile, Saint-Didier et Planoiseau. Issus de *savagnin* avec parfois addition de *gamay blanc*, de *chardonnay* et de *poulsard* (le cépage des vins rouges), les vins titrent au minimum 12°. Ils sont secs, délicats, corsés.

Château-Chalon. - L'aire englobe les communes de Château-Chalon, Domblans,

Ménétru-le-Vignoble, Voiteur et Nevy-sur-Seille.

Cette appellation ne couvre qu'un seul type, le *vin jaune*, placé par les connaisseurs au premier rang des plus grands vins blancs de France. Issu du *savagnin*, titrant au minimum 12° mais parfois 16°, il séjourne obligatoirement de six ans à huit ans en tonneau. C'est pendant ce temps qu'il prend le fameux « goût de jaune ». Il est puissant, capiteux, à la saveur de noix et de prune, et fait « la queue de paon » dans la bouche. Il est vendu dans une bouteille spéciale, d'une contenance de 18 onces et de section presque carrée, dont le modèle remonte au XVIe siècle : le clavelin.

Arbois, l'Etoile produisent également de petites quantités de vin jaune et des quantités plus faibles encore de vin de paille, obtenu à partir de raisins conservés autrefois sur la paille, dans les greniers, et pressés en février-mars. Actuellement, on pend les grappes à des fils de fer, dans des pièces sèches et bien aérées. C'est un vin légèrement liquoreux, moelleux, parfumé, très fin et dont le degré d'alcool est élevé. Il se boit frais, au dessert ou en apéritif.

La Savoie

Vignoble d'altitude, le vignoble de Savoie est particulièrement voué aux vins les plus « froids », c'est-à-dire blancs. Deux d'entre eux ont droit à une appellation d'origine contrôlée.

● *Seyssel*. - L'aire de production s'étend de part et d'autre du Rhône : Seyssel (Haute-Savoie), Seyssel et Corbonod (Ain). Seul cépage autorisé, la *roussette* de Seyssel donne parfois son nom à un produit qui doit titrer au moins 10°. Il est sec, léger, au parfum de truffe.

● *Crépy*. - L'aire de production couvre les communes de Douvaine, Loisin, Ballaison. Issu de *chasselas,* il titre au minimum 9,5°. Clair, à teinte légèrement verte, au parfum d'amande, il est parfois légèrement pétillant.

● *Les VDQS de Savoie et du Bugey.* - Ils ont des caractères assez voisins des précédents, mais moins accentués. Ce sont la *roussette de Savoie*, la *roussette du Bugey*, le *vin de Savoie* et le *vin du Bugey*.

Les Côtes du Rhône

Avec seulement 10% de la production totale, quelques-uns de ses blancs comptent au nombre des plus réputés de France et beaucoup d'autres méritent mieux que de la curiosité.

On distingue deux appellations génériques :

● *Côtes-du-rhône*. - L'appellation concerne les vins produits sur les quelque cent trente communes de la vallée du Rhône ayant droit à l'appellation. Les meilleurs sont issus de *roussanne* et de *viognier*.

Taux minimum : 11° ; ils sont solides, chaleureux, bouquetés et se conservent assez bien.

● *Côtes-du-rhône avec mention de commune.* - Peu abondante et parfois réservée à la consommation locale, cette appellation est beaucoup moins fréquente en blancs qu'en rouges. Le plus réputé est aussi le plus répandu : le *côtes-du-rhône Laudun*. Taux minimum : 12°.

Appellations communales ou de cru :

● *Condrieu* et *château-grillet*. - Il s'agit d'un tout petit vignoble qui s'étend sur les communes de Condrieu, Vérin et Saint-Michel. Issu du *viognier*, il se révèle de très grande classe : suave, sec, velouté et beaucoup plus corsé que ne le laisse croire le degré minimum imposé, 11°. Le *château-grillet*, dont le vignoble ne couvre que 5 acres et produit 6 000 bouteilles, est l'un des blancs les plus réputés de France.

● *Hermitage* et *crozes-hermitage*. - Titrant au minimum 10°, ils se ressemblent un peu, malgré les différences dues au terroir. Les *crozes-hermitage* sont plus pâles avec une saveur de noisette, les *hermitages* plus dorés et plus chaleureux. Parmi ces derniers, on compte soixante-dix crus répartis sur 500 acres : *chantalouette*, *les bessards*, *le méal*, *les greffieux*, *l'ermite*, *la pierolle*, *les rocoules...*

● *Châteauneuf-du-pape*. - Sur ce terroir réputé pour ses rouges, moins de 1% de la récolte, soit 1 540 gal., est vinifié en blanc. Sec, nerveux, il vieillit bien mais beaucoup d'amateurs le consomment dans toute la vigueur de sa jeunesse.

● *Saint-joseph, saint-péray, clairette de Die, lirac*. - Ces autres appellations, connues à d'autres titres, peuvent figurer sur des bouteilles de blanc, mais elles sont rares, à l'exception de la dernière, qui désigne un vin en ascension, fruité, ardent, à base de *clairette*. Il titre au moins 11,5°.

Il y a lieu de regretter que les blancs de la vallée du Rhône soient produits en trop petite quantité. Certes, l'appellation *côtes-du-rhône* est limitée au nord par Lyon et au sud par Avignon. En fait, elle ne remonte guère plus haut que Vienne. Mais toute cette partie du grand fleuve est si ensoleillée, si lumineuse, qu'elle doit donner, avec les soins appropriés, des crus capiteux. En outre, son sol souvent granitique et la diversité de ses terroirs devraient enrichir le patrimoine vinicole national de toute une nouvelle gamme de blancs.

La Provence et la Corse

Les blancs ont fait la réputation vinicole de la Provence : Cassis, Bandol, Nice ont été les points de départ du vignoble dès le temps de l'occupation grecque.

La classification officielle reconnaît quatre vins d'AOC en Provence et un en Corse.

● *Palette*. - Ils viennent d'une seule propriété, le Château-Simone, située sur les communes du Tholonet et de Meyreuil, à l'est d'Aix, et sont corsés, souples, bouquetés.

● *Cassis*. - Ce très ancien vignoble produit des blancs réputés à base d'*ugni blanc, pascla, colombard, clairette*. Ils titrent au minimum 11°, sont alcoolisés, secs et parfumés. Ils ne gagnent pas à vieillir plus de cinq ans.

● *Bandol.* - La production est assez importante, car la zone d'appellation s'étend sur huit communes : Bandol, Sanary (la meilleure), Le Castellet, La Cadière-d'Azur, Le Beausset, Saint-Cyr, Ollioules et Evanos. La *clairette* est le cépage de base (50% exigés). Titrant 11° au minimum, ils sont frais, souples, bouquetés et doivent être bus assez jeunes.

● *Bellet*. - L'aire de production ne dépasse pas une quarantaine d'acres dans la région de Nice. Les cépages y sont particuliers : *roussan, rolle, spagnol* (ou *mayorquin*). Titre minimum : 11,5°. Les *bellet* sont secs, fruités, élégants.

● *Patrimonio*. - Il s'agit d'un vignoble corse assez étendu situé entre l'île Rousse et Bastia. Issus d'*ugni blanc,* de *rossola* et de *vermentino*, ses vins ont au moins 12°, sont très corsés, chaleureux et dégagent un parfum de garrigue brûlée.

● *Côtes-de-provence*. - Dans la hiérarchie des appellations, les *côtes-de-provence* viennent après les cinq précédentes. Il s'agit, en effet, d'un vin délimité de qualité supérieure et non pas d'appellation d'origine contrôlée, qui est censée représenter le sommet de la hiérarchie. Cependant, toute règle a ses exceptions, et il est certain que pour l'amateur, même éclairé, la connaissance des *côtes-de-provence* importe tout autant que celle des *palette*. L'aire de production comprend plus de deux cents communes, réparties sur trois départements : Bouches-du-Rhône, Var et Alpes-Maritimes, et la récolte approche les 11 000 000 de gallons.

On peut diviser le vignoble en trois régions principales : 1° la zone côtière des Maures : Toulon, Hyères, La Londe-les-Maures, Bormes, Cavalaire, Croix-Valmer, Cogolin, Gassin et Saint-Tropez... ; 2° la bordure nord du massif : Pierrefeu, Cueurs, Carnoules, Gonfaron, les Mayons, Vidauban... ; 3° la vallée moyenne de l'Argens : Lorgues, Taradeau, Les Arcs... Actuellement, on compte une trentaine de crus classés.

Titrant au minimum 11,5°, ils sont corsés, secs, avec du fruit et du bouquet.

Le Languedoc-Roussillon

Cette région, qui a longtemps été connue pour sa production des rouges de consommation courante, fait actuellement un très gros effort du côté de la qualité. Si, en matière de blancs, elle ne peut encore s'enorgueillir que de deux appellations

d'origine contrôlées, elle possède une garde montante de vins délimités de qualité supérieure qui donnera sous peu un nouveau visage à sa production.

● *Clairette du Languedoc.* - Produite sur sept communes du département de l'Hérault (Aspiran, Paulhan, Adissan, Fontès, Cabrières, Péret, Ceyras), elle titre au minimum 13°, est très ardente, parfois capiteuse, fruitée, un peu amère, ne manque pas d'originalité. L'appellation *clairette du Languedoc-rancio* concerne des vins madérisés de 14° au moins.

● *Clairette de Bellegarde.* - C'est la sœur cadette de la précédente. Le taux exigé n'est que de 11,5°. Produite dans la région de Nîmes, elle est fruitée, avec parfois un excellent bouquet.

● Les VDQS existent presque toujours en rouges et en rosés, mais peut-être ont-ils plus de caractère en blancs. En général, ceux-ci sont secs, corsés (taux minimum 11°, parfois 12,5°, voire 13°),

généreux, et gagnent à mûrir quelques années, mais il faut prendre garde à la madérisation toujours menaçante. On les trouve sous diverses dénominations, parmi lesquelles : *corbières, corbières supérieurs, corbières du Roussillon, corbières supérieurs du Roussillon, roussillon-dels-aspres, minervois, picpoul-de-pinet, quatourze, la clape, faugères, pic-saint-loup.*

Le Sud-Ouest

Qui dit région d'anciens vignobles dit région de vins blancs. Cette vérité générale se révèle particulièrement exacte dans la région du Sud-Ouest, où l'on ne compte pas moins de treize appellations d'origine contrôlées et onze VDQS.

Les cépages utilisés sont très divers, comme sont diverses les régions. Il faut les mentionner au fur et à mesure :

● *Bergerac.* - L'appellation couvre quatre-vingt-treize communes, mais la pro-

Le vignoble du Sud-Ouest comporte de bons terroirs. Mais une part importante de sa valeur vient du soleil, car le raisin y mûrit bien.

duction des blancs est assez réduite. Obtenus à partir du *sauvignon*, du *sémillon* et de la *muscadelle*, et titrant au minimum 10,5°, ils sont bouquetés, francs de goût. Ils sont nommés *bergerac sec* lorsqu'ils ont moins de 1/16 d'once de sucre naturel par pinte. Le cru de *panisseau*, situé sur la commune de Sigoulès, est le plus réputé.

● *Côtes-de-bergerac, côtes-de-saussignac.* Ils proviennent des communes de Saussignac, Gageac-Rouillac, Monestier et Razac-de-Saussignac.

● *Rosette.* - Blanc produit sur les communes de Bergerac, Lambras, Creysse, Maurens, Prigonrieux-la-Force, Ginestet et titrant au minimum 12°. Il est moelleux,

légèrement paillé, fruité, et possède de plus un bouquet particulier.

● *Montravel, côtes-de-montravel, haut-montravel.* - Récoltés dans quinze communes, parmi lesquelles Saint-Michel-de-Montaigne, où se trouve encore le château de Montaigne, ils titrent au minimum 10,5° pour le *montravel* et 12° pour le *haut-montravel*. Les terroirs surtout différencient ces vins qui peuvent être secs ou liquoreux. Tous ont de la sève, du bouquet, parfois du nerf.

● *Monbazillac.* - Il est le plus célèbre de cette région et passe pour le plus liquoreux du monde. 1 500 acres produisent approximativement 155 000 gallons sur cinq communes : Monbazillac, Pomport, Rouffignac, Colombier, Saint-Laurent-les-Vignes. Il va de 13 à 16°.

Le raisin est vendangé par étapes successives au fur et à mesure de la maturation, et transformé par ce qu'on appelle la « pourriture noble ». De 13° minimum,

il passe à 16° avec 3.5 on. de sucre par pinte. Mœlleux, il atteint sa plénitude après trois ou quatre ans de bouteille, mais, conservé vingt ou trente ans, il atteint un sommet qui peut le faire comparer à ses rivaux du Bordelais. Parmi les « châteaux », citons *monbazillac, la borderie, la fonrousse*.

La région d'Albin. - C'est la région dans laquelle le vignoble méditerranéen a pris pied lors des débuts de l'occupation romaine.

● *Côtes de Duras.* - Petit vignoble qui groupe une quinzaine de communes situées le long du Dropt, affluent de la Garonne. Issus de cépages nobles, ses blancs sont fruités, parfois moelleux, parfois secs, mais toujours fidèles au goût de terroir qui a fait leur réputation.

● *Gaillac.* - L'aire de production de ce très ancien vin est étendue et couvre plusieurs dizaines de communes. Les cépages utilisés sont le *mauzac*, le *sémillon*, le

sauvignon et la *muscadelle*, plus un cépage local qui joue un grand rôle, *l'an de l'al*, ce qui signifie « loin de l'œil » en dialecte local. On trouve un *gaillac sec*, fruité, coulant, un *gaillac perlé* qui mousse légèrement lorsqu'on le verse (ces deux vins de faible taux alcoolique, 10,5° minimum), un *gaillac doux*, fin et fruité, que l'on consomme en primeur, enfin un *gaillac premières côtes*, plus corsé (au minimum 12°), bouqueté, moelleux et qui est celui des amateurs.

Le Béarn

Les cépages de cette région sont si particuliers que leur origine n'a pas encore pu être établie d'une façon certaine. Voici les appellations les plus connues :

● *Jurançon.* - Célèbre pour avoir humecté les lèvres de Henri IV à sa naissance, le *jurançon* est obtenu à partir de raisins pressés alors qu'ils sont déjà en partie desséchés, « passerillés ». Il titre au minimum 12° mais peut atteindre 14 et 15° plus deux ou trois de liqueur. Il existe d'ailleurs un type sec et un type moelleux. Ils sont fermes, séveux, francs de goût et l'on y découvre un étonnant bouquet fait de cannelle, de muscade et de girofle.

● *Pacherenc-du-vic-bilh*. - L'aire de production de ce cru rare au nom singulier (*pacherenc* signifie « piquets en rang ») est très limitée et se situe entre Pau et Madiran. Comme le *jurançon* auquel il ressemble beaucoup, il peut être moelleux ou sec avec une tendance à la madérisation.

Les VDQS du Sud-Ouest. - Onze noms désignent des vins intéressants, dont certains seront peut-être célèbres un jour : *côtes - de - buzet, côtes - du - marmandais, béarn, rousselet de Béarn, irouléguy, tursan, fronton* ou *côtes-de-fronton, villaudric, lavilledieu, entraygues, estaing*.

Les vins de Bordeaux

En ce qui concerne les blancs, on retrouve dans le Bordelais la même abondance et la même variété que dans le domaine des rouges. Le sommet de la réputation est atteint par des vins tendres dont le *château-d'yquem* est le plus célèbre, mais on ne doit pas pour autant négliger les *graves*.

Trois cépages nobles constituent la base sur laquelle sont édifiés tous les grands crus, qu'ils soient liquoreux ou secs : le *sémillon,* qui se divise lui-même en une foule de variétés (blanc, roux, croquant, etc.) ; le *sauvignon* blanc ; la *muscadelle*, variété de *muscat*.

Classification des Bordeaux. - On compte deux appellations générales : *bordeaux,* s'appliquant à des vins secs ou liquoreux, titrant au minimum 10° ; *bordeaux supérieur*, minimum 11,5°, et quinze appellations régionales : *graves, graves supé-*

rieurs, cérons, sauternes, premières côtes-de-bordeaux, premières côtes-de-bordeaux-cadillac, premières côtes-de-bordeaux - gabarnac, côtes-de-bordeaux-saint-macaire, entre-deux-mers, bordeaux haut-benauge, graves de Vayres, blaye ou blayais, côtes-de-blaye, bourg ou bourgeais, côtes-de-bourg; et trois appellations communales : *barsac, loupiac, sainte-croix-du-mont.*

● *Graves.* - Dans cette région située le long de la Garonne au nord et au sud de Bordeaux, les blancs l'emportent. L'appellation *graves* concerne des vins possédant au minimum 11° et, s'ils sont vinifiés en sec, ce qui est souvent le cas, moins de 0.5 on. de sucre par pinte, tandis que l'appellation *graves supérieurs* désigne des vins titrant au moins 12° et pouvant atteindre 14°. Souples, bouquetés, fruités, parfois nerveux, ces derniers présentent bien les caractères de l'ancien type *graves*.

Le classement de 1959 a mis en valeur huit « crus classés ».

Ce sont : *bouscaut, carbonnieux, chevalier, couhins, la tour-martillac, laville, haut-brion, malartic-lagravière, olivier.*

● *Premières côtes-de-bordeaux.* - Les vins couverts par cette appellation sont issus de raisins cueillis en état de surmaturation. Ils sont donc liquoreux, séveux, veloutés et titrent au minimum 12°.

Parmi les crus bénéficiant de l'appellation principale, mentionnons : à Langoiran le *château-laurétan*, à Haux le *château-du-juge*, à Bauroch le *château-la-roche*.

L'appellation principale est précisée dans deux cas :

● *Premières côtes-de-bordeaux-cadillac.* - Ils sont liquoreux, particulièrement riches en alcool, 14° et plus. Ainsi à Beguey *château-peyrat* et *château-birot*, à Cadillac *château-fayau*, à Laroque *château-laroque*.

● *Premières côtes-de-bordeaux-gabarnac.* Appellation récente désignant des crus qui se rapprochent beaucoup de ceux,

réputés, des régions voisines, *sainte-croix-du-mont* et *loupiac*.

● *Loupiac*. - Produit dans la région ci-dessus, et d'ancienne réputation, il est souple, bouqueté, élégant.

● *Sainte-croix-du-mont*. - Il s'agit toujours de la même région, mais le sol et le microclimat permettent d'exiger au moins 13 et souvent 15° d'alcool. Beaucoup d'amateurs éclairés le confondent avec les *sauternes* dont il a la robe dorée et la profonde saveur. Il compte environ soixante-dix terroirs ou châteaux.

● *Côtes-de-bordeaux-saint-macaire*. - Le vignoble s'étend au sud du précédent. Il s'agit de crus solides, liquoreux, d'un taux alcoolique assez élevé, 11,5° et souvent plus. Bien que corsés, ils sont réputés pour leur finesse. Répartition sur dix communes : *mallie* à Pian-sur-Garonne, *malromé* et *petit-pey* à Saint-André-du-Bois, *machorré* à Saint-Martin-de-Sescas.

● *Entre-deux-Mers*. - En réalité, il ne se trouve pas entre deux mers, mais entre deux fleuves, la Garonne et la Dordogne, et s'étend sur une dizaine de cantons. Sa production en blancs dépasse 8 800 000 gallons. Autrefois très appréciés comme vins liquoreux, on les vinifie maintenant en sec et on veille à ne pas dépasser un certain taux d'alcool, 11,5°. Aussi sont-ils légers, coulants, souples. Il est difficile de faire un choix parmi plusieurs centaines de crus. Les cantons de Carbon-Blanc, de Créon et de Branne sont parmi les plus estimés.

● *Sauternes, barsac, cérons*. - Il s'agit de trois appellations différentes, mais *barsac* peut porter le nom de *sauternes*.

Le vignoble de Cérons forme une enclave dans la région des *graves*. Ses produits, intermédiaires entre les *sauternes* et les *graves,* sont fins et séveux, liquoreux et néanmoins nerveux. Les crus sont répartis sur les trois communes de Cérons, Ilats et Podensac.

La commune de Barsac, qui a droit à l'appellation *sauternes*, se trouve dans un cas assez singulier. En effet, son assemblage est rigoureusement défini : 2/3 de *sémillon*, 1/6 de *sauvignon* et 1/6 de *muscadelle*. Le résultat est un produit très fruité et avec un parfum de terroir particulier. Premiers crus : *château-coutet* et *château-climens*.

L'appellation *sauternes* est l'une des plus célèbres du monde. Elle est réservée à cinq communes bordées au sud et à l'ouest par la forêt landaise, au nord par la Garonne, Sauternes, Bommes, Fargues, Preignac, Barsac. Les vins de cette petite région ont été qualifiés de « lait des gourmets ». D'une belle couleur jaune paille aux reflets dorés, s'épanouissant dans la bouche en « queue de paon », les *sauternes* sont en outre doués d'une longévité exceptionnelle. La production totale est d'environ 660 000 gallons.

La classification est très bien établie :

● Premier grand cru : *château-d'yquem.* Il s'agit indiscutablement du roi des vins liquoreux du monde, et cette supériorité, reconnue par la classification de 1855, n'a jamais été mise en doute.

● Premiers crus : *la tour-blanche, lafaurie-peyraguey, clos haut-peyraguey, rayne-vigneau, suduirant, guiraud, rieussec, rabaud-promis, siglas-rabaud.*

● Deuxièmes crus : *myrat, doisy, doisy-daën, doisy-védrines, d'arches, filhot, broustet, nairac, caillou, suau, demalle, romer, lamothe.*

● *Sainte-foy-bordeaux, blayais, bourgeais.* Ces trois appellations recouvrent un vignoble situé dans la partie nord du département de la Gironde.

● *Graves de Vayres.* - Petit vignoble du canton de Libourne produisant des vins frais et glissants.

● *Blayais.* - L'appellation de ce vaste vignoble est divisée en trois : *blaye* ou *blayais*, qui concerne des blancs frais titrant au minimum 10°; *côtes-de-blaye*, titrant au minimum 11°, plus fruités que les précédents ; *premières côtes-de-blaye*, obtenues exclusivement à partir de cépages nobles, d'un bouquet très personnel.

Parmi les crus : à Berson, *bourdieu, florimond-la-brède* ; à Cezac, *bellue-cubnezais, marinier* ; à Saint-Savin-de-Blaye, *corbineaux, souchet-les-deux-églises* ; à Civrac-de-Blaye, *les moines, les berlands* ; à Saint-Martin-la-Caussade, *château-la-caussade.*

● *Bourg ou Côtes de Bourg ou Bourgeais.* Ce vignoble est situé au sud du précédent. Les trois appellations sont équivalentes et désignent des vins titrant au moins 11°, frais, secs, faciles à boire et qui peuvent être consommés jeunes.

Parmi les crus : à Bourg-sur-Gironde *château de croûte, la vinifera, mille secousses* ; à Lanzac, *domaines taste et tuilerie* ; à Teuillac, *château-peychaud*, à Prignac et à Marcamps : *château-grand-jour.*

On y fait autant de blancs que de rouges.

Le pays nantais

Cette région est l'une des plus « jeunes » de la viticulture française. En effet, elle ne date guère que du XVIIᵉ siècle, époque à laquelle les négociants hollandais vinrent y chercher des vins assez grossiers pour ravitailler les ports de la Baltique. L'arrivée d'un nouveau cépage, le *melon de Bourgogne*, qui allait prendre le nom de *muscadet*, et le génie des vignerons réalisèrent encore une fois ce miracle : un vin de cru.

● *Muscadet.* - L'aire d'appellation s'étend sur une très vaste région exclusivement plantée du cépage *muscadet*. Le taux minimum exigé est de 9,5°, mais un maximum est fixé chaque année à la suite de la dégustation des moûts. Ainsi est-il assuré de conserver sa fraîcheur et sa légéreté, qui sont ses deux caractères principaux. On le boit jeune, et même « en primeur ».

● *Muscadet des Coteaux de la Loire* et *muscadet de Sèvre et Maine.* - Ces deux appellations représentent une sélection des terroirs et un taux alcoolique minimal plus élevé : 10°.

Le *muscadet des Coteaux de la Loire*, très sec, acide, de bonne conservation, est particulièrement réussi à Ancenis, Saint-

Herblon, Saint-Géréon, Liré et Drain. Le *muscadet de Sèvre et Maine*, dont la production est très importante (plus de 5 500 000 gal., est fin, léger, harmonieux Les communes de Vallet, Mouzillon, Le Pallet, La Chapelle-Heulin, La Regrippière, Saint-Fiacre-sur-Maine sont les plus réputées.

● *Les VDQS du pays nantais.* - Ce sont les anciens occupants du pays, éclipsés par l'envahisseur, mais, dans sa foulée, ils pourraient bien commencer une nouvelle carrière : *gros-plant* du pays nantais, *coteaux-d'ancenis*.

L'Anjou

La réputation de cette grande région viticole vient surtout de ses blancs.

● *Anjou.* - L'appellation régionale s'applique à des vins issus de *pineau de Loire* avec appoint autorisé de *sauvignon* et de *chardonnay* et titrant au minimum 9,5°. Ils peuvent être secs, demi-secs, liquoreux, pétillants, mousseux. Tous sont souples, fruités, faciles à boire.

Cinq appellations complémentaires désignent les terroirs les plus réputés :

● *Saumur.* - L'aire de production englobe le territoire de trente-sept communes. Provenant également de *pineau* et titrant

au minimum 10° avec au moins 1/3 d'once de sucre par pinte, ils sont secs ou demi-secs. Très nerveux et frais, ils sont caractérisés par le « goût de tuf » emprunté à la craie tuffeau qui constitue le sol.

● *Coteaux-de-saumur.* - Ils s'étendent sur Saumur et une dizaine de communes des alentours. Vins proches des précédents mais plus corsés : taux minimum 12°. Vins bien équilibrés, de bonne conservation.

● *Coteaux-de-la-loire, savennières.* - Ils couvrent onze communes, à l'ouest d'Angers. Ils titrent au minimum 12°, sont secs et demi-secs, riches, épanouis, avec un bouquet où se confondent les odeurs de tilleul, d'amande et de coing. Ces qualités sont particulièrement sensibles dans les meilleurs crus comme le *château de savennières*, d'*épiré*, de *chamboureau*, du *papillon*, etc.

Les deux suivants, *savennières-la-coulée-de-serrant*, *savennières-la-roche-aux-moines*, constituent à eux seuls de véritables appellations.

● *Coteaux-du-layon, quarts-de-chaume, bonnezeaux.* - L'aire *coteaux-du-layon* comprend une vingtaine de communes (Beaulieu-sur-Layon, Faye-sur-Layon, Rablay, Rochefort-sur-Loire, Saint-Aubin-de-Luigné, Thouarcé). Taux minimum de 12°

pour l'appellation simple et 13° dans les autres cas. Ces vins, qui ont acquis leur réputation au temps où ils étaient exclusivement liquoreux, sont parfois vinifiés en sec. Les liquoreux sont enveloppés, fruités, étoffés, charpentés, gras, finement bouquetés et sentent parfois l'abricot et le tilleul. Deux crus célèbres ont droit à une appellation spéciale : *quarts-de-chaume* et *bonnezeaux*. Pour être appréciés à leur juste valeur, ils doivent être consommés après cinq ou six ans de bouteille.

● *Coteaux-de-l'aubance*. - Ils s'étendent sur huit communes autour de Brissac. Issus de *pineau* et titrant au minimum 11°, ils sont comparables aux précédents, mais avec moins de corps et de personnalité. Ils sont appréciés pour leur légèreté, leur fruit, leur goût de terroir.

La Touraine

Le vignoble de Touraine, très étendu, offre une production abondante et variée. C'est surtout dans de pareils cas que la classification officielle peut venir au secours du consommateur.

● *Touraine*. - Il s'agit de l'appellation générale. Elle s'applique à des vins issus de *pineau* ou de *chemin* (parfois de *sauvignon*) et titrant au minimum 9,5°. Ils sont secs ou très légèrement liquoreux, frais, fruités, faciles à boire. Trois appellations concernent des vins plus corsés produits sur des terroirs délimités : *touraine-azay-le-rideau*, *touraine-amboise*, *touraine-mesland*.

Enfin les crus les plus réputés ont droit à des appellations spéciales empruntées au nom de la commune la plus importante.

● *Vouvray*. - Il est récolté sur huit communes : Vouvray, Rochecorbon, Vernou, Sainte-Radegonde, Noissay, Chançay, Reugny, Parçay-Meslay. Issu de *pineau de Loire* et titrant au minimum 11°, il peut être sec, demi-sec, liquoreux. Dans tous les cas, il présente un bouquet extrêmement riche, qui va de l'amande à l'acacia en passant par le coing, et il vieillit remarquablement.

● *Montlouis*. - L'aire est située en face de Vouvray, sur l'autre rive de la Loire. Vins très proches des précédents, mais moins parfumés et plus légers.

● *Chinon*. - Faible production. Il est léger et fruité, titrant au minimum 9,5°.

● *Coteaux-du-loir-jasnières*. - L'aire, située à environ une trentaine de milles au nord de Tours, couvre une vingtaine de communes (Château-du-Loir, Saint-Paterne, Chanaigne, Bueil...) qui s'échelonnent le long du Loir. Titrant au minimum 10°, ils sont très secs, vifs et fruités. L'appellation *jasnières* s'applique aux produits des trois meilleures communes : Jasnières, Lhomme et Ruillé-sur-Loir. Ils sont remarquables par leurs qualités de conservation : trente ans et davantage.

● *Les VDQS de Touraine* concernent trois régions où la production est assez faible : Mont-Prés-Chambord-Cour-Cheverny, vins de l'Orléanais, vins des Coteaux du Giennois ou Côtes de Gien.

La vallée moyenne de la Loire

Comme le Rhône, et plus encore que la Garonne, la Loire mérite le titre de « fleuve du vin ». Dès que le climat le permet, la vigne apparaît sur ses berges. C'est une succession de crus réputés, particulièrement en vins blancs.

● *Sancerre*. - Treize communes et production assez réduite. Issu de *sauvignon*, le *sancerre* est frais, léger, fruité, et gagne en général à être bu jeune.

● *Pouilly-sur-loire*. - Sept communes dont trois principales : Pouilly-sur-Loire, Saint-Andelain, Tracy-sur-Loire. On y obtient deux crus classés d'après le cépage employé : le *pouilly-sur-loire* issu du *chasselas*, titrant au minimum 9° d'alcool, qui est frais, léger et doit être bu jeune ; le *pouilly-fumé*, ou *blanc-fumé-de-pouilly*, issu du *sauvignon*, d'au moins 11°, qui

Il reste encore en France, dans certaines provinces, quelques vieilles enseignes de cabaret dont le pittoresque et la naïveté enchantent les touristes. Celle-ci est typiquement alsacienne.

est assez corsé pour bien vieillir, fruité, coulant, avec un goût de musc et d'épices.

● *Quincy*. - Production réduite sur Quincy et sur Brinay, à l'ouest de Bourges. Issu de *sauvignon* et pesant 10,5° au minimum, il est sec, fin, fruité et doit être bu jeune.

● *Reuilly*. - Aire encore moins étendue que le précédent, planté de *sauvignon*, donnant au moins 10,5°, ou demi-sec fruité avec un goût de terroir.

● *Menetou-salon*. - Petit vignoble situé au sud-ouest de Sancerre et dont les produits sont très proches.

● *Saint-pourcain-sur-sioule*. - Bien qu'il soit classé VDQS, il mérite d'être cité à la suite des précédents. Non seulement il a été considéré pendant des siècles comme un grand vin et servi à la table des rois, mais sa production bien contrôlée, ses qualités lui rendent progressivement une place sur le marché français. Issu d'un cépage local, le *tressalier*, complété à l'aide du *sauvignon*, du *chardonnay* et de l'*aligoté*, titrant au minimum 9,5°, il est frais, fruité, léger et souvent, sans être véritablement pétillant, animé d'une sorte de frémissement.

D'une façon générale, ces crus ne sont pas destinés à vieillir. Certains d'ailleurs déclineront nettement après quatre ans de bouteille et peut-être moins. Mais ce qui fait leur intérêt, pour le gastronome, c'est leur fruit et leur finesse. On les dit justement « vins de charme ». Et le charme, c'est souvent la jeunesse.

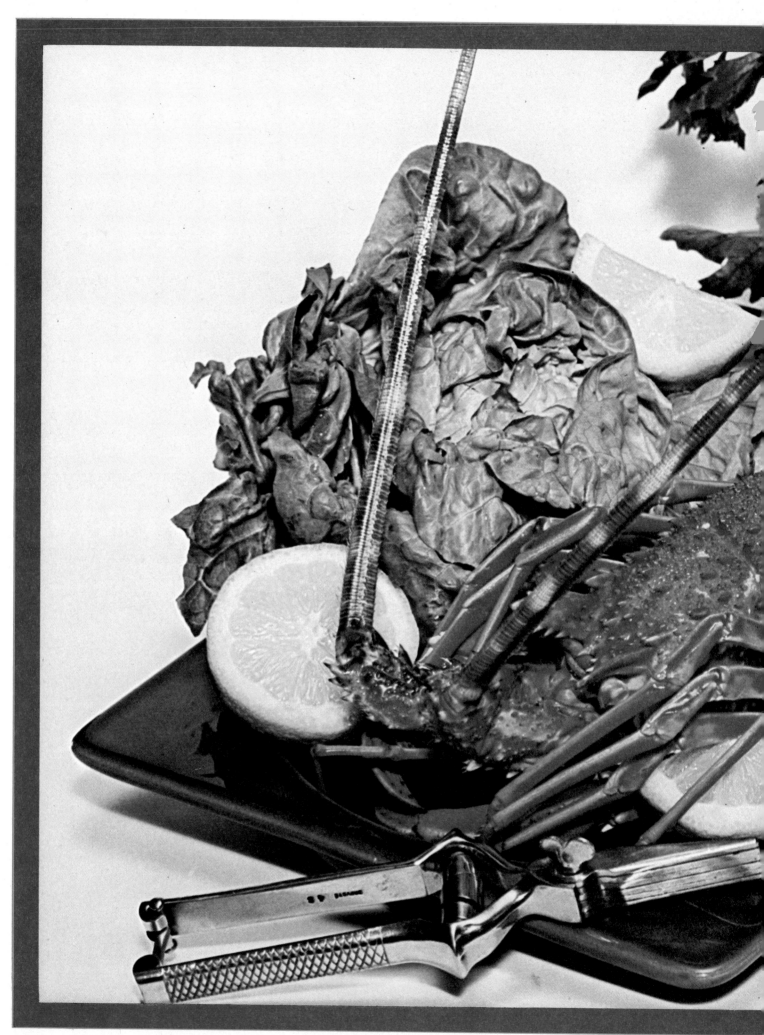

Les vins rosés

Vin à la mode, le rosé l'est depuis toujours. On peut même dire qu'en dehors de la région méditerranéenne, où le rouge constitue une tradition, le rosé fut longtemps le seul vin. Jusqu'au XVe siècle, le *bourgogne* était œil-de-perdrix, comme l'a été le *champagne* jusqu'au XVIIe siècle. La conquête de l'Angleterre par le *bordeaux* fut acquise grâce au *claret*, qui reprend aujourd'hui l'offensive ; les vins rosés de Provence, dont le succès paraît si récent, n'ont fait que reprendre la voie tracée par le *tavel* au temps des pèlerinages vers Saint-Jacques-de-Compostelle. Quant au rosé d'Arbois, il n'a pas eu à changer de teinte ni de vinification depuis vingt siècles : il est toujours obtenu par un cépage noir qui vire au rosé dans la cuve.

Les vins de Bourgogne

La production de vin rosé (ou *clairet*, autre appellation légale) en Bourgogne est irrégulière. Il arrive que certaines années la maturité du *pinot noir* soit insuffisante pour obtenir de grands vins rouges de garde. La vinification se fait alors en rosé.

Parmi les cépages autorisés, mentionnons aussi l'*aligoté* et le *chardonnay*.

Les différentes appellations doivent être connues, car elles figurent obligatoirement sur l'étiquette.

Les appellations générales s'appliquent à tous les vins produits en Bourgogne, y compris ceux des régions viticoles du sud, Mâconnais et Beaujolais.

- *Bourgogne ordinaire rosé* ou *bourgogne ordinaire clairet* (9° minimum).
- *Bourgogne grand ordinaire rosé* ou *bourgogne grand ordinaire clairet* (9° minimum).
- *Bourgogne rosé* ou *bourgogne clairet* (10° minimum).

Appellations sous-régionales :

- *Haute-côte-de-nuits* (10° minimum).
- *Haute-côte-de-beaune* (10° minimum).
- *Mâcon* (9° minimum et 10° avec indication de commune).
- *Mâcon supérieur* (10° minimum).
- *Mâcon-villages* (10° minimum).
- *Beaujolais* (9° minimum avec indication de commune).
- *Beaujolais supérieur* (10° minimum).
- *Beaujolais-villages* (10° minimum).

Voici, du nord au sud, les principaux terroirs de cette région :

L'Auxerrois. - Région voisine du vignoble de Chablis, donne des rosés dont une bonne partie est consommée sur place et l'autre dirigée sur Paris. Deux « climats » sont particulièrement réputés :

- *Irancy.* - L'aire de production s'étend au sud-ouest de Chablis. Vins fruités, fumés, très typés.

● *Joigny.* - Production limitée d'un cru fin, léger, délicat.

La Haute-Côte-de-Nuits. - Les rosés issus de ce terroir ne proviennent que rarement de la zone des grands vins, mais de vignobles situés sur le revers de la fameuse côte. On parle encore parfois d'arrière-côte.

L'aire de production s'étend aux communes suivantes : Arcenant, Bévy, Chaux, Chevannes, Collonges-lès-Bévy, Curtil-Vergy, L'Etang-Vergy, Magny-lès-Villers, Marey-lès-Fussey, Messanges, Meuilley, Reulle-Vergy, Segrois, Villars-Fontaine, Villers-la-Faye.

Le *bourgogne marsannay-la-côte* est le plus réputé de la haute Bourgogne. Très souple, fruité, léger, avec une odeur de miel et de framboise, une belle robe transparente, il incarne très bien le rosé classique.

La Haute-Côte-de-Beaune. - Vins plus mouvants et plus subtils (parfois même presque pétillants) que les précédents. Peut-être est-ce dû à l'emploi de cépages comme l'*aligoté* et le *chardonnay*. Clairs, secs, nerveux, mais « faciles », il convient de les boire frais et « à la soif ».

L'aire de production s'étend pour la Côte-d'Or sur les communes de Cormot, Echevronne, Fussey, La Rochepot, Magny-lès-Villers, Mavilly-Mandelot, Meloisey, Nantoux, Nolay, Vauchignon ; pour la Saône-et-Loire : Change, Créot, Epertully, Paris-l'Hôpital, Cheilly-lès-Maranges, Dezize-lès-Maranges, Sampigny-lès-Maranges, Beuze-lès-Beaune, Cirey.

Nous mettons à part deux communes plus spécialement réputées : Baubigny et Santenay.

Le Mâconnais. - Rosés issus de *gamay noir* à jus blanc et de *pinot*. Secs, coulants, très fruités avec une odeur de framboise, ils sont d'excellents intermédiaires entre les vins de la Côte-d'Or et les vins du Beaujolais (le canton de La Chapelle-de-Guinchay peut d'ailleurs utiliser les deux appellations : *mâcon* ou *beaujolais*).

Le Beaujolais. - La production de rosé est le fait de presque toutes les communes viticoles de cette région, mais les quantités sont souvent limitées et réservées (pour le moment) à la consommation locale, voire familiale.

Quelques communes ont cependant des productions plus abondantes, les plus réputées sont celles qui, en matière de rouge, ont déjà eu droit au titre de crus.

● *Chénas.* - Corsés, fermes, un peu âpres et assez nerveux. On retrouve ces caractères à Odenas, Régnié, Romanèche.

● *Fleurie.* - Le fruit, le velouté, le « gouleyant » l'emportent sur la fermeté. Caractères très proches à Durette et Saint-Lager.

● *Juliénas.* - Vigoureux, pleins, riches, dont on peut retrouver les équivalents à Quincié, Lantigné, Beaujeu.

Les vins du Jura

Les vins rosés du Jura présentent un caractère particulier : ils sont restés naturels, c'est-à-dire sans aucune vinification particulière. En effet, la fermentation des raisins noirs de cette région donne un moût peu coloré. De telles conditions expliquent l'ancienneté et la réputation des rosés. Ils sont issus de trois cépages : le *poulsard* (qui est aussi un excellent raisin de table), le *trousseau* et le *pinot noir*, et répartis entre deux appellations : *côtes-du-jura* et *arbois*. Taux alcoolique minimum : 10°, mais atteint 12° et plus.

● *Côtes-du-jura*. - L'aire de production a déjà été définie, elle est vaste. Ces vins sont corsés, vineux sous une apparente légèreté, avec un goût de terroir très caractéristique, et vieillissent bien.

● *Arbois*. - Les sept communes ayant droit à l'appellation pour les blancs la possèdent aussi pour les rosés. Ces vins sont plus fins, plus fruités, plus généreux que les précédents. Ce sont eux surtout qui sont à l'origine de la grande réputation des vins du Jura. Ils possèdent aussi l'avantage de pouvoir être dégustés frais lorsqu'ils sont jeunes, chambrés quand ils ont pris de l'âge, et d'accompagner n'importe quel mets en toutes circonstances.

C'est sans doute pourquoi ils ont été chantés par les poètes et par les troubadours. Ainsi Jacques Bretex dans son *Tournoi*, qui date de 1285, et le ménestrel Brasseniex dans son poème des *Dames de Paris* au début du XIVe siècle. Rabelais l'évoque aussi dans le cinquième livre de *Pantagruel*. Henri IV en avait fait la découverte à la cour de Charles IX lorsqu'il vint épouser la sœur du roi, dite « la Reine Margot ». Plus tard, il en eut toujours dans ses caves, et, sous le moindre prétexte, il se rendait chez Sully pour en boire, car il savait d'expérience que celui-ci en était toujours abondamment pourvu et se fournissait aux meilleures sources. Au cours des siècles suivants, Voltaire, Rousseau, Alexandre Dumas et Théophile Gautier l'ont honoré. Quant au père de Louis Pasteur, il en expédia un jour cent bouteilles à son fils, à Paris, avec une lettre disant : « Il y a de l'esprit au fond de ces cent litres, plus que dans tous les livres de philosophie du monde. »

Les Côtes du Rhône

Cette région est, avec le Jura, la plus ancienne productrice de vins rosés de France, et, pour donner le niveau de sa réputation, il suffit de prononcer le nom de son cru le plus prestigieux : *tavel*. Mais il est loin d'être le seul sur l'une des aires de production les plus étendues et les plus variées qui soient. Ces rosés sont obtenus à partir de cépages extrê-

mement nombreux, puisque tous ceux qui sont autorisés pour les rouges et les blancs peuvent entrer dans leur composition. On voit déjà là une explication de la variété des rosés, qui sont en effet différents d'une commune à l'autre.

Il existe trois appellations spéciales : *côtes-du-rhône-chusclan*, *lirac* et *tavel*, qui correspondent à des types, ainsi que les cinq VDQS. Aucun vin ne peut avoir droit à l'appellation *côtes-du-rhône* s'il ne titre pas au minimum 9,5°.

● *Côtes-du-rhône-chusclan*. - Dernière-née des appellations de cette région, son aire est située le long du Rhône, dans le département du Gard. Ses rosés sont riches, fruités, étoffés.

● *Lirac*. - Voisin et rival du *tavel*, il est produit sur des coteaux brûlés par le soleil ; aussi les amateurs prétendent-ils retrouver en lui tous les parfums de la garrigue. Il est vif, sec, parfois un peu dur dans sa jeunesse, et a beaucoup d'arrière-goût.

● *Tavel*. - La « guirlande du Tavel » comprend les noms d'empereurs romains, de papes d'Avignon, de rois de France et même de poètes et romanciers comme Ronsard et Balzac. Avec une belle robe limpide, il est nerveux et exhale un bouquet de fraise des bois, mais il convient de se méfier de son apparente légèreté, car si la loi lui impose un minimum de 11,5°, il lui arrive de se hausser jusqu'à 15°. Cette richesse alcoo-

lique et sa bonne constitution expliquent son aptitude à vieillir. C'est pourquoi un *tavel* est « frais » après dix ans de bouteille.

Dans la région des Côtes du Rhône sont incluses cinq aires de production de VDQS, toutes réputées pour la qualité de leurs vins rosés : *côtes-du-tricastin*, *haut-comtat*, *châtillon-en-diois*, *côtes-du-ventoux*, *côtes-du-lubéron*.

La Provence

Si la réputation des vins de Provence a « éclaté » dans la seconde partie du XXe siècle, elle n'est pas récente pour autant. Les premières vignes furent peut-être plantées par les Grecs qui créèrent Marseille au Ve siècle avant notre ère.

Au début du XVIIe siècle, Olivier de Serres, dressant leur inventaire, mettait au premier rang les « friands *clarets* » de Provence.

Ceux-ci sont obtenus d'après la vinification classique, c'est-à-dire une cuvaison très courte, de l'ordre de vingt-quatre heures. Cette méthode permet l'utilisation d'un grand nombre de cépages noirs ou blancs, mais dont quelques-uns constituent des cépages de base. Ce sont : le *carignan*, le plus utilisé, qui donne du corps ; le *cinsault*, plus souple ; le *grenache*, alcoolisé ; le *tibourenc*, bouqueté ; le *pécoui-touar*, fruité ; le *mourvèdre*, qui assure l'équilibre.

En fait d'appellations, la situation de la Provence est unique en France. La dénomination *côtes-de-provence*, qui est celle d'un VDQS, est sans doute plus célèbre que celles des appellations d'origine contrôlée : *palette, cassis, bandol, bellet*.

● *Palette*. - Petit vignoble et petite quantité de rosés frais et souples.

● *Cassis*. - Ses rosés sont réputés pour leur nerf, leur alcool, leur bouquet.

● *Bandol*. - S'étendant sur huit communes, la production est relativement abondante, cependant elle est presque tout entière consommée sur place. Ce sont des vins frais, bouquetés, assez nerveux.

● *Bellet*. - Vignoble très réduit situé près de Nice, dont la production est faible mais de grande qualité.

Les VDQS de la région provençale. - C'est à eux que presque tous les amateurs pensent lorsqu'ils demandent un « rosé de Provence ». Si cette désignation est vague au regard de la loi, elle est aussi le témoignage le plus évident de la réussite. L'aire de production va de Marseille à Nice et dépasse Aix et Draguignan au nord.

Après avoir noté la réputation de ces zones, il faut compléter par quelques-unes qui se sont plus particulièrement spécialisées dans la production de vins rosés : les terroirs réputés sont ceux de la région de Pierrefeu, Cuers et toute la zone du sud, versant nord des Maures, Montfort-sur-Argens et sa région, Puget-Ville, La Londe-les-Maures et enfin le vignoble d'Aix-en-Provence.

Tous les VDQS de la région provençale titrent au moins 11°, mais presque tous dépassent ce minimum et beaucoup approchent de 14°. Ils sont donc plus capiteux que ne le laisse supposer une dégustation rapide.

● *Côtes-de-provence*. - La production approchant les 11 000 000 de gallons, on peut imaginer la difficulté de définir un type unique. Les rosés ont pourtant des caractères communs : ils sont frais à la bouche, coulants, avec un peu de fruit et souvent beaucoup de bouquet.

● *Coteaux-d'aix-en-provence, coteaux-des-baux, coteaux-de-pierrevert*. - Les aires de ces trois VDQS cernent celle des *côtes-de-provence*, et, si les vins y sont fort comparables, ils ont chacun leur originalité : du fruit à Aix-en-Provence, du nerf aux Baux, du bouquet à Pierrevert à cause de l'adjonction de *syrah*.

La Corse

Si la renommée des vins de Corse a été longue à s'établir hors de l'île, c'est que les consommateurs venus du continent étaient rares. Il n'en va plus de même aujourd'hui avec le développement du tourisme, qui a d'ailleurs coïncidé avec l'installation d'un certain nombre de viticulteurs venus d'Algérie. Le résultat ne s'est pas fait attendre : la production a doublé de 1965 à 1967 et un service de la viticulture, particulier à l'île, a commencé la mise en place des appellations d'origine. Elles concernent des vins titrant au minimum 11,5° et issus d'une gamme de cépages qui marie curieusement les influences françaises, italiennes et espagnoles : *grenache, carignan, cinsault, sciaccarello, vermentino, nielluccio, barbarosso, carcajolo*.

● *Patrimonio*. - L'aire de production est située près de Saint-Florent. Seule appellation d'origine contrôlée de l'île, Patrimonio est particulièrement réputé pour son rosé issu du *nielluccio*. Il est nerveux, sec, avec un bouquet de fleurs du maquis.

● *Sartène*. - La production de ce VDQS s'étend de Sartène à Ajaccio. Vins fins et très bouquetés.

La Corse est peut-être la dernière région de France où l'amateur peut se constituer un choix d'appellations personnelles. Dans cette intention, il prospectera plus spécialement les environs d'Ajaccio et les communes de Peri, Cuttoli, Bastelica, Balagne, Calvi et Corte.

Le Languedoc-Roussillon

Cette vaste région souffre, au point de vue de sa réputation, d'être la plus productive de France. C'est ainsi qu'en ce qui concerne les rosés aucune appellation d'origine contrôlée ne lui a encore été accordée. Ses mérites ont été reconnus par l'attribution de neuf VDQS, parmi lesquels l'un d'eux, le *coteaux-du-languedoc*, peut apparaître sous treize noms différents, autant que d'aires de production.

Issus de nombreux cépages, dont les plus importants sont le *carignan*, le *cinsault*, le *grenache*, la *roussanne* et le *syrah*, les

rosés du Languedoc-Roussillon titrent au minimum 11°, et souvent beaucoup plus. Ils sont généralement très fruités, corsés, et s'assouplissent après un an ou deux de bouteille, mais, sauf exception, il n'est pas conseillé de les laisser vieillir.

● *Corbières, corbières supérieurs, corbières du Roussillon, corbières supérieurs du Roussillon, roussillon-dels-aspres.* - La différence entre ces appellations tient aux terroirs d'origine et au degré alcoolique, le qualificatif supérieur se traduisant par un taux minimum de 12,5°, qui doit être mentionné sur l'étiquette.

● *Minervois, vin noble du Minervois ou minervois noble.* - Production assez abondante de *minervois* (11°), et beaucoup plus réduite de la seconde appellation (13°). Ils sont corsés et bouquetés.

● *Coteaux-du-languedoc.* - Ils s'étendent sur les départements de l'Hérault et de l'Aude et titrent au minimum 11°, assez différents les uns des autres par suite de la position de leurs communes d'origine, dont les unes sont montagnardes, comme Le Pic-Saint-Loup, et d'autres marines, comme La Clape. Voici la liste de ces sous-appellations, qui sont utiles à connaître : *saint-saturnin* (réputé), *coteaux - de - la - méjanelle* (spécialité), *pic-saint - loup, montpeyroux, saint - christol* (spécialité), *cabrières* (sans doute le plus fin du Languedoc), *coteaux-de-vérargues* (faible production), *saint-drézéry* (spécialité) ; tous ces vignobles étant situés dans l'Hérault. Dans l'Aude, on rencontre des vins plus corsés que les précédents : *quatourze* (réputé), *la clape.*

● *Costières-du-gard.* - L'aire est située dans le Gard et comprend une dizaine de communes autour de Saint-Gilles. Les rosés, qui se ressentent du sable et de la proximité de la mer, sont tendres et faciles, en un mot fort agréables.

Le Sud-Ouest

Les rosés n'ont pas dans cette région la même réputation que les rouges, mais certains méritent l'attention des connaisseurs.

Les cépages sont au nombre d'une trentaine, dont nous citerons les plus importants : *gamay noir* à jus blanc, *cabernet-sauvignon, cot, sauvignon, sémillon, cinsault, syrah, tannat, courbu...* La classification actuelle ne fait apparaître qu'une seule appellation d'origine contrôlée (*bergerac*) et neuf VDQS. Les *bergerac* sont légers et fruités.

Les VDQS n'ont généralement qu'un rayonnement local et leur production est peu abondante ; ce sont : *fronton* et *côtes-de-fronton, entraygues, fel, estaing, marcillac.*

En revanche, trois ont une réputation qui s'étend très au-delà de leur région : le

L'Anjou

Le fameux « petit vin d'Anjou » était un rosé. Pendant longtemps il fut, en effet, assez « petit » à Paris, car le « grand » était exporté vers la Hollande, l'Angleterre et les pays scandinaves. Actuellement, le développement de la production et la recherche de la qualité ont fait disparaître ce déséquilibre, et les rosés d'Anjou sont justement considérés comme les plus friands de la vallée de la Loire. Fins, délicats, fruités, ils ont une gamme plus étendue que tous leurs rivaux, car ils peuvent être moelleux, demi-secs ou secs.

Les principaux cépages employés sont le *cabernet franc* ou *cabernet breton*, le *cabernet-sauvignon*, le *cot*, le *gamay* et le *groslot*. L'appellation *cabernet* est réservée exclusivement aux vins issus de cépages *cabernet franc* ou *cabernet-sauvignon*.

La classification fait état de deux appellations générales : *rosé d'Anjou* et *anjou rosé de cabernet*, et de quatre appellations sous-régionales qui s'appliquent à des aires de production plus réduites.

● *Rosé d'Anjou*. - L'aire de production est celle de tout le vignoble angevin. Léger (9° minimum), toujours vinifié en sec, fin, souple, très facile à boire, son bouquet rappelle l'odeur de la framboise.

● *Anjou rosé de cabernet*. - Nettement plus corsé que le précédent (11° minimum, mais souvent 12° et davantage), plus ample, plus plein, plus élégant, il est le « grand » rosé comparable aux meilleurs rouges et blancs de la région. Les quatre appellations sous-régionales proposent des crus pour amateurs. Ce sont : *saumur rosé de cabernet* (11°, demi-sec le plus souvent), *anjou coteaux-de-la-loire rosé de cabernet* (12°, sec), *coteaux-de-l'aubance de cabernet* (12°, peu abondants), *coteaux-du-layon rosé de cabernet* (12°, fruités).

La Touraine

La réputation des rosés de Touraine n'est guère moins assurée que celle des *anjou*. Les ressemblances sont souvent très grandes, mais... les différences aussi, et c'est à celles-ci que s'est appliquée une classification assez complexe puisqu'elle ne comprend pas moins de sept appellations d'origine contrôlée et deux VDQS.

● *Touraine, touraine-amboise, touraine-mesland*. - L'aire est assez vaste et s'étend de Blois à environ une douzaine de milles au sud de Tours. Ses rosés sont légers (9° minimum), friands, tendres, fruités. L'appellation complémentaire *touraine-amboise* concerne un petit vignoble qui donne un cru plus corsé (10° minimum) à déguster sur place. Ces remarques sont plus justes encore pour les *touraine-mesland* (10,5°) qui atteignent un équilibre assez rare.

vin de Béarn, ou *rosé de Béarn*, ou *rousselet de Béarn* (10,5°), du fruit, un peu d'alcool, de la chair, du terroir ; l'*irouléguy*, à l'ouest de Saint-Jean-Pied-de-Port, est très léger (il dépasse de peu le minimum imposé) et gagne à être consommé jeune ; le *tursan*, le long des rives de l'Adour.

Le Bordelais

Après l'avoir négligé pendant plusieurs siècles, le Bordelais, qui dut sa première fortune au *clairet*, commence à y revenir, au moins dans une certaine mesure. En témoignent, parmi les appellations d'origine contrôlée, quatre appellations générales : *bordeaux clairet, bordeaux rosé, bordeaux supérieur clairet, bordeaux supérieur rosé*.

Les deux premières se distinguent des deux autres par une différence de taux alcoolique : 11° dans le premier cas, 11,5° dans le second. Les clairets sont obtenus par une vinification écourtée à partir de cépages rouges. Les rosés, d'une robe plus légère encore que les clairets, sont le résultat d'une vinification en rosé. Tous ces vins doivent être bus jeunes, et même en primeur. La commune de Quinsac, aux portes de Bordeaux, s'est fait une réputation dans cette spécialité.

● *Chinon, bourgueil, saint - nicolas - de - bourgueil*. - Trois aires incluses dans la précédente ont été jugées dignes d'appellations propres, ce sont : *chinon*, vignoble assez important qui produit un *rosé de cabernet* léger (9,5° minimum), sec, fruité ; *bourgueil*, tout aussi léger mais plus bouqueté et *saint-nicolas-de-bourgueil*, qui conserve en la matière une supériorité déjà affirmée dans les rouges.

● *Coteaux-du-loir*. - La production de rosés est assez récente dans un vignoble dont la situation est un peu excentrique. Ils sont secs et légers.

Il n'est peut-être pas inutile de signaler à ce propos que les consommateurs ont tendance à englober les vins de Touraine sous l'appellation de *vouvray*. Certes, celui-ci est célèbre. Mais il ne saurait désigner qu'un seul cru, toujours blanc. Les VDQS : *vins des coteaux du Giennois* ou *côtes-de-gien, vins de l'Orléanais*. Le *côtes-de-gien* est assez corsé (10° minimum), fruité, vif et assez rare. Ceux de l'Orléanais, produits par vingt-cinq communes (dont Beaugency est la plus réputée) sont célèbres sous le nom de *gris meunier* (du nom de leur cépage, le *pinot meunier*). Ils titrent au minimum 10°, sont fruités, friands et bons pour la soif.

Le Berry et le Nivernais

Sancerre, Reuilly, Menetou-Salon, Châteaumeillant. Cette région, célèbre pour ses blancs, a été attirée par l'odeur du rosé, qui est souvent, à notre époque, celle de la réussite. Aussi les quatre appellations officielles comptent-elles dans leur arsenal chacune un de ces crus pleins de fruit, de grâce et de légèreté. Il est d'ailleurs curieux de constater que le taux minimum d'acool exigé est plus bas (10°) pour les trois appellations d'origine contrôlées : *sancerre, reuilly, menetou-salon*, que pour le VDQS de Châteaumeillant.

Pour toutes ces appellations, la production de rosés est encore réduite, mais son développement est probable.

La Champagne

Rosé des Riceys. Le *champagne rosé* n'est pas né de la mode actuelle. Sa réputation est l'une des plus anciennes de France et elle était déjà bien établie au Moyen Age, alors que le *champagne* n'avait pas encore trouvé son nom. Produit dans l'Aube, commune des Riceys, il est séparé de la grande région champenoise par la distance, mais il l'est aussi par les cépages. En effet, il est issu non du *chardonnay*, mais de *pinot noir*, de *traminer* et de *sévigné rosé*. Sa vinification est extrêmement délicate. Titrant au minimum 10°, il est très fin, d'une belle robe brillante et son bouquet rappelle la saveur de la noisette. Un vin rare pour amateurs.

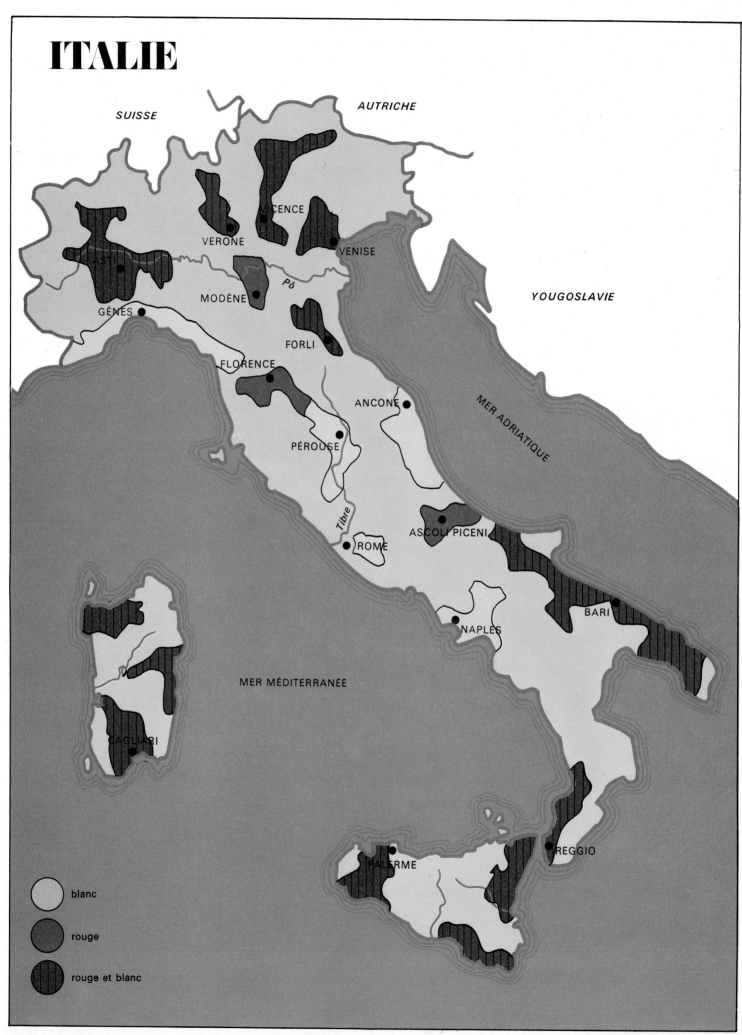

ITALIE

SUISSE

AUTRICHE

VICENCE

VERONE

VENISE

YOUGOSLAVIE

ASTI

Pô

MODÈNE

GÊNES

FORLI

FLORENCE

ANCONE

MER ADRIATIQUE

PÉROUSE

Tibre

ASCOLI PICENI

ROME

BARI

NAPLES

MER MÉDITERRANÉE

CAGLIARI

REGGIO

PALERME

blanc

rouge

rouge et blanc

Le vignoble italien est l'un des plus anciens du monde, et les spécialistes de la littérature antique ont pu situer certaines vignes, évoquées par Homère dans *l'Odyssée*, au pied de l'Etna.

Plus tard, les Etrusques devaient se révéler comme des maîtres vinificateurs, et certains historiens du vin pensent qu'ils pourraient bien avoir utilisé le tonneau avant les Gaulois.

Quant aux Romains, leur rôle dans l'implantation de la vigne en Europe a déjà été souligné ici même. Quantité et qualité allaient alors de pair, et le *falerne* fut, durant des siècles, le plus célèbre vin du monde latin.

La production actuelle de l'Italie est sensiblement égale à celle de la France. En ce qui concerne la protection des vins fins, la législation, inspirée de celle de l'INAO et établie sur la base d'une suite de décrets parus en 1962, 1964, 1966 et 1968, assure au consommateur des garanties de plus en plus grandes. Mise au point par l'Etat et les syndicats de producteurs, elle fait apparaître trois catégories de vins fins :

● Les vins à appellation d'origine simple, qui doivent répondre à des conditions du terroir, de rendement à l'acre et de degré alcoolique (réplique des VDQS français).

● Les vins d'appellation contrôlée, correspondant sensiblement aux appellations génériques françaises (*bourgogne, bordeaux*, etc.).

● Les vins d'appellation contrôlée garantie, qui correspondent aux grands crus français. C'est sur ces derniers que s'exerce plus particulièrement la vigilance des organismes professionnels et que les étiquettes reflètent le mieux la qualité du produit. En effet, détail important pour les consommateurs étrangers : l'usage des étiquettes n'est pas encore généralisé en Italie. Il arrive qu'un vin classé ne se distingue pas, à première vue, d'un autre qui ne l'est pas.

Vins rouges

On trouvera ci-dessous l'inventaire, par régions d'origine, des principaux crus qui font l'objet d'un classement légal.

Nous indiquerons entre parenthèses le cépage et, en général, le degré alcoolique minimum, indication assez précieuse en Italie, où les écarts dans ce domaine sont plus grands qu'en France.

Piémont

Pour beaucoup d'amateurs, c'est de cette région que proviennent les plus grands vins rouges d'Italie. Les meilleurs crus sont récoltés au sud et à l'est de Turin.
Barolo (*nebbiolo*, 13°). Vieilli trois ans en tonneaux de chêne. Robe rouge orangé.
Barbaresco (*nebbiolo*, 12°). Moins riche en tanin que le précédent, il est vendu après deux ans de fût. Quantité réduite. Belle robe pelure d'oignon.

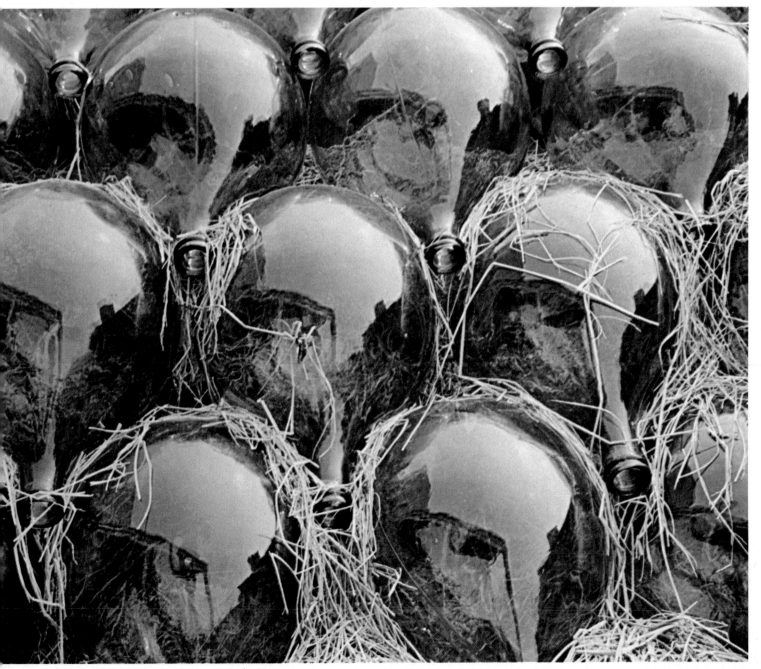

Barbera (*barbera*, 13°). Production très importante qui se divise en crus secondaires, dont le meilleur est le *barbera d'Asti*. Trois ans de fût ne l'empêchent pas de fermenter en bouteille. Vin corsé avec un soupçon d'acidité.

Freisa (*freisa*, 10-11,5°). Production abondante répartie sur deux types : le premier, mince et légèrement mousseux ; le second, vendu après deux ans de fût, est rond, bouqueté, net.

Grignolino (*grignolino*, 11°). Production réduite d'un vignoble situé au nord d'Asti. Vin frais et bouqueté, d'une belle robe tuilée.

Brachetto (*brachetto*, 11°). Vin pétillant, demi-sec, au bouquet de rose. Vin d'apéritif ou de dessert à boire jeune.

Lombardie

Un certain nombre de crus, particulièrement ceux de la région de la Valteline, ont une réputation égale aux précédents.

Barba Carlo (*barbera*, 11°). Récolté à Broni, près de Pavie. Vieilli trois ans dans de petits fûts de chêne, il apparaît vêtu d'une belle robe d'un rouge intense. Brièvement passé dans le seau à glace, il livre un peu de mousse et son bouquet d'amande amère.

Sangue di Giuda (*barbera*, 10°). Comparable au précédent, mais plus léger.

Frecciarossa rosso (*barbera* et *croattina*, 12°). Vin très réputé.

Sassella (nebbiolo, 12°). Vignoble de la haute vallée de l'Adda. Vin à la robe sombre, moelleux et délicat.
Grumello (nebbiolo, 13°). Voisin du précédent, mais plus corsé et plus ferme, au point d'exiger cinq ans de vieillissement.

Trentin et Vénétie

Ces régions comptent quelques crus réputés pour leur bouquet. Mais il est préférable de les déguster sur place.
Teroldego (teroldego, 11°). Vignoble situé au bord de l'Adige, entre Trente et Bolzano. Vendu après deux ans de fût. Robe rubis et bouquet de framboise et de violette.
Santa Maddalena (sciave, 12°). Région de Bolzano, au pied des Dolomites. Vin solide, fruité.
Valpolicella (cinq cépages, 11°). Vin souple, léger, fruité, dont la conservation ne dépasse pas cinq ans.

Emilie et Romagne

Trait caractéristique : l'usage du cépage *lambrusco*, qui fut peut-être le premier connu. Son nom est associé à tous les bons vins de la région : *lambrusco di Castelvetro*, etc.
Sorbara (lambrusco, 11°). Cru très célèbre et très rare, produit sur huit communes des environs de Modène. Vin à la belle robe rubis, un peu acide, à peine pétillant. Se boit rafraîchi.

Toscane

Célèbre, le *chianti* n'est pas le seul vin de cette région.
Nobile di Montepulciano (12°). Produit près de Sienne. Vin riche en tanin, astringent, qui exige deux ans de vieillissement avant de prendre sa fermeté. Légère amertume.
Montecarlo (sangiovese, trebbiano, canaiolo, 12°). Vignoble voisin de Lucques. Assez léger, bien constitué, d'une robe grenat, ce vin fut apprécié par Elisa Bonaparte, qui régna sur Lucques.

Le chianti

La vinification. — Le chianti est peut-être le seul vin au monde pour lequel on fait appel à deux méthodes différentes en vue d'obtenir un cru portant le même nom.
Le *chianti primeur* est obtenu par le procédé dit du *governo* (gouvernement). Après la vendange, 5 à 10% des raisins

Page ci-contre : raisin noir barbera, cultivé surtout au Piémont, où il donne un solide vin rouge.
Piémont encore : le barolo vieillit trois ans dans des fûts en rouvre de Slavonie.
Lambrusco en Emilie, trebbiano en Romagne, deux vins excellents qu'il faut déguster avec les spécialités bolonaises.

sont mis à passeriller sur des claies et pressés à la fin novembre. Il s'agit d'un traitement voisin de celui de la pourriture noble, mais effectué après la vendange. Le moût est alors ajouté à celui dont la vinification a été conduite normalement. Cet assemblage est maintenu jusqu'en avril dans des fûts de bois hermétiques, où se produit une seconde fermentation, que les Toscans appellent joliment « la morsure du baiser ».

Le *chianti vieux* est obtenu par une vinification normale et vieilli dans des fûts. Il peut être mis en vente après deux ans. Trois ans lui donnent droit à la qualification de « réserve ».

Le classement. – Une région qui couvre 175 000 acres ne saurait fournir un cru unique. *Chianti* doit donc être considéré plutôt comme une appellation générique — telle que *bordeaux* ou *bourgogne* — que comme un vin nettement caractérisé. Les connaisseurs italiens parlent volontiers « des » *chianti*, sans oublier, pour chacun d'eux, de mentionner le nom du producteur.

Chianti classico (12°). Quatre cépages principaux pour tous les *chianti* : *sangiovese, canaiolo nero, trebbiano, malvasia*. Le vignoble couvre une dizaine de petites communes autour du Castello di Brolio. Certains vins sont vendus en primeur ou jeunes (en fiasques), mais la plupart sont vieillis et vendus en bouteilles bordelaises qui portent un coq noir (*gallo nero*), emblème de l'association des producteurs. Le *chianti classico* se distingue par sa belle robe d'un rouge grenat, sa souplesse et son équilibre. Bouquet d'iris et de violette. Beaucoup d'amateurs le considèrent comme le meilleur vin d'Italie.

Chianti Rufina (11°). Produit dans la région de Rufina, au nord de Sienne. Le plus réputé après le *classico*, mais plus léger et moins complet.

Chianti Montalbano (11,5°). Montalbano est une commune voisine de Rufina. Beau vin corsé qui atteint sa plénitude après un vieillissement en fûts de trois ou quatre ans.

Chianti dei colli fiorentini et *chianti dei colli pisani* (11,5°). Vins produits sur les collines entourant Florence et Pise, fermes, bien charpentés, bouquetés, qui se boivent souvent jeunes. Petite production.

Chianti dei colli et *chianti dei colli aretini* (11,5°). Autrefois ces vins ont réservé quelques mauvaises surprises aux consommateurs. La législation actuelle s'efforce d'en faire des produits au-dessus de la moyenne, solides et francs de goût.

De haut en bas :
Vignobles à Frascati (Latium).
Un trullo, *ferme caractéristique de Martina Franca, dans les Pouilles, au centre d'une propriété viticole.*
Paysage caractéristique de la Nurra (Sardaigne) : remarquer les figuiers de Barbarie limitant la propriété.

Latium

Ancienne région viticole qui produit surtout des vins blancs, mais aussi quelques crus de rouges.

Cesanese (*cesanese*, 11°). Ce vin, produit en abondance au sud-est de Rome, s'exprime dans deux crus plus alcoolisés : *cesanese d'Affile* (12°) et *cesanese del Piglio* (12,5°), tous deux bien constitués et qui gagnent à vieillir un an ou deux. *Aleatico del Lazio* (*aleatico*, 10° d'alcool et 9° de sucre). Produit dans la région de Viterbe par un cépage de la famille des *muscats*, ce vin doux a parfois l'honneur d'être comparé au *porto*. Suave, bouqueté, très parfumé. On cite aussi l'*aleatico di Puglia* et l'*aleatico di Portoferraio*.

Abruzzes

Région productrice de vins de consommation courante et de raisins de table. Deux crus :

Cerasuelo d'Abruzzo (*montepulciano*, 11,5°). Production assez abondante d'un vin sec et corsé, assez bouqueté.

Montepulciano d'Abruzzo (*montepulciano d'Abruzzo*, 12°). Vin plus capiteux que le précédent, consommé après un an de vieillissement en fûts.

Peu connu des touristes étrangers, ce beau et rude pays mérite de l'être mieux, et pour son vin, et pour son magnifique parc national.

Campanie

Les vins de la région de Naples furent autrefois les plus réputés du monde romain, mais leur gloire n'a pratiquement pas survécu à la chute de l'Empire.

Falerno (*aglianico* et *barbera*, 13°). Vin épais, très capiteux, assez âpre. Riche en tanin, il supporte — et exige — le vieillissement, condition qui n'est pas toujours remplie. C'est un vin de musée.

Basilicate

Les vins courants de cette région située entre la Campanie et les Pouilles jouissent d'une excellente réputation. Un seul cru : *aglianico del Vulture* (*aglianico*, 12)°. Les meilleures communes, Barile et Rapolla, donnent un vin riche, généreux, équilibré, avec un bouquet de fraise et de violette. Par suite d'une forte acidité naturelle, ces qualités ne s'épanouissent qu'après trois ans de fût. A l'instant où on le sert apparaît une très légère mousse rouge qui s'évanouit bientôt.

Sicile

Autrefois célèbres, les vins de Sicile n'ont pas démérité pour la plupart. Il est vrai qu'ils subissent un contrôle supplémentaire de l'Institut régional de la vigne, créé en 1950 à Palerme pour mieux servir le renom des vins de la grande île.

Faro (cinq cépages différents, 12°). Le vignoble est situé aux environs de Messine. Corsé, à saveur d'orange. A consommer après deux ans de fût.

Etna (12°). Vin produit dans les petits villages, dont Zafferana et Nicolosi, accrochés aux flancs des grands volcans. Vin étoffé, généreux, assez souple après un an de séjour en fûts. Il est vendu sous le nom de *vino del bosco dell'Etna*.

Corvo (*perricone* et *catanese*, 13°). Ce vin, produit dans la région de Marsala, est sans doute le plus réputé de Sicile, et aussi l'un des plus rares. Vieilli deux ou trois ans, il apparaît comme bien équilibré, velouté, parfumé.

Sardaigne

Cette île fournit des vins appréciés. Ils méritent à tous égards le nom de « vins paysans ». Leur production, évaluée à 13 000 000 de gal. par an, joue un rôle particulièrement important dans l'économie de l'île, qui bénéficie depuis peu d'une notoriété touristique internationale.

Oliena (*cannonau*, 15°). Produit dans le sud de l'île, ce vin est très capiteux, sec, un peu amer. Quelques années de vieillissement lui donnent une robe orangée et un bouquet qui rappelle la fraise.

Cannonau di Cagliari. Ce vin ressemble beaucoup au précédent, mais, plus moelleux, il se consomme surtout comme vin de dessert.

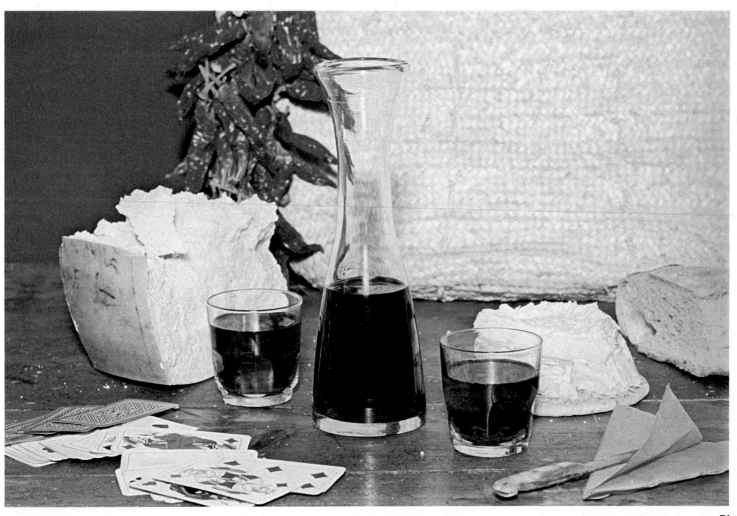

Vins blancs

Les vins blancs italiens ne sont pas moins nombreux que les vins rouges, et, dans l'ensemble, ils sont produits dans les mêmes régions, ce qui ne saurait surprendre, car l'art du vigneron joue un rôle au moins aussi important que le terroir.

Piémont

La réputation de quelques vins blancs y égale celle des vins rouges, c'est-à-dire qu'elle occupe l'une des toutes premières places dans la péninsule.

Cortese (issu de *cortese*, 10°). Ce vin est produit dans deux régions : dans la province d'Alessandria, sur trente-cinq communes; dans la province d'Asti, sur dix communes, région moins réputée que la précédente. Vin frais et léger, à la robe vert pâle et au fin bouquet.

Caluso (issu d'*erbaluce di Caluso*, 12-15°). L'aire de production s'étend sur une douzaine de communes au sud-est de Turin, dans la région du Camavese, dont Caluso est le chef-lieu. Vin très corsé, sec ou moelleux, à la robe jaune d'or. Rare, il est consommé en apéritif.

Moscato d'Asti (issu de *muscat*, 7°). L'aire de production est vaste et s'étend sur la province d'Asti, au sud-est de Turin. Vin doux et délicat, à la robe jaune paille, d'une exceptionnelle légèreté, il pétille en formant une fine écume. On dit qu'il « frise ». Cru réputé : *canelli*.

Blanc de Morgex (8°). Vin très rare produit à 3 000 pi. d'altitude, dans le val d'Aoste. Sec, parfumé, d'une belle robe jaune paille.

Ligurie

Cette province ne produit qu'un cru réputé, mais depuis longtemps. Boccace et D'Annunzio l'ont célébré.

Cinqueterre (issu de *vermentino*, de *rosco* et d'*albaroba*, 10-14°). Vieilli en fûts pendant deux ans, ce vin atteint à sa plénitude au bout de six ans. Sa teneur en alcool varie d'une année à l'autre. Vinifié en moelleux, il prend le nom de *sciacchetra*. Vin généreux, doré, épanoui, dont les meilleurs crus sont le *manarola* et le *corniglia*.

Lombardie

Un certain nombre de vins y portent les noms des cépages français ou germaniques dont ils sont issus.

Lugana (issu de *torbiano bianco*, 11°). L'aire de production est située aux environs de Brescia et s'étend sur trois communes, dont Sirmione, où se trouve le lieu dit Lugana. Vin sec, friand, frais et acide.

Frecciarossa bianco (issu de *pinot noir* et de *riesling*, 12°). Produit dans la commune de Casteggio, dans la région d'Oltrepo Pavese, ce vin est sec, corsé, ardent. Il doit vieillir un an en fûts de chêne.

Riesling (issu de *riesling* rhénan et de *riesling* italien). Vin qui rappelle le précédent, d'autant qu'il est produit par une dizaine de communes de l'Oltrepo Pavese. Assez clair avec des reflets verts, il est sec, bouqueté, généreux. Le *clastidio*, récolté sur la commune de Casteggio, est, en somme, le meilleur cru.

Vénétie

La Vénétie fut longtemps une région de vins célèbres et qui ne devraient pas tarder à le redevenir.

Bianco dei colli euganei (issu de dix cépages, dont le *sauvignon* et le *riesling*, 10°). Vin léger, frais, fruité, d'une robe jaune un peu dense. Il est apprécié en primeur.

Prosecco (issu de *prosecco*, 11°). Produit dans la commune de Conegliano, dans la province de Trévise. Vin doux avec une pointe d'amertume, au riche bouquet et d'une robe dorée. Souvent servi en apéritif.

Picolit (13°). C'est un vin riche, au bouquet profond, à la belle robe jaune d'or.

Soave (issu de *garganegra* et de *trebbiano*, 10°). L'aire de production, située près de Vérone, s'étend sur cinq communes, dont Soave. Ce vin, apprécié depuis l'Antiquité, peut se comparer au *chablis* : robe vert clair avec des reflets dorés, fraîcheur, acidité, goût d'amande. En somme, un vin friand.

Emilie et Romagne

Albana di Forli (issu de *forli*, 12°). L'aire de production s'étend sur trois provinces : Bologne, Ravenne, Forli, cette dernière étant la plus réputée. Ce vin est corsé, fruité et bien équilibré.

Toscane

S'il existe un *chianti* blanc, il n'est pas le plus apprécié des vins blancs de cette région.

Valchiana (issu de *trebbiano*, 11°). L'aire d'appellation s'étend sur dix communes de la province d'Arezzo, autour de Cortona. Ce vin est frais, glissant, sec, finement bouqueté.

Procanico ou *bianco dell'Elba* (issu de *procanico* et de *biancone*, 12°). L'aire de production s'étend sur plusieurs communes de l'île d'Elba. Ce vin, à la robe pâle, corsé, généreux, accompagne les fruits de mer.

Moscato dell'Elba (issu de *moscato*, 14°). D'un jaune doré, moelleux et parfumé, il est consommé en apéritif ou au dessert.

Montecarlo bianco (issu de *trebbiano*, 13°). Surtout produit dans la commune de Montecarlo, c'était le vin de Lucques. Sec, velouté, léger au palais mais corsé, ce vin à goût de terroir est devenu très rare.

Vernaccia di San Gimignano (issu de *vernaccia*, 11°). Produit dans la ville du même nom, aux environs de Sienne. Vin sec, corsé, à la robe jaune d'or, il est caractérisé par une agréable amertume.
Moscatello di Montalcino (issu de *moscatello di Montalcino*, 7°). Produit dans la commune de Montalcino, province de Sienne, c'est un vin exceptionnellement léger, fin, frais, légèrement pétillant ou frisant.

Ombrie

Orvieto (issu de *trebbiano*, de *procanico* et de *greco*, 11°). Ce célèbre vin blanc était déjà le préféré des papes, au XVIe siècle. Son aire de production est très restreinte : quelques vingtaines d'acres à Orvieto, dans la province de Terni. Le type liquoreux est obtenu après surmaturation des raisins et un séjour de dix-huit mois dans les caves de tuf. Corsé, bouqueté, équilibré, d'une belle robe dorée, l'*orvieto* est un grand vin.

Latium

Très ancienne, la réputation des vins blancs de cette région s'est maintenue, et les touristes qui visitent Rome ne la démentiront pas.
Castelli romani (issu de *trebbiano*, de *malvasia* et de *bonvino*). Les « châteaux romains » sont une appellation qui couvre une trentaine de communes situées au sud de Rome, au relief escarpé. L'appellation générale est toujours complétée par celle d'un cru particulier, par exemple :
Frascati (11,5°). Récolté dans trois communes, dont Frascati. Vin pâle qui prend une teinte dorée en vieillissant.
Marino (12°). Porte le nom de sa commune d'origine. Vin généreux, corsé, presque capiteux, à la caractéristique saveur d'amande.
Colli albani ou *bianco dei colli albani*. Il est produit dans trois communes, dont Castel Gandolfo.
Est ! Est !! Est !!! Le vin de Montefiascone doit ce nom, pour le moins curieux, à un prélat allemand, l'évêque Fugger. Alors qu'il traversait l'Italie en 1111, il chargea son valet de le précéder dans son voyage afin de goûter les meilleurs vins qu'il trouverait sur son chemin. Pour que Mgr Fugger ne perdît point de temps en haltes inutiles, il fut convenu que le domestique inscrirait sur la porte des caves visitées : *est* ou *non est*, selon que le vin méritait ou non qu'il s'y arrête à son tour. Enthousiasmé par le vin de Montefiascone, le valet œnophile écrivit alors *Est ! Est !! Est !!!*, afin que son maître n'omette point de déguster ce nectar merveilleux. La légende assure que tous deux y demeurèrent et burent... jusqu'à leur mort.
Falernum (issu de *falanghina*, 12° ; ne pas confondre avec le *falerne*). Produit dans deux communes : Formia et Gasta.

Campanie

Les vins blancs de cette région sont de réputation aussi ancienne que les vins rouges. Leur longévité, stimulée par la résine et le miel, atteignait le siècle. Aujourd'hui, ces vins sont consommés dans l'année, voire en primeur.
Greco di Tufo (issu de *greco del Vesuvio*, 12°). L'aire de production s'étend près du Vésuve et comprend huit communes, dont Tufo. Vin à la robe dorée, généreux, étoffé, tantôt sec, tantôt moelleux.
Asprinio (issu d'*asprinio*, 8°). C'est le *muscadet* italien. Son aire de production se situe au nord de Naples : Aversa et Caserte sont les communes les plus réputées. Vin très léger, à la robe claire avec reflets verts, friand, qui « frise » très légèrement.
Ischia superiore (issu de *binacollela*, 11°). L'aire de production s'étend sur trois communes de l'île d'Ischia.

Lacrima Christi (issu de *fiano* et de *greco*, 12°). L'aire de production couvre quatre communes proches du Vésuve, dont la plus réputée est Torre del Greco. Vin étoffé, harmonieux, plein, d'une belle robe jaune foncé.
Ravello (issu de plusieurs cépages locaux, 12°). Ce vin, produit seulement dans la commune de ce nom, est corsé, généreux et fortement marqué par son terroir.

Calabre

Greco di Gerace (issu de *greco*, 16°). Ce vin est le dernier à soutenir l'ancienne réputation des vins de Calabre, qui fut grande. Son aire de production, très étroite, est située aux environs de Reggio de Calabre, et Gerace en occupe le centre. Le vin est jaune, bouqueté, harmonieux, puissant, avec une odeur de fleur d'oranger. Comme les *sauternes* français, on le sert très froid (43°F).

Sicile

Corvo bianco ou *corvo di Casteldaccia* (issu d'*inzolia* et de *catarratto*). Produit dans la commune de Casteldaccia, province de Palerme. Ce vin généreux, ardent, nerveux, très bouqueté doit vieillir au moins quatre ans et n'atteint sa plénitude qu'au bout de six ans.

Ciclopi (issu de *trebbiano* et d'*inzolia*, 12°). Produit à Fleri Etneo, commune située sur le flanc de l'Etna. Vin très étoffé, capiteux, bouqueté, robe claire à reflets verts.

Zucco ou *lo zucco* (issu de nombreux cépages, dont le *sauvignon* et le *riesling*, 16°). Produit par la commune de Giardinello, province de Palerme. Ce vin existe en deux types : moelleux, obtenu par surmaturation des raisins, il est utilisé comme vin de dessert; sec, par mutage à l'alcool, il est servi comme apéritif, très froid (40°F). Sous l'une ou l'autre forme, c'est un vin très capiteux.

Alcamo (issu de cépages locaux, dont l'*inzolia* et le *catarratto*, 13-15°). Produit dans la commune du même nom, province de Trapani, à l'ouest de l'île. Ce vin sec, généreux, est caractérisé par sa robe presque blanche.

Marsala (issu de *catarratto*, d'*inzolia*, de *grillo* et de *catanese*, 16-20°). Ce vin, célèbre depuis longtemps, fut particulièrement mis à la mode à partir de 1773 par un Anglais, sir John Woodhouse. L'aire de production s'étend sur treize communes formant trois zones distinctes dans les provinces de Palerme, d'Agrigente et de Trapani (où se trouve Marsala). Le vin y est obtenu par mutage des moûts naturels à l'alcool, avec adjonction de moût cuit et concentré. La durée de vieillissement est d'un an minimum dans des entrepôts où les fûts sont posés à même le sol et ainsi exposés à toutes les variations de température. Les vins de qualité supérieure vieillissent ainsi trois ans et plus. Le marsala est un vin chaleureux, velouté, harmonieux, d'une robe jaune ambré. Son riche bouquet évoque le genièvre, l'amande, la fleur d'oranger, avec un relent d'air marin.

Les trois types classiques de marsala sont : sec, moelleux (*abboccato*) et doux. Les qualités sont assez directement liées au degré alcoolique et au vieillissement. Elles sont indiquées par des intiales, dont voici les plus réputées : SOM (Superior Old Marsala), OP (Old Particular), PG (Particular Genuine), COM (Choice Old Marsala), GD (Garibaldi Dolce). Le marsala sec se sert en apéritif à la température de 43°F. Le marsala mœlleux ou doux se sert au dessert à une température de 54°F.

Sardaigne

Les vins blancs de cette région ne sont pas moins originaux que les vins rouges. *Vernaccia* (issu de *vernaccia*, 15-18°). L'aire de production est située aux environs de Cagliari et s'étend sur dix-huit communes, dont Oristano, San Vero Milis et Zerfaliu. L'appellation *vernaccia di Oristano* désigne l'un des meilleurs crus. Ce vin très puissant doit être maîtrisé par le temps : au moins trois ans de vieillissement, et il est meilleur après trente... Belle robe ambrée, du fruit, du velours et une légère amertume de laquelle se dégage mystérieusement l'odeur des amandiers en fleurs. A servir frais (43-45°F).

Vermentino (issu de *vermentino*, 14-16°). Produit autour du port de Santa Teresa di Gallura, qui dessert la Corse. Vin sec malgré son haut degré alcoolique, un peu amer, bouqueté. Le type du « vin de marin ».

Nuragus (issu de *nuragus*, cépage local, 13-15°). Produit dans la région de Cagliari, où s'élèvent les *nuraghi*, sortes de tours de guet auxquelles on attribue une origine préhistorique. Vin pâle, généreux, mais avec un fond d'acidité, et qui gagne à être bu jeune.

Nasco (issu d'une forme locale de *muscat*, 15°). Aire de production située dans les régions de Cagliari et d'Oristano. Ce vin doux, harmonieux, bouqueté avec fond d'amertume est parfois comparé au *xérès*, bien que sa vinification soit différente.

Torbato (issu de *torbato*, cépage local). Produit à Alghero, la plage la plus célèbre de l'île, ce vin rare et cher est divisé en trois types :

Torbato extra (15°). Vin de paille obtenu après surmaturation des raisins exposés sur des claies. Riche, onctueux, parfumé.

Torbato passito (18°). Vin muté à l'alcool. Capiteux et bouqueté, c'est un vin de dessert à servir à 39-43°F.

Torbato secco (13°). Vin de table obtenu par vinification normale, corsé, fin, bouqueté, particulièrement agréable à boire très frais, voire frappé.

Vins rouges

Du sud au nord, on peut distinguer huit régions principales : le pays de Bade, des rives du lac de Constance à Fribourg-en-Brisgau ; le Wurtemberg, sur les deux rives du Neckar; le Palatinat, qui abrite, à Spire, un célèbre musée du vin ; la Hesse, de Worms à Mayence ; la vallée de la Nahe, autour de Bad Kreuznach ; la Franconie, aux environs de Wurzburg ; le Rheingau, le plus célèbre vignoble allemand, sur la rive droite du Rhin, en face de Mayence et de Bingen ; la Moselle, bordée par 125 mi. de vignes, ainsi que la Sarre et la Ruwer ; la vallée de l'Ahr, aux environs de Bonn.

La classification est très complexe puisque l'on compte quelque 30 000 appellations énumérées dans un code extrêmement

Paysage caractéristique du Palatinat rhénan.

précis, où sont repertoriés tous les grands crus.

Les cépages sont peu nombreux : *Spätburgunder* (pinot), *Frühburgunder* (gamay), *Portugieser*.

Bade

Bulhertal. Cette appellation générique s'applique aux vins produits dans cette petite région à partir du *pinot noir*. Ce sont des vins corsés, équilibrés, parfois fortement bouquetés. Les meilleurs portent des noms de crus et sont célèbres pour leur parfum de framboise : *Mauerberg*, produit dans la commune de Neuwier ; *Sonnenberg* et *Nagelsforst*, dans celle de Varnhalt.

Wurtemberg

Les vins y ont la particularité d'être bus très jeunes, souvent même avant la fin de la fermentation. Légers, fruités, ils sont consommés sur place.

Hesse rhénane

Ingelheim produit, en petite quantité, des vins célèbres, harmonieux, équilibrés, titrant de 11 à 12°. Crus réputés : *Sonnenberg*, *Horn*, *Grauerstein*.

Rheingau

Assmannshausen est la seule commune productrice de vins rouges dans une région célèbre pour ses vins blancs. Principaux crus : *Höllenberg*, *Frankental*, *Bohren* et *Assmannshausen Berg*, tous frais, fruités et reconnaissables à leur saveur d'amande.

Ahr

Une douzaine de communes produisent des vins réputés, peu colorés, frais, bouquetés, titrant plus de 11°. Parmi les crus : le *Berg* de Laach, le *Rosental* d'Ahrweiler, le *Sonnenberg* de Bachem, le *Zapfenberg* d'Altenhar...

Vins blancs

Le climat allemand, froid en hiver et souvent brûlant en été, est infiniment plus propice aux blancs ; c'est surtout parmi ceux-ci que l'on trouve les crus de réputation internationale. Ce sont les variations de température qui expliquent l'irrégularité des récoltes et l'importance accordée au millésime : il y est, en effet, plus difficile qu'en France ou en Italie de remédier aux défauts d'une année médiocre par une habile vinification. Ces difficultés justifient aussi la classification extrêmement compliquée des vins allemands, qui paraît d'abord byzantine à l'amateur puisqu'elle va jusqu'à la subdivision des produits d'un même cru. Ainsi le *Schloss Vollrads*, rival du *Schloss Johannisberg*, dont le domaine couvre 80 acres, divise son vin en 15 catégories identifiables non seulement d'après l'étiquette, mais aussi d'après la capsule du bouchon, qui, combinée à la première, compose l'irréfutable bible de l'amateur averti. On reconnaît qu'un vin est au sommet de la hiérarchie à la mention *Kabinett* ou *Cabinet*.

Les cépages sont peu nombreux : *Riesling* (le plus apprécié), *Traminer*, *Riesling-Traminer* (dit aussi *Müller-Thurgau*), le *Rülander* (pinot gris ou tokay d'Alsace), le *Gutedel* (chasselas).

Le vignoble est divisé en neuf régions.

Bade

L'aire de production s'étend le long du Rhin, du lac de Constance à Baden-Baden. Les cépages y sont variés et les vins légers : *Seerwein*, récolté près du lac ; *Kaiserstuhl*, à l'ouest de Fribourg.

Wurtemberg

Région de production importante, comme l'indique la place prise par Stuttgart, centre de négoce du vin en Allemagne. Les meilleurs vignobles sont situés sur les bords du Neckar et de ses affluents. Meilleur cru : *Stettener Brotwasser*. Une curiosité : le *Schillerwein*, vin rosé, autrefois produit par la famille du célèbre auteur dramatique.

Palatinat

L'aire de production s'étend sur 50 mi., de l'Alsace jusqu'à Worms. Avec 44 millions de gallons, dont les trois quarts en vins blancs, c'est la plus importante région vinicole allemande. Les meilleurs crus sont situés dans la Hardt centrale, en particulier à Forst, Ruppertsberg et Bad Durckeim. Toutes produisent deux types de vins, les uns issus de *Riesling*, nerveux et parfumés, les autres de *Sylvaner*, riches et tendres. Ils atteignent jusqu'à 13°, ce qui est exceptionnel en Allemagne.

Hesse

Aire de production de 40 000 acres répartie sur le territoire de 176 communes, dont dix sont particulièrement réputées : Nierstein, Nackenheim, Oppenheim, Bingen, Dienheim, Bocenheim, Laubenheim, Guntersblum, Alsheim et Worms. Le *Liebfraumilch* (vin doux du Rhin) fut autrefois créé par des moines de Worms.

Vallée de la Nahe

Il s'agit d'un « vin thermal », en ce sens que le vignoble s'est créé autour d'une ville d'eaux, comme ce fut le cas à Lucques, en Italie. C'est ainsi que Bad Kreuznach est réputée pour être l'une des meilleures communes avec Niederhausen (domaine d'Etat), Münster-am-Stein et Schloss Bockelheim, qui produit le fameux *Kupfergrube*. Ce sont des vins secs, nerveux, acides, bien équilibrés.

Franconie

Ce petit vignoble de 6 000 acres produit quelques crus réputés issus de *Riesling*. Ils sont corsés, bouquetés, marqués par leur terroir. On cite quatre communes : Wurzburg (*Stein*), Escherndorf (*Lump, Kirschberg*), Iphofen (*Julius-Etcherberg, Kronsberg, Kalb und Kammer*), Randersacker (*Pfülben*).

Rheingau

C'est la plus fameuse des régions vinicoles allemandes, bien que son aire de production ne couvre pourtant pas plus de 7 500 acres réparties sur 20 communes du confluent Rhin-Main à Lorchausen. Le *Riesling* est le seul cépage ayant droit à l'appellation. Les vins réputés de cette région sont extrêmement nombreux. Il convient néanmoins de citer les cinq communes les plus connues.

Rauenthal. – Ce vignoble d'altitude produit des vins corsés, souples, généreux. (Crus : *Baiken, Gehrn, Wieshell, Pfaffenberg, Rothenberg*.)

Rüdesheim. – Centre touristique célèbre pour ses caveaux de dégustation. (Crus : *Schlossberg, Berg Rottland, Berg Burgweg*.)

Hattenheim. – L'aire de production est située dans le célèbre défilé de Bingen et entoure les ruines du château d'Ehrenfels. Les crus les plus réputés sont le *Schlossberg* et le *Steinberg*.

Winkel. – Cette commune est particulièrement célèbre pour être celle du *Schloss Vollrads*, dont les 80 acres (le plus vaste domaine du Rheingau) appartiennent à la famille des comtes von Greiffenklaus depuis le XIVe siècle. Dans les bonnes années, le domaine produit une quinzaine de vins différents, commercialisés sous diverses capsules et étiquettes. En cas de mauvaise année, l'appellation n'apparaît pas sur le marché. Ce sont des vins généreux, équilibrés, dont les meilleurs sont soutenus par un bouquet subtil qui s'épanouit « en queue de paon » dans la bouche.

Johannisberg. – Le *Schloss Johannisberg* est le plus célèbre des vins allemands. Sec, il est présenté sous une étiquette reproduisant une vue du château ; doux, il peut être comparé à un *sauternes*, et on le reconnaît à une vignette reproduisant les armes de la famille de Metternich, à qui le domaine, qui avait appartenu à Napoléon Ier et, dit-on, à Charlemagne, fut donné en 1815 par l'empereur d'Autriche.

Moselle

Aire de production très vaste : 25 000 acres étalées de part et d'autre de la Moselle et de ses affluents de la frontière française jusqu'au confluent avec le Rhin. La production dépasse 8 800 000 gallons en appellation contrôlée. La meilleure région est celle de la Moyenne Moselle, de Trittenheim à Traben Trarbach, soit un vignoble de 12 milles de long sur 5 de large. Parmi les meilleures communes produisant un vin remarquable par sa finesse et son bouquet épicé, citons : Trittenheim, Brauneberg, Wehlen, Graach, Urzig et surtout Bernkastel, où l'on récolte le plus fameux de tous les crus de cette région : le *Bernkasteler Doktor*.

Au Iᵉʳ siècle de l'ère chrétienne, les crus « suisses » disputaient au *falerne* napolitain la place prépondérante qu'il s'était acquise sur le vaste marché que constituait l'Empire. Le vignoble helvétique entrait alors dans un vaste ensemble d'exploitation, des Alpes à la Bavière.

Ces caractéristiques sont toujours typiques des produits de la viticulture, qui joue un rôle important dans l'économie de la Confédération.

Le vignoble se divise en trois zones principales, chacune fortement marquée par le pays voisin : le bassin du Rhin, de la frontière allemande au lac de Neuchâtel sous le signe des vins d'Alle-

magne ; le bassin du Rhône, qui comprend les cantons de Genève, de Vaud et du Valais ; le Tessin, sous le signe des vins du Piémont et de Vénétie.

Vins rouges

Le nombre des cépages est relativement peu élevé, mais il se trouve multiplié par le fait que certains vins formés par des assemblages prennent des noms particuliers, comme *dôle, goron, salvagnin. Pinot noir* de Bourgogne et *gamay* sont très répandus, sauf dans la région du Tessin.

Neuchâtel

L'appellation couvre un certain nombre de vins rouges qui sont considérés comme les meilleurs de Suisse. Peu alcoolisés, de 9,5 à 11°, d'une belle robe rubis, ils sont frais, coulants, bouquetés et parfois légèrement pétillants.

Pinot noir des Grisons

La quasi-totalité du vignoble est planté en *pinot noir*. Le cépage donne ici son nom au vin qui en est issu et s'étend au nord-est de Coire. On doit l'introduction de ce plant dans la région au

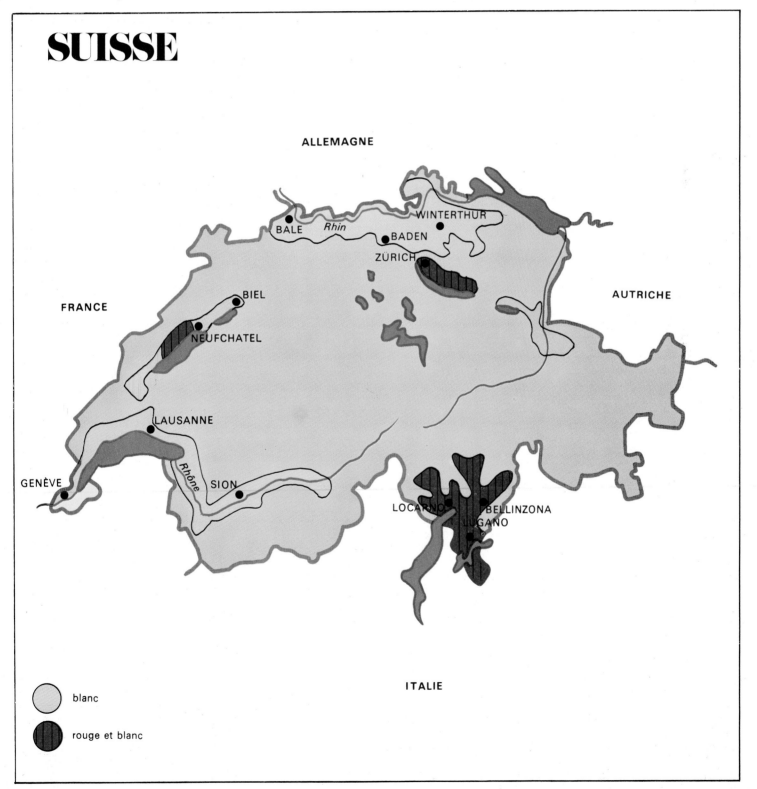

SUISSE

ALLEMAGNE

FRANCE

AUTRICHE

WINTERTHUR
BALE *Rhin* BADEN
ZÜRICH
BIEL
NEUFCHATEL
LAUSANNE
Rhône
GENÈVE SION
LOCARNO BELLINZONA
LUGANO

ITALIE

blanc

rouge et blanc

duc de Rohan, qui y vint lors de la guerre de Trente Ans. Frais, vifs, fruités, les vins des Grisons, encore appelés *blauburgunder*, sont particulièrement gouleyants.

Tessin

Ce petit vignoble de 3 000 acres se trouve situé entre le lac de Lugano et le lac Majeur. Deux crus produisent des vins d'une qualité supérieure : le *nostrano*, issu du *bondola*, léger, assez fin et fruité ; le *merlot*, qui peut être remarquable, surtout après quelques années de bouteille ; mais leur réputation est éclipsée par le troisième, le *merlot viti*, appellation créée à partir de *vini ticinesi* (vins tessinois) et qui recouvre un vin plein, harmonieux, bouqueté.

Dôle du Valais

Ce vin est obtenu à partir d'un assemblage de *pinot* et de *gamay*. Il s'agit d'un vin fruité, nerveux et assez corsé, car il doit titrer au minimum 11°. Déclassé, il prend le nom de *goron*.

Ce terroir valaisan connaît des étés chauds, un peu humides à cause des orages, mais toujours très ensoleillés. Il n'est pas étonnant que le raisin y mûrisse bien. Ajoutons que son vin possède autant de personnalité que les paysages valaisans.

Salvagnin de Vaud

Actuellement, on appelle ainsi un vin qui peut être issu de *gamay*, de *pinot noir*, ou d'un assemblage des deux. C'est dire qu'il peut s'agir de produits très différents selon le terroir et le soin apporté à la vinification.

Le *salvagnin* est un beau vin à la robe foncée, corsé (il titre au minimum 11° et va jusqu'à 13), bien charpenté, fin, bouqueté. Les crus estimés y sont nombreux.

Chablais

La région de production a été limitée par arrêté aux communes du district vaudois d'Aigle, qui est situé aux confins du Valais.

Aigle et *villeneuve* sont les appellations les plus répandues, en rouge. Que leur robe soit pivoine ou rubis, ce sont des vins plaisants et d'une qualité irréprochable.

Lavaux

Six groupes de communes situées à l'est de Lausanne ont droit à l'appellation. Bien que l'on y fasse surtout des blancs, Grandvaux, Chardonne, Cully et Rivaz produisent des rouges très estimables, généralement issus du *pinot noir* ou du *gamay*.

La Côte

Géographiquement, c'est la région riveraine du Léman qui va de Lausanne à la frontière du canton de Genève et bénéficie d'un bon ensoleillement.

Quant à la viticulture, on la divise en trois parties : la Côte proprement dite (ou Petite Côte), dont le centre est Nyon ; la Bonne Côte, qui cerne Rolle ; la Côte de Morges (la plus proche de Lausanne). Les rouges, des *gamay*, sont partout présents, même sur la Petite Côte.

Féchy, Vinzel, Luins sont les communes les plus renommées de la Bonne Côte. Enfin, l'implantation du *gamay* s'est considérablement développée dans le vignoble de Morges.

Le Mandement

Le petit vignoble genevois du Mandement est planté en *pinot noir*, en *gamay* et en *merlot*. Le nom de ces cépages apparaît d'ailleurs sur les étiquettes, ainsi que ceux de la commune et du producteur. Ce sont des vins fins, légers et bouquetés, bien équilibrés, dont la réputation ne cesse, depuis quelques années, et à juste titre, de grandir.

Le Mandement — jadis on nommait ainsi les terres épiscopales — est situé au nord-ouest du canton, entre le département français de l'Ain et la vallée suisse du Rhône.

Vins blancs

Les blancs suisses gagnent à être bus jeunes. Le bassin du Rhône est le domaine du *chasselas*, alors que celui du Rhin est occupé par un cépage original, le *riesling-sylvaner* ou *müller-thurgau*, du nom du créateur allemand de ce croisement. On notera une particularité dans les appellations : les villes suisses possédant des vignobles... et parfois même des auberges, il existe des *crus de la Ville* qui valent d'être particulièrement recommandés.

Neuchâtel

Issu de deux *chasselas* (10°). L'aire de production s'étend autour du lac de Neuchâtel. Vins frais, fruités, légèrement pétillants (ils « font l'étoile »), comparables aux *muscadets*. Pour les meilleurs, on ajoute le nom de la commune ou du cru à l'appellation générale *neuchâtel*.

Vaud

L'aire de production est l'une des plus étendues de Suisse, à peu près le quart de l'ensemble du pays. L'appellation générale pour les vins blancs est *dorin*, nom local du *chasselas*, seul cépage autorisé. Les vins titrent au minimum 10,5°. Ils sont produits dans trois zones viticoles mentionnées sur les étiquettes.

La Côte. — Aire de production : de Genève à Lausanne. Vins secs, fruités, nerveux.

Lavaux. — Aire de production : de Lausanne à Montreux. Vins plus souples et plus fruités que les précédents. Le *dézaley*, et particulièrement le *dézaley de la Ville*, est sans doute le vin le plus réputé du pays de Vaud. *Saint-saphorin* et *villette* sont également fort estimables.

Chablais. — Aire de production : la région d'Aigle. Vins très secs, nerveux, avec un fort goût de terroir. *Aigle, villeneuve* et *yvorne* comptent parmi les meilleurs.

Valais

La production de cette région privilégiée, où la vigne bat ses records d'altitude, représente les trois quarts de la production suisse.

Fendant. — Issu de *chasselas*, appelé *fendant* dans la région. L'aire de production la plus réputée se situe entre Sierre et Martigny.

Genève

L'aire de production s'étend sur 2 000 acres contre 500 acres pour le vin rouge. L'inévitable *chasselas* prend ici le nom de *perlan*.

Perlan. — Encore un vin qui rappelle le *muscadet*. Comme lui, il est mis en bouteilles sur lie, pétille légèrement, se présente même sous un aspect « bourru ». Frais, vif, léger, sa faible teneur alcoolique (parfois moins de 9°) conduit à le consommer jeune.

Le Portugal est l'un des pays du monde où la superficie du vignoble est particulièrement étendue avec 10% des surfaces cultivées. Sa fondation remonte sans doute aux Grecs et peut-être aux Phéniciens, qui disposaient de comptoirs sur la côte andalouse dans l'Antiquité, c'est-à-dire à une époque où aucune entité nationale ne s'était encore imposée dans la péninsule Ibérique. L'histoire du pays est marquée par un afflux constant de vignerons bourguignons, notamment, puisque la première dynastie portugaise a été fondée par Henri de Bourgogne, qui naquit à Dijon en 1057. La situation du Portugal sur le rivage de l'Atlantique (depuis dix siècles le plus vivant des océans) lui a permis de ne jamais manquer de clients, au premier rang desquels on doit citer les Anglais qui, par le traité de Methuen en 1703, s'assurèrent un droit sur le *porto* qui ressemblait fort à un privilège. Ce quasi-monopole a eu des conséquences heureuses pour les deux parties : le *porto* est depuis des siècles l'un des plus grands vins du monde. Mais si justifiée qu'elle soit, sa réputation ne doit pas faire oublier qu'il existe au Portugal d'excellents vins de table que le touriste découvrira avec plaisir.

Vins rouges

Dão. Ces vins sont produits dans la région du même nom, située au nord-est de Coimbra. Produits presque exclusivement par le cépage *tourigo*, ils sont très légers (environ 10°), ce qui ne les empêche pas de très bien vieillir et les rapproche des *médocs*. Ils sont livrés à la consommation après un ou deux ans de fût ; un séjour en cave leur permet de se développer harmonieusement.
Quelques crus ont acquis une juste réputation : *santa comba*, *taboa*, *mortagua*, *mangualde*, *viseu.*

Corales. Les touristes curieux accorderont la priorité aux vins de la région, qui sont singuliers, rares, mais en voie de disparition : 88 000 gal. produits sur 625 acres situées entre Lisbone et la mer... Vieilli pendant deux ans en tonneau ce vin atteint sa plénitude au bout de cinq ans. Fin, velouté, d'une saveur délicate, il peut être comparé aux fameux « vins de sable » de la région de Bayonne.

Moscatel de Setubal. Le vignoble est situé dans la région de Setubal, à 25 mi. environ au sud de Lisbonne. Le cépage *moscatel*, parent des *muscats* languedociens, fournit un vin doux qu'on mute à l'alcool selon des techniques en usage dans tous les pays méditerranéens. Ce vin est consommé après cinq ou six ans de tonneau et de bouteille. Fruité, tonique, bouqueté, il est servi glacé à l'apéritif et frais à la fin du repas avec le fromage de brebis d'Azeitão.

Vinhos verdes. Ils ne sont pas verts, mais rouges ou blancs. Le « vert » est fourni

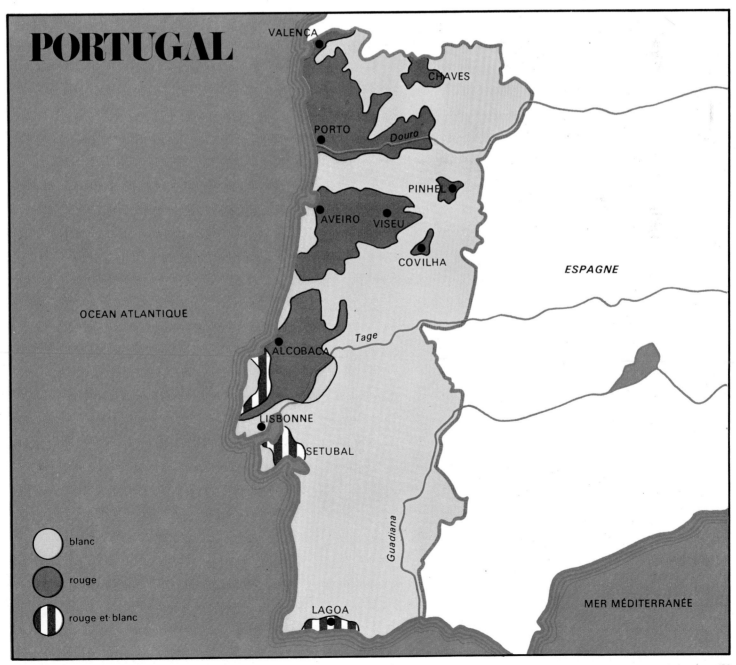

par le raisin qui, cultivé sur des vignes utilisant des arbres comme tuteurs (châtaigniers, platanes, peupliers, etc.), ne mûrit jamais. Pour d'autres raisons — le manque de soleil certaines années et l'exposition au nord — le même phénomène se produit avec le *muscadet* français. Produits par trois cépages principaux, *vinhão, borracla, espadeira*, ces vins sont peu alcoolisés (10 ou 11°), fruités, très glissants et un peu acides. Ils conviennent bien au goût actuel et l'on ne tardera pas à s'en apercevoir, maintenant que les progrès de la vinification les rendent transportables. La production atteint 1 540 000 gallons, soit à peu près celle du *beaujolais*. Il pourrait bien connaître un jour le même succès international.

Porto. Bien qu'il ait fait l'objet d'un commerce actif dès le XVIe siècle, le *porto* est le plus récent en date des grands vins du monde. En effet, il est pratiquement né — tel qu'on le connaît aujourd'hui — au XVIIIe siècle, sous l'influence — on a vu comment — des négociants britanniques. La création du *porto* fut néanmoins une œuvre portugaise et, comme presque toutes les grandes réussites du vin, commença par un échec économique.

Pendant toute la première partie du XVIIIe siècle la régularité des achats anglais provoqua le développement du vignoble. On aboutit rapidement à la surproduction et à l'effondrement des cours. C'est alors qu'apparut un certain Bartolomeu Pancorvo, à qui revient le mérite d'avoir entrevu, le premier en Europe, le salut du vin dans l'institution d'appellations contrôlées. Combattue par les marchands anglais, cette tentative échoua mais elle fut reprise par un moine, le frère Mansilha, qui sut y intéresser le tout-puissant marquis de Pombal, alors premier ministre du roi Joseph Ier.

C'est ainsi que fut fondée, en 1756, la Real Companhia dos Vinhos do Alto Douro, qui s'assura aussitôt le monopole du commerce avec l'Angleterre et le Brésil. Trois ans plus tard, une émeute, qui éclata en plein Carnaval à la suite de l'enchérissement de quelques sous du vin dans les tavernes, faillit bien réduire cette entreprise à néant. Finalement, elle fut supprimée au XIXe siècle parce que considérée comme une institution inique de l'ancien régime. La disparition de la Compagnie royale allait pourtant entraîner une nouvelle crise mettant cette fois en question la qualité même du *porto*. La base de la réglementation actuelle date de 1908 ; elle a été complétée en 1926 et 1933. Appliquée par un institut officiel, elle est extrêmement sévère. En particulier, tout vin doit être approuvé (*approvoitado*) avant de pouvoir porter le nom de *porto*.

Par ailleurs, et c'est une autre de ses particularités, le *porto* peut être vinifié et élevé hors de sa région d'origine. En effet, alors que les exploitations viticoles sont situées dans la région sauvage du haut Douro, les chais se trouvent à Vilanova de Gaia, sur le bord du Douro, face à Porto, seule ville d'où peuvent être effectuées les expéditions.

Le *porto* est un vin muté, c'est-à-dire que sa fabrication ressemble à celle des vins doux naturels. Si la proportion d'eau-de-vie de vin, elle aussi produite sur le même terroir, varie selon la qualité du raisin, l'année et le type que l'on veut obtenir (sec, demi-doux, doux), elle n'est jamais inférieure à 16,5% des moûts et dépasse parfois 20%.

On distingue différents types de *porto* : Les *blends* (ou mélanges) résultent de l'assemblage de différents crus, qui ont subi séparément un vieillissement de deux ans. Le mélange est ensuite mis à vieillir, six ans au moins, dans des *pipres*, fûts de chêne d'une contenance de 120 gal. On compense l'évaporation à l'aide de moûts jeunes et riches. Ils représentent l'énorme majorité des *portos* et ne portent pas de millésime.

Les vintages. Comme en Champagne, on met à part et on millésime certaines années exceptionnelles. On procède à la mise en bouteilles après deux ans de fût, ce qui élimine la pratique de l'ouillage. Conservés dans les chais, ils ne sont mis en vente qu'après dix ou parfois cinquante ans. Aussi peut-on encore trouver des bouteilles des plus fameux *vintages* : 1890, 1900, 1908, 1927, 1931, 1945, 1947, 1950, 1955.

Les goûts et les couleurs. Le *porto* a une gamme, aussi bien en rouge : rouge foncé, rouge rubis (dit *full*), qu'en blanc : blond doré, acajou clair (dit *tawny*), blanc pâle, blanc paille et doré.

Le dosage de l'alcool permet d'obtenir des goûts différents qui vont des extra-secs (souvent blancs) aux mi-secs et secs (souvent rouges). Le service du *porto*, qui fait l'objet d'un concours permanent entre Anglais et Portugais, est un jeu passionnant et subtil. On en retiendra l'imprudence qu'il y aurait à conserver une bouteille plus de huit ans sans en changer le bouchon et que mieux vaut achever dans la journée une bouteille entamée.

Vins blancs

Pays de climat océanique, donc frais plutôt que brûlant, le Portugal était voué par la nature à produire d'excellents vins blancs. L'inventaire se révèle fructueux et varié.

Dão. Issu de *tourigo* (10°). Vins légers et frais, fruités, presque doux, très bouquetés, robe pâle.

Cocares. Issu de *ramisco* (8,5°). Aire de production très réduite, proche de Lisbonne. Vin sec et velouté, bouqueté à l'air du large.

Carcavelos. Issu de *galego dourado* (18°). Son aire de production est située non loin de Lisbonne, à l'embouchure du Tage, et ne dépasse pas trente hectares.

Le vinho do capitalo fut longtemps considéré comme l'un des meilleurs du monde. Sa vinification est particulière : on arrête sa fermentation, à la fois avec de l'alcool et un vin complètement fermenté de haut degré alcoolique, dit *abafado*.

Bucelas. Issu d'*arinto* (11°). Son aire de production au nord de Lisbonne, n'intéresse que quelques communes dont Bucelas. C'était le « vin anglais » préféré de Dickens et du roi George III qui prétendait qu'il l'avait guéri de la pierre ; produit vif, léger, que son acidité naturelle rend particulièrement gouleyant.

Vinhos verdes. Issus d'*azal* et de *douro* (6° au pays, 9° pour l'exportation). Rouges ou blancs, ils sont toujours obtenus à partir de raisins presque verts. Frais, légers, vifs, légèrement pétillants, ils se boivent jeunes et même en primeur.

Madère. Issu de *bual, verdelho, malvoisie, jacquez* (15-18°) « Vin de marins » par

excellence puisque planté par les navigateurs portugais au début du XVᵉ siècle, lancé à la fin du XVIIᵉ par William Bolton, consul d'Angleterre à Funchal, remis à la mode au début du XIXᵉ par le roi d'Angleterre George IV. Le climat humide favorisant les maladies, le vignoble a été ravagé à plusieurs reprises, mais chaque fois reconstitué.

L'aire de production s'étend sur le flanc du volcan ; elle est divisée en terrasses étroites que les Portugais appellent *estreitos*. Certaines constituent comme des crus dans le cru : *companario, ponta do pargo, madalena*. La vinification est spéciale. Les raisins sont cueillis à maturité complète, ce qui exige plusieurs tris, et pressés sur le lieu de la récolte. Les moûts sont ensuite descendus à dos d'homme dans des outres en peau de chèvre d'une contenance de 12 gallons, puis chauffés à 122°F dans des cuves où ils se caramélisent avant d'être mis en fûts.

Une partie de la récolte est mise en bouteilles après une année de fût seulement, ce sont les *vintages* ; une autre partie vieillit au moins trois ans et le vide provoqué par l'évaporation est comblé par le vin produit l'année suivante, ce sont les *soleras*. Les *soleras* millésimés portent la date du premier moût. Les

vintages sont rares et les bons *madères soleras* sont ceux qui ont vingt à trente ans d'âge.

La classification est très ancienne et elle fut, à l'origine, établie d'après les différents cépages. Aujourd'hui elle correspond plutôt à différents types de vins, qui se ramènent à cinq principaux.

Le malvoisie ou malmsey. Issu du cépage du même nom, il est récolté dans la région la plus ensoleillée de l'île. Vin doré, doux, chaleureux, à goût de miel.

Le sercial. Issu de plants importés de la vallée du Rhin, il est sec, corsé, dur si on le boit avant dix ans d'âge, et d'un bouquet presque sauvage. C'est le plus « moderne » des madères.

Le rainwater. De la même famille que le précédent, plus souple et velouté, il est moins typique.

Le verdelho. Anciennement issu du *verdelho*, il est obtenu à partir de plusieurs cépages. C'est un demi-sec, parfumé, complet, assez friand.

Le boal. Obtenu, jadis, à partir du *boal*, il l'est aujourd'hui de plusieurs cépages. C'est un demi-doux, moelleux, fin, délicat, d'une belle couleur dorée.

Le vin de Madère sec est servi frais comme apéritif ; les demi-secs et demi-doux sont plutôt des vins de dessert chambrés à la température de la pièce.

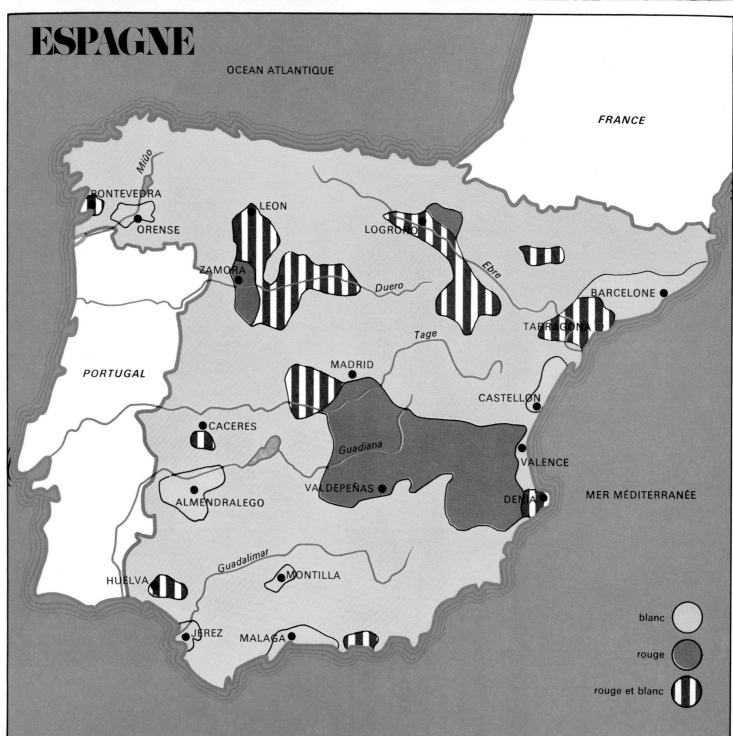

ESPAGNE

OCEAN ATLANTIQUE

FRANCE

Miño

PONTEVEDRA

ORENSE

LEON

LOGROÑO

ZAMORA

Duero

Ebre

BARCELONE

TARRAGONA

Tage

PORTUGAL

MADRID

CASTELLON

CACERES

Guadiana

VALENCE

VALDEPEÑAS

ALMENDRALEGO

DENIA

MER MÉDITERRANÉE

Guadalimar

HUELVA

MONTILLA

JEREZ

MALAGA

blanc

rouge

rouge et blanc

En matière de vins, l'Espagne détient plusieurs records que ses deux principaux voisins, la France et l'Italie, ont peu de chances de lui ravir.

Le premier, celui de posséder le plus ancien vignoble d'Europe occidentale. La fondation de Gadès (aujourd'hui Cadix) par les Phéniciens étant située vers 1100 avant notre ère, il est vraisemblable que la vigne apparut peu de temps après. En effet, dès cette époque l'Andalousie était une région spécialement active, non seulement au point de vue agricole, mais industriel. L'extraction du cuivre y était activement poussée dans des mines que trente siècles d'exploitation n'ont pas épuisées. Or les premiers vignobles furent plantés là pour étancher la soif des riches maîtres de forge, mais aussi celle des mineurs, selon un processus que l'on a souvent noté ailleurs dès que l'homme entreprenait l'exploitation du sous-sol. De là le négoce des vins naissait bientôt dans les villes côtières vouées à l'exportation du minerai. Ainsi se développa-t-il rapidement à Huelva, port du cuivre, et à Cadix, port du sel.

Le second record espagnol intéresse la conservation du vin. En effet, les études faites dans les caves et les laboratoires montrent que la courbe de qualité d'un *jerez* bien vinifié ne commence à décroître qu'à partir de la cent cinquantième année. Seuls, en France, les *vins jaunes* d'Arbois et de Château-Chalon ont une longévité comparable.

Autre réussite : alors que tous les vins célèbres ont connu des hauts et des bas, le *jerez*, qui était apprécié dès 625 avant J.-C. au-delà des frontières de la péninsule Ibérique, n'a connu jusqu'ici aucune éclipse, et il demeure aujourd'hui comme hier dans le peloton de tête des meilleurs vins du monde.

Cependant, un certain nombre de crus fort appréciés en Europe au XVII⁰ siècle ont beaucoup perdu de leur prestige.

Actuellement, la situation est en pleine évolution. Non seulement les viticulteurs et les négociants espagnols sont repartis à la conquête des marchés étrangers, mais l'afflux de millions de touristes dans tout le pays est en train de bouleverser jusqu'aux normes longtemps intangibles de la vinification. On fait désormais pour eux des vins légers, souples et fruités sur les plus vastes terres à vignes du monde, leur superficie atteignant 4 millions d'acres, soit 11% du terroir national. Cette situation nouvelle devait se traduire par une législation adaptée à ses besoins. La plupart des bonnes régions productrices d'Espagne sont désormais pourvues de conseils régulateurs (*consejos reguladores*), qui sont l'équivalent de l'Institut national des appellations d'origine (INAO) en France et qui présentent les mêmes garanties. Il ne faudrait pas pour autant en conclure que le vin de table espagnol est définitivement fixé dans sa forme actuelle.

Vins rouges

L'Espagne compte présentement dix grandes régions viti-vinicoles continentales, auxquelles il convient d'ajouter les îles Baléares et Canaries.

Jumilla

Deux types de vins très alcoolisés : *jumilla* (12,8-14,5°) et *jumilla-monastrell* (14,5-17°), vendus après deux ans de fût.

Alicante

Produits sur une cinquantaine de communes, dont les plus réputées sont Alicante, Novelda, Vileña, les vins d'Alicante sont généreux, colorés, un peu lourds. Ils sont divisés en deux types suivant le degré alcoolique (12-14° et 14-18°), auxquels il faut ajouter un rouge doux (18°).

Valence

Trois appellations pour cette région héritière des vins romains : *valencia, utiel-requeña, cheste*. Ils sont, dans la plupart des cas, très corsés, mais certains sont souples et faciles, comme les *montaña* d'Utiel-Requeña (12-13°) et le *bobal* de Valence (14-15°), qui existe aussi en rosé et en blanc.

L'Espagne a toujours été renommée pour ses crus dont certains sont appréciés mondialement, tels le jerez ou le malaga. Mais elle possède aussi des vins de table comme ceux de la Rioja, qui sont dignes d'accompagner les mets les plus fins.

Catalogne

Les Phocéens s'y installèrent à l'époque où ils fondaient Marseille. Il est donc probable que le vignoble est ici d'origine grecque, mais il fut surtout célèbre à partir du Moyen Age. Le poète Martial, Catalan d'origine, n'hésita pas à comparer le *tarragone* aux plus célèbres crus de Campanie.

Panadés tinto. Généreux et charnu (11-15°).

Villafranca del Panadés abrite un célèbre musée du vin.

Alella fino de mesa. Assez léger, fruité et aromatique (12°).

Priorato. Ce vignoble antique fut surtout mis en valeur par les moines de saint Bruno venus de Marseille en 1163 pour y édifier la première chartreuse espagnole, la fameuse Scala Dei. L'appellation *priorato* ne couvre pas moins de neuf types de vins, dont trois rouges :
● *priorato tinto seco* (13,75-18°), vin puissant et ferme pouvant être servi avec les rôtis ;
● *priorato tinto dulce* (13-19°) ;
● *priorato tinto licoroso* (13-20°).

Ces deux derniers vins de dessert sont très typiques et sont sans doute ceux qui se rapprochent le plus des vins de l'Antiquité.

Tarragone. La généalogie du *tarragone* ne le cède en rien à celle du *priorato* : le port de Salou fut fondé par les Phéniciens avant de devenir le Salauris des Romains. Ce n'est pas un hasard si l'antique voie romaine qui va de Salou à Saragosse est bordée de vignes. En 1154, des moines cisterciens venus de Fontfroide, près de Narbonne, créèrent le monastère de Poblet ; et d'autres, venus de Grandselves, près de Toulouse, s'installèrent

au monastère de Santa Creus. Les uns et les autres allaient se révéler, ici comme en Bourgogne, de remarquables vignerons.

Religieux et princes ne tardèrent pas à apporter leur contribution : l'ordre de chevalerie de Montesa est fondé à Santa Creus en 1316, ville dans laquelle les rois Pierre II et Jaime II allaient édifier leurs palais.

L'appellation, qui couvre une production assez abondante, offre deux types de vins :
● *tarragona clásico* (13,75-23°), extrêmement puissant dans les degrés les plus bas, doux et moelleux dans les plus élevés;
● *tarragona campo* (11-13,5°), d'une belle teinte sombre, assez sec et souple.
Capmañy (11-13°). Bien coloré, moelleux, parfois semi-doux.

Aragon

Les vins d'Aragon furent aussi célèbres dans l'Antiquité que ceux du Priorato. Pline déplora comme un grand malheur le déplacement du lit de l'Ebre, qui entraîna la disparition de plusieurs vignobles.
Une seule appellation :
Cariñena. Vin très alcoolisé (13-16°), épais mais assez tendre.

Castille

La Castille est une grande région dont la production est très importante mais peu exportée. Aussi la législation est-elle encore embryonnaire. Il n'y a pas trop à le regretter, car les vins, servis en carafe, sont bien vinifiés, sains et bien accueillis par le palais du consommateur étranger. En effet, de degré alcoolique modéré, 11-12° et parfois 9-10°, ils se rapprochent des vins de table italiens ou français. On retiendra les crus suivants :
Toro. Produit dans la province de Zamora, il appartient encore à la vieille garde des vins corsés (13-15°). Il est bien équilibré et franc de goût.
Vega scicilia et *valbuena.* Ils sont produits dans le même domaine, situé à Valbuena de Duero, dans la province de Valladolid, non loin de Peñafiel.
Le *vega scicilia,* parfait, bien équilibré, finement bouqueté, rappelle les meilleurs *médocs.* Il est produit en quantité extrêmement limitée (environ 13 000 bouteilles par an).
La qualité du *valbuena* est légèrement inférieure.
Cebreros. Très aromatique, le meilleur de la province d'Avila (12-13°).
Noblejas. Le plus réputé et le plus ancien de la province de Tolède. Sec, nerveux, corsé.

Estramadure

Dans la province de Cáceres, production de vins rouges très alcoolisés et vinifiés selon des procédés comparables à ceux utilisés à Jerez. Dans la province de Badajoz, les vins récoltés à Salavatierro de los Barros, très colorés et puissants (14-16°).

Manche

Dans *Don Quichotte,* Sancho, le valet du « chevalier à la triste figure », fait à plusieurs reprises et en termes choisis

Une légende, sans doute, prétend que dans une auberge espagnole on trouve seulement ce qu'on y apporte. C'est là une erreur, comme on peut le constater ci-dessus.

l'éloge du vin de la Manche. Il est probable que ce vignoble fut, lui aussi, planté par les Romains qui exploitaient les mines de plomb de cette région située au sud-est de la Castille.
Ce vignoble représente 28% (1 125 000 acres) du vignoble espagnol et 25% de sa production totale (132 millions de gallons).
On notera immédiatement le faible rendement : moins de 132 gallons à l'acre. La viticulture y jouit cependant de conditions exceptionnelles, en particulier par suite de la sécheresse du climat, qui exclut maladies et parasites. Jusqu'à présent, la diffusion de ces vins en Europe a été limitée par leur instabilité : ils sont en effet très peu acides et se conservent rarement plus de deux ans. Les progrès de la vinification devraient remédier à ce défaut.
Mancha. Rouges souples, généreux, fruités. Vendus après deux ans de vieillissement.
Valdepeñas. Produits dans la même région, rouges ou blancs, assez légers pour l'Espagne (12-14°), qui sont consommés jeunes dans presque tout le pays, notamment à Madrid.
Les amateurs distinguent plusieurs crus d'après les régions de production : Alcazar de San Juan, Campo de Calatrava, Cripto de Criptana.

Provinces cantabriques

Bien que le climat océanique de cette région, frais et assez pluvieux, n'y soit pas particulièrement propice, les vignobles y sont nombreux et les vins qu'on y récolte sont légers et agréables à boire.

Parmi ceux de la Galice, les plus réputés sont l'*albariño*, du nom du cépage, le *ribero*, vin vert très léger (9-10°). Le *chantado* et surtout l'*amandi* étaient, dit-on, les favoris de l'empereur Auguste.

Dans la région de Saint-Sébastien, le *chacoli*, pétillant et vif, est apprécié des touristes (7-9°).

En Navarre, le *taffala* et le *tudela* datent du Moyen Age et titrent 15°.

Rioja

Cette région, particulièrement importante, située à l'est de Burgos, exporte 33% de sa production, estimée à 20 000 000 de gal. pour une superficie de 107 500 acres. Elle est divisée en trois zones : Rioja alta, sur la rive droite de l'Ebre, qui donne des vins peu alcoolisés, à la robe brillante, teintée de jaune, de saveur délicate et fraîche, qu'il est conseillé de boire après quatre ou six ans ; Rioja alavesa, sur la rive gauche, vins plus alcoolisés et moins acides, d'une robe plus foncée, assez souples pour être consommés jeunes, on les boit en carafe sur place et dans le Pays basque voisin ; Rioja baja, prolongement de la Rioja alta de Logroño à Alfaro, le long de l'Ebre, sur une longueur supérieure à six milles. Puissants mais souples, ils gagnent cependant à vieillir.

Commercialisés sous le contrôle de la CVNE (Compañía Vinícola del Norte de España), qui accorde ou refuse son label, les *rioja* se présentent sous trois types principaux :

Clarete. Vin jeune, vendu dans l'année qui suit les vendanges. Souple et peu alcoolisé, robe transparente.

Gran reserva ou *vieja reserva.* Vieilli en fûts pendant deux ans.

Imperial. A séjourné au moins trois ans en fûts, degré alcoolique assez élevé (14°), récolté dans la Rioja alavesa.

La production commercialisée provient de très grands domaines, une vingtaine environ, dont les étiquettes ne sont pas rédigées selon une formule unique. C'est ainsi que certaines marques indiquent l'âge au moment de la mise en bouteilles, alors que d'autres ont adopté le millésime.

Baléares

Vins généreux et chauds de Felanitx (11-13°), Manacor, Benisalem.

Canaries

Une seule appellation :
Tacoronte de Tenerife, vins rouges de Palma.

Vins blancs

Ces vins, qui vont du très sec au doux, ont la réputation d'exprimer totalement leur terroir natal : on retrouve en effet dans leur bouquet les parfums de l'iris, du coquelicot, du thym, du romarin, de l'amande amère et la consistance et l'odeur de l'huile d'olive, comme si les oliviers voisins avaient prêté leur sève à la vigne. Servis traditionnellement à l'apéritif et au dessert, ils peuvent très bien accompagner tout un repas.

Malaga

Il est issu de *pedro jimenez* et de *muscat*. L'aire de production s'étend sur de nombreuses communes à l'est de Málaga et couvre 87 500 acres. Les vins de cette région sont constitués par un assemblage de cinq produits ayant évolué séparément mais qui présentent des qualités complémentaires.

● Un vin « maître », une mistelle très liquoreuse ou un vin partiellement fermenté dont on a paralysé la fermentation par une addition de 8 à 10% d'alcool.

● Un vin « tendre », vin blanc sec provenant du cépage *pedro jimenez*, légèrement muté à l'alcool pour le porter à 15 ou 16°.

● Un vin « doux », incomplètement fermenté parce que provenant de moûts très riches, sirupeux, titrant jusqu'à 20°.

● Des *arropes*, moûts concentrés à feu nu ou sur des plateaux chauffés à la vapeur.

● Des *colores*, *arropes* caramélisés par chauffage poussé.

Les dosages sont le secret des marques, qui jouent un grand rôle dans la fabrication du *malaga*. Il existe un *malaga blanco* et un *malaga color*, mais la division peut être poussée beaucoup plus loin. Voici les cinq types principaux :

Moscatel. Issu de *moscatel* et contenant environ 20% de moût cuit. Goût de caramel.

Moscatel dorado. Issu de *moscatel* dont les raisins ont été passerillés. Robe plus claire et parfum plus naturel.

Extra viejo. Issu de *pedro jimenez* dont les raisins ont été passerillés. Commercialisé après trois ans de fût. Vin généreux, riche, épanoui, au puissant bouquet.

Dulce ou *lacrimae Christi.* Vin comparable au précédent, mais encore plus liquoreux, il atteint 23°.

Dulce anejo. Issu de *pedro jimenez*, il est vendu après un an de fût. Vin tendre, fruité, relativement léger, finement bouqueté.

Le *malaga* a connu au cours des siècles des fortunes diverses. Il semble qu'on lui préfère assez souvent aujourd'hui, hors d'Espagne, le *jerez* ou encore le *porto*. Néanmoins, cet excellent vin doux conserve la faveur des grands cuisiniers.

Jerez

L'aire de production s'étend sur huit communes : Jerez de la Frontera, Puerto de Santa Maria, Sanlúcar de Barrameda, Rota, Chipiona, Chiclana, Puerto Real et Trebujena, mais ne couvre guère plus de 37 500 acres, soit l'équivalent de la région champenoise. Comme en Champagne aussi, mais plus régulièrement, les rendements sont assez élevés : 586 gallons à l'acre, ce qui représente une production totale de 150 millions de bouteilles. (Le conseil régulateur n'autorise la commercialisation annuelle que de 40 % des vins contenus dans les caves.) La vinification des vins de Jerez est l'une des plus élaborées qui soient. On n'utilise guère que deux cépages : le *pedro jimenez* et le *palomino* (en deux variétés : *fino* et *jerez*). Les raisins sont passerillés pendant une semaine et l'on ne retient que le vin de premier pressurage, dit « vin de goutte », qui est ensuite plâtré, muté à l'alcool (il atteint alors un minimum de 15,5°) et élevé pendant au moins trois ans dans des tonneaux de 120 gallons placés dans de vastes bâtiments dont les petites fenêtres sont orientées sud-ouest pour recevoir les vents venus de la mer.

L'élevage se fait selon deux méthodes :
● L'*anada*. On laisse le vin reposer dans le tonneau ; il se forme un voile à sa surface vers le mois d'avril, c'est la « fleur », qui, au mois d'août, atteint l'épaisseur d'une couche de crème. On peut alors, selon le type de vin à obtenir, soit la laisser se développer, soit l'arrêter en versant de l'alcool (celui qui est utilisé est toujours obtenu par distillation de vins issus de la même région). Dans l'*anada*, on ne compense jamais l'évaporation, il ne se produit donc aucun mélange.
● La *solera*. Le procédé est le même, mais l'on compense l'évaporation des tonneaux placés le plus bas (*sole*) en puisant dans les tonneaux placés au-dessus et contenant des vins plus jeunes.

La classification des vins de Jerez est maintenant soigneusement établie et la normalisation des étiquettes a fait de grands progrès, finalement tout à l'avantage du consommateur.

Fino (15,5-17°). Robe paille clair, sec et souple. Très aromatique, à saveur d'amande.

Amontillado (16 à 18° à l'origine, atteint 22-24° en vieillissant). Robe plus foncée que le précédent, légèrement ambrée, plus riche et plein, très délicat. La saveur passe de l'amande à la noisette.

Oloroso (18-20°). Robe dorée, plus foncé que le précédent. Puissant, généreux, souple et charnu. Saveur de noix. Se sert en apéritif ou en dessert.

Palo cortado (18-20°). Plus généreux que l'*amontillado*, plus nerveux que l'*oloroso*.

Raya (18-20°). Mêmes caractéristiques que l'*oloroso*, mais un peu moins délicat.

Pedro jimenez. Vin doux naturel obtenu après un passerillage prolongé des grappes.

Moscatel. Vin doux issu de *muscat*.

Dulce. Vin obtenu par addition d'alcool alors que la fermentation est à peine commencée.

Color. Vin obtenu par la fermentation de moût frais auquel on ajoute un tiers de moût concentré, généralement par chauffage direct, de façon à obtenir la caramélisation des sucres.

La *manzanilla Sanlúcar de Barrameda* constitue une appellation particulière de *jerez*. L'aire de production est en effet limitée à une partie du territoire : San-lúcar et quelques parcelles de communes limitrophes. L'élevage du vin est lui-même différent : un vide de cent litres est maintenu constamment dans les tonneaux, qui en font cinq cents. Des blancs d'œufs battus sont ajoutés au moment de la mise en bouteilles.

Ce vin très pâle, très sec, bouqueté, donne une impression de légèreté et de grâce malgré son degré alcoolique élevé. Il en existe deux types : la *manzanilla fina*, titrant au moins 15°, jeune, à goût salé, et la *manzanilla passada*, vieillie en fûts au moins trois ans, titrant jusqu'à 21°, plus souple et plus généreuse que la précédente, mais à peine moins amère.

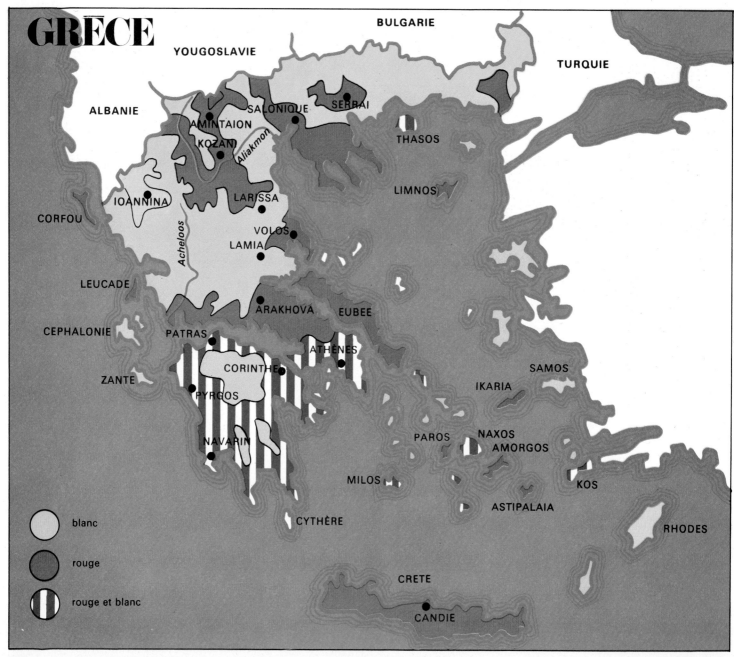

GRÈCE

BULGARIE

YOUGOSLAVIE

TURQUIE

ALBANIE

SALONIQUE

SERBAI

AMINTAION

Aliakmon

KOZANI

THASOS

CORFOU

IOANNINA

Acheloos

LARISSA

LIMNOS

VOLOS

LAMIA

LEUCADE

ARAKHOVA

EUBEE

CEPHALONIE

PATRAS

ATHÈNES

SAMOS

CORINTHE

IKARIA

ZANTE

PYRGOS

NAVARIN

PAROS

NAXOS

AMORGOS

MILOS

KOS

ASTIPALAIA

CYTHÈRE

RHODES

blanc

rouge

CRETE

rouge et blanc

CANDIE

Ce ne sont pas les Grecs, sans doute, qui ont inventé le vin, mais ils l'ont aimé avec assez de ferveur pour le faire connaître d'un port à l'autre de la Méditerranée. Partout leurs amphores s'échangeaient contre des marchandises, contre des esclaves, partout sur leur passage apparaissaient des vignobles.

Leur goût même semble avoir été meilleur qu'on ne croit communément. Certes, les vins réputés du temps d'Achille, et qu'on produit encore dans la Grèce du Sud et dans les îles, nous semblent épais, lourds et sans bouquet, mais cette opinion a probablement été celle même des gour-

Les vins grecs sont à la fois excellents et puissants. Dans l'Antiquité ils pouvaient voyager loin grâce à leur degré d'alcool très élevé. C'est ainsi qu'Ulysse a pu se débarrasser du Cyclope, en lui faisant boire quelques coupes de son vin servi pur.

mets de l'époque, qui appréciaient surtout le *mavro naoussis*, lequel est encore un des meilleurs vins grecs actuels.

Il n'existe pas encore dans ce pays de législation sur le vin, la protection en étant laissée aux seuls négociants, mais certains crus ou certaines marques sont connus honorablement à l'étranger.

Retsina. Ce vin, produit sur tout le territoire, est obtenu par ajout de résine (produite par un pin particulier, le *Calitris quadrivalvis*) lors de la fermentation. Ce procédé donne au vin un goût amer, voire âpre, qui s'accentue avec le temps. Aussi vaut-il mieux, quand on n'a pas l'habitude, boire le *retsina* lorsqu'il est jeune. Les experts étrangers accordent leur préférence à celui de la région d'Athènes. On pouvait s'y attendre : cette ville étant le centre du tourisme, les vins y sont préparés en fonction du goût de la clientèle, et la dose de résine y est minime.

Mavrodaphni. C'est peut-être l'ancêtre de tous les vins auxquels on fait subir l'opé-

ration du mutage (opération qui consiste à conserver au moût une partie de son sucre en lui ajoutant de l'alcool), comme le *porto* ou le *malaga*. Titrant 18°, parfumé, doux, même lorsqu'il est qualifié de sec, on le consomme comme apéritif ou comme vin de dessert.

Mavro naoussis. Nous avons déjà fait allusion à ce vin de Macédoine produit au nord du port de Thessalonique. Obtenu à partir du cépage *popolka*, il ne titre guère que 10°. On le livre à la consommation après un an de fût, quand il est devenu souple, délicat, fruité. La Thessalie, province située au sud de la Macédoine, produit du *rapsani* et de l'*ambelakia* qu'on projette de lancer bientôt sur le marché international.

Voici quelques vins grecs réputés qu'il est facile de se procurer dans le commerce :

Vins rouges secs : *agrylos, archanès, halkidiki, castel danielis, demesticha, peza, lefkas, marco, nadussa, nemée.*

Vin rouge doux : *mavrodaphni.*

LE CHAMPAGNE ET LES MOUSSEUX

La mousse... prime accordée au génie

Si le champagne n'était pas le plus célèbre vin du monde, il pourrait être le héros d'un roman d'aventures. Dans le domaine vinicole, aucune histoire n'est plus fertile que la sienne en péripéties, menaces, difficultés, échecs, triomphes. Cependant, la recherche de la perfection ne s'est jamais interrompue pendant deux mille ans, jusqu'au but enfin atteint. Cette épopée d'un vin est aussi une histoire morale.

Certains savants attribuent une origine préhistorique à la vigne champenoise, mais ils n'ont pas encore fourni d'arguments décisifs. En tout cas, dès l'an 500, l'aire de production de « l'appellation contrôlée chrétienne », si l'on peut dire, était déjà délimitée avec assez de précision pour décider l'évêque saint Remi (dont la ville de Reims allait prendre le nom) à acheter un vignoble sur les bords de la Marne. L'endroit, fort judicieusement choisi, s'appelait Sparnacus, aujourd'hui Epernay ! En 660, son successeur, l'évêque Nivard, posa sur l'autre rive la première pierre de l'abbaye de Haut-Villars (aujourd'hui Hautvillers). Celle-ci devait un jour abriter un bénédictin célèbre, le plus fameux maître de chai de tous les temps, dom Pérignon lui-même.

Pendant près de mille ans encore, le vin de Champagne resta confondu avec le groupe des « vins de France », nom que l'on donnait alors à tous les vins produits dans la région parisienne. Il est mentionné pour la première fois le 1er janvier 1600 dans un traité d'hygiène écrit par le médecin d'Henri IV, le sire de la Framboisière. Ce champagne ne ressemblait d'ailleurs en rien à celui d'aujourd'hui : « fort clairet et tirant sur le pâle », il était même assez redouté pour son « tumulte », cette seconde fermentation à laquelle on remédiait de la façon la plus simple — et la plus coûteuse — en le buvant avant qu'elle ne se produise, c'est-à-dire avant février-mars. Le cas était d'ailleurs le même pour tous les crus qui pétillent naturellement et ils sont assez nombreux ; ils faisaient autrefois le désespoir des vignerons qui les produisaient. On ne peut comprendre l'importance des découvertes de dom Pérignon et de la « champagnisation » si l'on ne se rend pas compte tout d'abord qu'elles ont abouti à des résultats commerciaux qui n'ont rien à voir avec « la poésie de la bulle ». Elles ont permis, en effet, de transporter un vin difficilement transportable, de conserver un vin presque inconservable. Le reste... la mousse... ce fut le coup heureux, la prime accordée au génie.

Bien que la destruction des archives de l'abbaye en 1789 ait rendu extrêmement difficile l'étude du rôle de dom Pérignon, les érudits ont réussi à mettre en valeur quelques points que l'on ne discute plus : il créa ou développa le procédé des « cuvées », qui consiste à assembler les vins obtenus dans différentes régions de Champagne et, à partir de cépages variés, étudia d'une manière scientifique les conditions dans lesquelles s'effectuait cette seconde fermentation si gênante. Ses observations devaient conduire à la « prise de mousse » d'une façon rationnelle. Est-il allé plus loin, par exemple jusqu'à la mise dans des bouteilles fortes et au remplacement par le liège des mauvais bouchons d'étoupe graissée ? Il est bien difficile de répondre, mais il est en tout cas peu probable que ces premières bouteilles de « vrai champagne » aient pu faire une brillante carrière hors du laboratoire. En effet, dom Pérignon vécut à Hautvillers de 1668 à 1715 et l'arrêt du Conseil royal qui autorise le transport du champagne par paniers de 50 et 100 bouteilles (et non plus exclusivement en tonneaux) est daté du 25 mai 1728, soit treize ans après la mort de l'« inventeur ».

La vinification

La vinification du champagne est peut-être la seule pour laquelle un professionnel a besoin de connaissances absolument précises. En effet, pour les vins « tranquilles », il s'agit plutôt d'un « élevage » : on s'efforce de les obtenir et de les bonifier par les procédés les plus naturels. Un bon vin est alors tout à fait comparable à un enfant bien élevé. Le champagne n'est pas un produit spontané de la nature, c'est une véritable création. Il exige donc une parfaite connaissance de sa nature, une impeccable technique, et l'on peut même parler de secrets qui se transmettent d'un maître de chai à l'autre.

Vendanges et pressurages

Le souci de la qualité apparaît dès la cueillette du raisin.

Non seulement les grappes sont cueillies au moment précis de leur maturité, mais elles sont « épluchées », c'est-à-dire débarrassées de tous les grains défectueux. Pour éviter l'écrasement de ceux-ci, on utilise dans la vigne des paniers plats. Le pressurage s'effectue sur des pressoirs étudiés spécialement pour le vignoble champenois. Très larges et très bas, contenant 8 800 livres, ils permettent des opérations rapides, nécessaires lorsqu'il s'agit de raisins noirs, afin que le jus ne se colore pas.

L'opération a lieu en trois fois : la première fournit 504 gal. (1 gal. pour 16 lb. de raisins) qui sont recueillis dans 13 pièces de 45 gal. dont les 10 premières constituent la cuvée ; la deuxième les vins de « première taille » ; la troisième les vins de « deuxième taille ». (On « taille » le marc avec des bêches coupantes pour le remettre sur le pressoir.) L'assemblage des deuxièmes tailles des grands crus et des crus secondaires permet d'obtenir des champagnes moins coûteux que les grands. Le vin qui reste est la « rebêche ». N'ayant pas droit à l'appellation, il est vendu comme produit ordinaire, ce qui ne l'empêche pas d'être agréable à boire.

Constitution de la cuvée

Le champagne peut être comparé à un vin de cru qui se serait implanté librement dans toute la zone délimitée ayant droit à l'appellation. C'est dire qu'un maître de chai champenois dispose, en théorie du moins, de quelque 50 000 acres de vignoble.

L'élaboration de la cuvée s'effectue de janvier à fin mars et fait parfois appel à 18 vins d'origine et d'années différentes. (Lorsqu'il s'agit d'une cuvée millésimée, seuls les vins de l'année sont employés.) Trois cépages seulement sont utilisés : le *pinot noir* et le *pinot meunier,* qui donnent tous les deux des raisins noirs,

et le *chardonnay,* qui donne des raisins blancs. La plupart des grandes cuvées sont obtenues par assemblage de *pinot* à 75 % et de *chardonnay* à 25 %. Mais il existe des cuvées réalisées uniquement à partir de *chardonnay,* ce sont les « blancs de blancs », ou de raisins noirs seulement, ce sont les « blancs de noirs ».

La méthode champenoise

Le procédé mis au point en Champagne s'est peu à peu étendu au reste des vins mousseux du monde. L'autre procédé, dit de la « cuve close », inférieur au précédent, est de moins en moins employé. Une fois la cuvée obtenue, on la colle,

puis on l'enrichit de sucre de canne (de 0.8 à 1 once par pinte, selon la teneur en sucre du vin de l'année), de tanin, de levures sélectionnées, puis on met en bouteilles. C'est alors qu'apparaît la seconde fermentation ou « prise de mousse », qui dure plusieurs mois, porte la pression jusqu'à 6 atmosphères, et fait exploser environ une bouteille sur trente. Pendant tout le temps de la prise de mousse, ce qui se traduit par un certain trouble et mouvement du vin, les bouteilles sont régulièrement tournées pour éviter que le dépôt ne se fixe en un seul endroit.

Le vin clarifié, on le laisse vieillir en paix dans d'immenses caves-galeries, très profondes, qui s'étendent chacune sur des kilomètres. On y circule souvent grâce à un chemin de fer à voie étroite. Ce n'est que quelques mois avant sa mise en vente que l'on entreprend une nouvelle série d'opérations : remuage, dégorgement, dosage, bouchage.

Pour la première opération, les bouteilles sont disposées obliquement, la tête en bas, sur des pupitres perforés. Chaque jour, on les tourne à la main d'un huitième de tour tout en les amenant progressivement à la position verticale. L'opération se prolonge de six semaines à trois ou quatre mois. Lorsque le vin, ayant déposé toutes ses impuretés sur le bouchon, est devenu clair, on dit qu'il est « terminé sur pointe ». On le laisse dans cette position jusqu'au moment du dégorgement. L'opération, très délicate, peut s'effectuer de deux façons : soit que l'on se fie à l'adresse de l'ouvrier, soit que l'on congèle l'extrémité du goulot, ce qui permet d'expulser le dépôt sous forme d'un aggloméré de glace. On complète ensuite la bouteille avec du vin de même nature. Le dégorgement terminé, le champagne ne se bonifie pratiquement plus.

Le dosage consiste à verser dans la bouteille qui va être mise en vente la « liqueur d'expédition ». Légèrement différente pour chaque producteur, elle est constituée par un mélange de champagne vieux, de sucre candi et parfois de cognac. Le vin est « qualifié » selon la dose ; il est brut lorsqu'il ne contient pas de liqueur, en principe du moins, car il y a une tolérance de 0,25 à 0,50%. Un bon « brut » millésimé n'est jamais sucré et tous les millésimés sont bruts — on trouve parfois des « extra-bruts » et même des « bruts zéro » garantis sans liqueur. Il est extra-sec avec 2% de liqueur, goût américain avec 6 à 7%, ou demi-sec avec 7 à 10% ; enfin il est doux avec 10 à 12%.

Notons que ces qualificatifs — brut, etc. — fournissent des indications qui vont au-delà du dosage : les *bruts* sont les plus vieux (au moins trois ans, souvent plus), les *doux* les plus jeunes.

Important pour tous les vins, le bouchage est une opération décisive dans le domaine des mousseux. Aussi le choix du liège et la manière dont est fabriqué le bouchon (les meilleurs sont des assemblages extrêmement savants formés à partir de sept parties différentes, collées) sont-ils parmi les principaux soucis des producteurs.

Les crus liés au terroir ou au raisin

La classification par crus est différente de celle des autres régions, tout en étant liée à certains terroirs : les épithètes « grand cru » et « premier cru » s'appliquent à des vins issus exclusivement

de communes dont les raisins ont droit à ces appellations. Elles sont fort rares et seulement employées par des maisons dont la production est faible. En revanche, les *crus de raisins* jouent un rôle primordial.

Si la connaissance des terroirs particuliers est de peu d'importance pour le consommateur, elle est capitale pour le producteur. Son intérêt est tel que les communes productrices sont les seules de France à être classées selon le pourcentage de la qualité. La première catégorie est à 100%, la dernière à 75%. Pour simplifier la question à l'usage du consommateur, un classement prévoit les « grands crus » obtenus avec des raisins

affectés du coefficient 100, les « premiers crus », avec des raisins allant de 90 à 99%, tous étant situés bien entendu dans le seul département de la Marne.

Liste des grands crus Zone de la Montagne de Reims : Ambonnay, Beaumont-sur-Vesles, Bouzy, Louvois, Mailly-Champagne (pour les raisins noirs seulement), Puisieulx, Sillery, Verzenay (pour les noirs seulement). Zone de la vallée de la Marne : Ay, Tours-sur-Marne (pour les raisins noirs seulement). Zone de la Côte des Blancs : Avizo et Cramant. Au total, douze communes.

Liste des premiers crus : Avenay, Bergères-les-Vertus, Billy-le-Grand, Bisseuil, Champillon, Chigny-les-Roses (noirs), Chouilly,

Cuis, Cumières, Dizy, Dommange, Ecueil, Etréchy (raisins blancs seulement), Grauves, Hautvillers, Ludes (raisins noirs seulement), Mareuil-sur-Ay, Les Mesneux, Le Mesnil-sur-Oger, Montbré, Mutigny, Oger, Oiry, Pierry, Rilly-la-Montagne, Sacy, Taissy, Tauxières, Tours-sur-Marne (raisins blancs, les noirs sont « grand cru »), Trépail, Trois-Puits, Vaudemanges, Vertus, Verzy (raisins noirs seulement), Villeneuve-Renneville-Chevigny, Villers-Allenand, Villers-Mamery (blancs).

Classement selon les valeurs gustatives

Le dégustateur novice s'y reconnaîtra facilement puisque les goûts sont indiqués sur l'étiquette et qu'ils vont de « brut » à « doux ». Pour le jugement, la question est plus délicate ; en règle générale, un champagne est d'autant plus corsé qu'il entre plus de raisins noirs dans la cuvée. La fameuse légèreté des « blancs de blancs » n'est donc pas surfaite. L'analyse des caractères, région par région, se présente ainsi:

● *Rivière marne*, particulièrement Ay et Mareuil-sur-Ay. Vins complets de premier ordre dans les bonnes années. Ils ont de la finesse, du corps, de la vinosité.
● *Côte d'ambonnay*, principalement Ambonnay, Bouzy, Louvois. Ils sont nerveux, corsés, vineux, ronds, bien charpentés.
● *Côte d'avize*, en particulier Avize, Cramant, Oger, Oiry, Le Mesnil-sur-Oger, Grauves. Les « blancs de blancs » y sont délicats, féminins, très frais. Légers à Avize, plus bouquetés et vineux à Cramant, plus légers à Oger, plus pétillants et frais au Mesnil-sur-Oger. A Grauves, les non-mousseux sont réputés pour leur vinosité et leur goût de pierre à fusil.
● *Côte de veruts*, produits fermes et vineux.
● *La haute montagne de reims*, et particulièrement Sillery, Beaumont-sur-Vesles, Verzenay, Mailly-Champagne, donne des vins frais, bouquetés, charpentés, vineux. A Sillery, ils sont non mousseux, avec une robe ambrée, un bouquet très fin. La région est pourvue surtout de plants de raisins noirs ; elle donne des produits ayant beaucoup de corps *.

Vin nature de la Champagne

Le vin de Champagne non mousseux porte depuis le 10 avril 1953 le nom de « vin nature de la Champagne » (blanc, rosé ou rouge). Il provient des mêmes raisins, des mêmes terroirs et obéit aux mêmes règles de culture que le champagne lui-même, mais il correspond à la production obtenue en excédent. Sauf

* Cette qualification a été empruntée au *Guide du vin*, de Raymond Dumay, ouvrage de base auquel nous avons eu souvent recours, avec l'agrément de l'auteur (éd. Stock, Paris).

dans les années de récolte abondante, le « nature » est assez rare. Son prix est cependant nettement moins élevé, car il est consommé jeune, et il ne supporte pas de frais de manipulation.

Il est blanc ou exceptionnellement rosé, et si l'on rencontre par exemple sur l'étiquette les mentions *bouzy rouge, billery rouge, mareuil rouge*, il s'agit obligatoirement d'un vin nature.

Le champagne rosé. C'est un vrai champagne, donc mousseux, mais qui présente un caractère exceptionnel parmi les rosés de France : il est obtenu par un assemblage d'un blanc et d'un rouge, issu en général de *bouzy* ou de *cumières*.

Le blanc de blancs. Cette appellation s'applique aussi bien aux mousseux obtenus exclusivement à partir de raisins blancs qu'aux vins tranquilles issus des mêmes cépages.

Crémant. Le mot « crémant » ou « crémant brut » désigne un produit qui n'a pas été entièrement champagnisé, de faible pression, « tiré à demi-mousse ». D'abord assez généreuse à la surface du vin et crémeuse, la mousse se résorbe plus vite que dans les mousseux. L'appellation « crémant » n'est pas propre au champagne et peut être usitée dans d'autres régions.

Ratafia de champagne. Il s'agit d'une sorte de liqueur obtenue en ajoutant de l'alcool de vin à du moût de blanc et de rosé.

La commercialisation des champagnes

La mention la plus importante qui figure sur une bouteille de champagne est celle de la maison productrice. A la différence des autres régions, on n'y voit aucune indication concernant le terroir d'origine (comme pour le Bordelais, la Bourgogne, etc.) ou le cépage (comme en Alsace). A l'origine du vin, on trouve trois types de producteurs : les *maisons de champagne,* au nombre d'une centaine, qui cultivent 15 % du vignoble et commercialisent 75 % de la production; les *récoltants-manipulants*, propriétaires qui font eux-mêmes leur vin et vendent les 25 % restants ; les *vignerons* (environ dix mille), qui cultivent chacun en moyenne entre 2.5 et 4 acres et vendent leurs raisins. Le prix de la livre est d'ailleurs fixé avant la vendange.

Les récoltants-manipulants. Le succès du champagne en augmente le nombre chaque année. Ils sont actuellement 3 000 qui distribuent une bouteille de champagne sur quatre. Sauf dans le cas où ils sont groupés en coopératives (elles sont rares), leur production est peu abondante. Mais si les vins sont difficilement « suivis », ils sont souvent originaux et parfois tout à fait excellents. Souvent aussi, ils sont originaires d'une zone assez restreinte, parfois d'une seule commune.

Lorsque le classement de cette commune s'y prête, on peut donc y trouver un « champagne grand cru » ou « champagne premier cru », mention que l'on ne risque guère de rencontrer sur une bouteille de négociant. En effet, celui-ci utilise ces crus pour équilibrer ses meilleures cuvées. Il existe donc là le début d'une « localisation » du champagne qui pourrait bien se développer assez rapidement.

Sur l'étiquette les initiales « RM » indiquent un récoltant-manipulant, et « CM » coopérative de manipulation.

Les négociants. Bien que réduits quant au nombre, les négociants de champagne constituent un monde à part dont le trait le plus caractéristique est peut-être l'ancienneté des maisons. En effet, même pour la plus modeste, les réserves de vin doivent être si considérables qu'il est presque impossible d'envisager de nouvelles créations. D'une manière générale, les 144 négociants actuels sont répartis en deux syndicats : le Syndicat des négociants en vins de Champagne, qui englobe 126 maisons d'activité moyenne ou faible dont 77 d'entre elles vendent chacune moins de 100 000 bouteilles par an et n'assument au total que 4% des ventes ; le Syndicat des grandes marques de champagne, qui groupe des produits de renommée internationale : Alaya, Billecart-Salmon, J. Bollinger, Vve Clicquot-Ponsardin, Delbeck, Deutz, Heidsieck et Cie Monopole, Charles Heid-

sieck, Irroy, Krug et Cie, Lanson Père et Fils, Vve Laurent Perrier et Cie, Massé Père et Fils, Mercier, Moët et Chandon, Montebello, G. H. Mumm et Cie, Perrier-Jouet, Joseph Perrier Fils et Cie, Piper Heidsieck, Pol Roger et Cie, Pommery et Greno, Ch. et A. Prieur, Louis Roederer, Ruinart Père et Fils, A. Salon et Cie, Taittinger.

Du point de vue gastronomique, ce qui caractérise une maison de champagne, c'est la régularité de sa production : d'une année à l'autre, il n'y a pas de différence sensible entre les bouteilles, sauf naturellement lorsque interviennent les millésimes. Ceux-ci sont d'ailleurs rares, car les grands négociants en font des opérations de prestige autant que de commerce.

Sur l'étiquette, les initiales « NM » signifient négociant-manipulant et « MA », marque auxiliaire concernant les négociants non manipulants et les secondes marques des négociants manipulants.

Le bon usage du champagne

Le champagne est peut-être le vin qui souffre le plus des mauvaises habitudes ou des préjugés : on veut qu'il « fasse sauter le bouchon », qu'il soit très vieux, qu'il soit servi glacé, etc. Les bonnes traditions sont beaucoup plus simples et plus logiques. On débouche le champagne en tenant solidement le bouchon dans la main, la bouteille légèrement penchée.

S'il est à la bonne température et s'il n'a pas été trop secoué, il fera entendre un petit bruit discret et la mousse effleurera le goulot. On évitera les trop grands récipients genre *jeroboam*, où le vin a presque toujours été transvasé.

Certains amateurs prétendent conserver leurs meilleures bouteilles très longtemps en cave comme s'il s'agissait de vins classiques. Ils ont tort. Comme l'alcool, le champagne une fois mis en bouteilles ne s'améliore plus guère et risque de s'abîmer beaucoup. Même les champagnes millésimés ne doivent pas être conservés plus de cinq ans en cave, ou alors il faut suivre leur courbe en dégustant une bouteille tous les six mois.

Pour servir le champagne à bonne température, il est souhaitable d'éviter le réfrigérateur, trop froid, qui risque de le « casser ». Le mieux est d'utiliser un seau contenant un mélange de sel, d'eau et de glace.

Le vin doit être servi frais mais non glacé. Les limites de la température idéale se situe entre 43 et 46°F. En dessous, le champagne risque fort de perdre un peu de cette saveur caractéristique qu'apprécient tant les connaisseurs. Et si la limite supérieure de 46°F est dépassée, le goût du vin s'en trouvera altéré.

On voit par là que l'opération est délicate et qu'il importe de la surveiller avec beaucoup d'attention. L'usage du thermo-

mètre (dans le milieu ambiant où les bouteilles rafraîchissent) est à conseiller. Certains en rient, mais ils ont tort, et ce ne sont pas les dégustateurs véritables qui se moqueront de ce procédé.

Lorsque ce précieux liquide dont le nom est synonyme de fête et de victoire se trouve exactement à point, dans quoi doit-on le boire ? Il fut un temps, lointain déjà, où l'usage voulait que l'on se servît de flûtes. Puis la mode passant, on en vint à la coupe. C'était une grave erreur qui, fort heureusement, commence à être réparée aussi bien dans les bons restaurants que chez les particuliers avertis. Certains ont prêché le retour à la flûte, où d'ailleurs on éprouve du plaisir à voir monter la mousse et à regarder le vin en transparence. Mais si la flûte constitue un progrès sur la coupe, trop évasée, trop plate pour conserver l'arôme du champagne, elle ne représente pas l'idéal, bien loin de là !

Dégustateurs et gourmets se sont penchés sur le problème, pour lui comme pour tous les autres produits de la vigne, et l'accord à été unanime : seul le verre en forme de tulipe répond aux exigences de cette cérémonie, car c'en est une.

Au XVIIe siècle, on disait « sabler le champagne ». L'expression est aujourd'hui vide de sens. Voici en quoi consistait l'opération : on prenait une flûte de cristal ; on la mettait devant sa bouche ; on soufflait de manière que l'intérieur se couvrît de buée ; on y versait du sucre en poudre dont une partie collait à la paroi et on rejetait le reste. C'était le moment de verser le vin, qui alors moussait beaucoup plus et qu'il fallait se dépêcher de boire.

Il convient de signaler, à ce propos, que l'on ne doit jamais laisser le liquide se chambrer. C'est afin d'éviter une telle hérésie qu'un grand viticulteur d'Arbois, la capitale des vins du Jura, fait déguster les succulents mousseux du pays, rosés ou blancs, dans des verres en forme de cône se terminant en pointe. Ils ne reposent pas sur un pied, de sorte qu'il est impossible de les poser lorsqu'ils contiennent encore du vin. Il faut boire immédiatement ce que l'on y a versé. Bien entendu, ils sont de faible contenance, une gorgée ou deux. Dans le pays, on appelle ces verres des « trinquettes ».

Enfin, avec quoi boit-on du champagne ? En fait, avec n'importe quoi, ou plus exactement avec tous les mets servis : hors-d'œuvre, caviar, foie gras, viandes rôties, gibier, volailles, entremets, desserts. Il suffit alors de prévoir du demi-sec pour accompagner les mets sucrés. Bien entendu, viandes et gibier exigent un brut corsé, aussi vieux que possible.

Sont à excepter de la liste la plupart des fromages qui ne se marient guère qu'avec des rouges. Mais n'oublions pas alors que le *bouzy* est là pour répondre à cette exigence.

Les vins mousseux

La question des vins mousseux est plus complexe qu'elle ne le paraît au consommateur. C'est ainsi que la loi française les répartit en trois catégories :
● les vins effervescents ou mousseux naturels ;
● les vins mousseux à appellation d'origine ;
● les vins mousseux sans appellation d'origine.

Cette réglementation est complétée par celle qui régit les conditions de fabrication selon les différentes méthodes et qui sont, elles aussi, au nombre de trois :
● la méthode champenoise ;
● la méthode rurale ;
● la méthode de la cuve close.

La méthode champenoise ayant été étudiée lors de la présentation du champagne, voici donc les caractères principaux des deux autres.

La méthode rurale

Connue et appliquée dans son principe depuis le Moyen Age, elle consiste simplement à mettre en bouteilles un vin dont la fermentation n'est pas achevée. Au degré le plus élémentaire, il suffit d'utiliser du moût après quelques jours de fermentation.

Le procédé moderne est plus complexe et suppose une succession de soutirages et de filtrages rendus nécessaires par le fait que l'opération du « dégorgement », comme dans le cas du champagne, n'est pas pratiquée pour les mousseux.

La fermentation continue en milieu clos, le vin étant mis en bouteilles avant que la totalité de l'alcool soit transformée en sucre. Le gaz carbonique ainsi dégagé est à l'origine d'une « prise de mousse » naturelle. L'inconvénient de ce procédé est qu'il échappe presque complètement au contrôle. Une fois le bouchon « muselé » et la bouteille déposée dans un local à la température convenable, il faut s'en remettre à la nature et à ses caprices ! Mais en cas de réussite — et cette réussite est de plus en plus fréquente —, on dégustera un vin mousseux qui sera resté au plus près de ses qualités d'origine, avec du fruit, du bouquet, voire du terroir.

La méthode de la cuve close

Il s'agit d'une adaptation commerciale particulièrement efficace de la méthode champenoise : on ajoute une liqueur de tirage (sucre et ferment) à un vin déjà fermenté. Celui-ci n'est pas logé en bouteilles, ce qui conduirait à de longues, difficiles et coûteuses manipulations, mais dans de grandes cuves hermétiques, où la fermentation s'accélère. Après quelques soutirages, la « prise de mousse » a lieu en trois semaines. Un ou deux filtrages suffisent à assurer la limpidité du vin.

La législation française, toujours inspirée par l'adage que « le temps ne respecte pas ce qu'on fait sans lui », réglemente très sévèrement l'emploi de ce procédé et en interdit l'usage pour les vins d'appellation d'origine contrôlée. La mention « produit en cuve close » figure en lettres très lisibles sur les étiquettes.

Les vins effervescents ou mousseux naturels

Cette catégorie comprend trois appellations d'origine contrôlée :
● *Clairette de Die.* Son aire de production, assez vaste, s'étend autour de Die, dans le département de la Drôme. Ce cru est issu de *clairette* (50% minimum) et de *muscat*. Il est réputé pour sa finesse, sa fraîcheur, son parfum de rose.
● *Blanquette.* On la produit autour de Limoux, dans l'Aude. Elle est issue de *mauzac* avec un faible apport de *clairette* et titre au minimum 10°. Belle robe dorée, du bouquet et un arrière-goût de fruit. On trouve aussi un *limoux nature* et une *blanquette de Limoux* obtenue d'après la méthode champenoise.
● *Gaillac mousseux.* Nous avons déjà indiqué l'aire de production à propos des *gaillac* tranquilles (voir vins blancs). Le *gaillac mousseux* est assez corsé (10,5° minimum), souple, fruité, gracieux. Vieillissement obligatoire : deux ans.

Les vins mousseux à appellation d'origine

La plupart des appellations sont d'origine contrôlée ; on rencontre cependant quelques VDQS. Pour tous, la méthode champenoise est la seule autorisée.
● *Bourgogne mousseux.* La zone principale de production est Rully, près de Mercurey. Cette situation risque d'ailleurs d'évoluer en faveur du Mâconnais, voire du Beaujolais, où la production de mousseux est en extension. Ceux-ci sont obtenus à partir de différents cépages, mais toute cuvée doit comprendre au moins 30% de cépages fins. Ils sont fruités et assez corsés (10,5° minimum).
● *Côtes-du-jura.* La vinification en mousseux, dans le Jura, est très ancienne. Avant la législation des appellations d'origine contrôlée, une partie de la récolte était expédiée en Champagne (ou traitée sur place *) pour combler les vides des mauvaises années. Obtenus à partir de cépages recommandés rouges et rosés, ils sont corsés, blancs, plus classiques et prennent assez vite le « goût de jaune », c'est-à-dire un goût de terroir analogue à celui du *château-chalon.*

* Il y a un peu plus d'un siècle, une maison champenoise avait aménagé des caves dans le flanc d'une colline près de Lons-le-Saunier, (Jura). C'est là qu'elle « champagnisait » les blancs du cru.

La production étant encore bien souvent artisanale, la qualité est très variable d'un propriétaire à l'autre.

● *Arbois.* Les mousseux d'Arbois se rapprochent beaucoup des précédents, bien que théoriquement plus corsés (10° au minimum). S'ils présentent les mêmes caractères à la dégustation, ils ont l'avantage d'être plus régulièrement vinifiés dans des domaines importants comme le Château-Montfort. La diffusion sous forme de vins de marque est également assez importante.

● *L'étoile.* Ces mousseux n'existent qu'en blancs. Beaucoup d'amateurs locaux leur réservent un sort particulier. Certains les placent allégrement au-dessus du champagne. Comme ce dernier d'ailleurs, ils offrent une gamme très complète, allant du sec au demi-sec et au doux. Titrant au minimum 10° mais toujours un peu plus, ils sont légers, délicats et parfumés.

● *Seyssel mousseux.* Lui aussi fait partie de l'aristocratie des anciens mousseux. La vinification est bien au point et livre un produit peu corsé qui conserve un arrière-goût de fruit.

● *Vins de Savoie mousseux* ou *mousseux de Savoie.* Tous blancs, ils sont produits sur l'aire réservée à l'appellation « vins de Savoie » et issus des mêmes cépages. Une seule appellation est complétée par un nom de cru, celui d'Ayse, près de Bonneville. Ces mousseux ont de la tenue (10,5° minimum), du fruit, du bouquet et une sorte de saveur froide assez curieuse.

● *Saint-péray mousseux.* Il provoque la même ferveur que certains mousseux du Jura. Pour ses partisans, il est le « champagne du Midi ». Un peu moins de finesse peut-être, mais tellement plus de soleil ! Issu de la seule *roussette,* il a le corps d'un grand vin (les 10° minimum sont

portés à 12° et plus), une belle robe dorée, de l'équilibre et un parfum de violette.

Les vins mousseux italiens

Un certain nombre de vins italiens pétillent naturellement et doivent une part de leur charme à ce caractère. On dit alors que le vin « frise », et cette expression est appliquée à un assez grand nombre de crus réputés. Cependant les mousseux de type plus caractérisé ne sont pas inconnus et quelques-uns sont même célèbres, tel l'*asti spumante.*

Moscato naturale d'Asti. Produit sur le très nombreuses communes de la région d'Asti au sud de Turin, issu de *muscat,* il pétille naturellement. On le traite parfois selon la méthode rurale. Il est très léger (7° minimum), fin, avec un bouquet fait de fruits et de fleurs.

Les vins mousseux espagnols

La production des vins mousseux est importante en Espagne et se développe régulièrement. Certains, comme le célèbre *chacoli* du Pays basque, pétillent naturellement et n'ont pas besoin d'être traités. On en trouvera des équivalents en Galice, alors que la Navarre et la Rioja surtout font leurs mousseux à partir de vins tranquilles.

San Sadurni de Noya. C'est le grand centre des mousseux espagnols en Catalogne. Les cuvées sont préparées à partir de blancs issus de *maccabeo*, produits dans la région du Panadés, et de vins aromatiques issus de *malvoisie*. Préparés selon la méthode champenoise, les mousseux de cette région correspondent à tous les types établis, ce sont des blancs très lumineux, fins et fleurant le miel. Ils sont souvent estimables.

Les vins mousseux allemands

L'Allemagne fédérale est aujourd'hui le deuxième producteur de mousseux du monde. Le développement actuel de ceux-ci s'explique par la nécessité de traiter un certain nombre de vins dont la maturité est difficile, en particulier certains blancs du Palatinat et de la Moselle. Pour composer des cuvées équilibrées, les maîtres de chai allemands ont parfois recours à des vins français du Vaucluse ou du Bordelais.

La qualité est extrêmement variable, le *sekt* ou *schaumwein*, produit en cuve close et vendu à bas prix, n'a guère de chances de séduire l'amateur, mais il existe à Wiesbaden, Mayence, Coblence, Trèves, Stuttgart des maisons qui pratiquent la méthode champenoise et dont les vins ne sont pas seulement appréciés par la clientèle nationale, mais prennent une place de plus en plus importante sur les marchés internationaux.

Les mousseux et le champagne

Beaucoup d'amateurs se méfient des vins effervescents en général lorsqu'ils ne portent pas l'étiquette « champagne ». Il est vrai que celle-ci est une garantie à la fois d'origine et de qualité, même si l'on considère qu'elle comporte toute une échelle de valeurs. Cette méfiance s'explique par le fait que quelques fabricants de mousseux ont lancé parfois sur le marché des produits qui tenaient beaucoup plus de la limonade alcoolisée que de vin digne de ce nom.

Mais lorsque l'on achète une denrée alimentaire, quelle qu'elle soit — et le consommateur est souvent négligent —, il importe absolument de savoir ce que l'on va trouver dans son assiette ou son verre. C'est pourquoi il faut lire les étiquettes qui ornent les bouteilles. Les mots « appellation d'origine contrôlée » (AOC) constituent une garantie vraiment sé-

rieuse quant à la qualité d'un produit. Si cette indication n'est pas portée, son absence ne constitue pas obligatoirement un signe de qualité inférieure. Il peut s'agir parfois d'un vin « d'à côté », ou issu de coupages judicieux, et capable de remplacer le champagne dont on ne dispose pas ou que l'on estime d'un coût trop élevé. Il peut faire figure d'un « ersatz » honorable, c'est-à-dire d'un bon produit de remplacement. Soyons réaliste, c'est une copie, mais il existe de bonnes copies. Le cas des mousseux AOC, provenant de maisons sérieuses et issus de terroirs généreux, est absolument différent. Ils présentent tous des qualités qui leur sont propres et qui séduisent souvent les amateurs au point de leur faire, non pas mépriser — car c'est impossible — du moins oublier le champagne. Bien sûr, l'idée de les mettre au-dessus de celui-ci ne viendrait à aucun dégustateur, mais ce qu'il faut comprendre, c'est qu'un mousseux, fort souvent, possède un bouquet, un arôme, un parfum qui lui est propre et qui lui donne sa personnalité. Or celle-ci peut être extrêmement attachante. Naturellement, c'est affaire de goût personnel et l'on sait, comme dit le proverbe, que des goûts et des couleurs il ne faut disputer. Il n'empêche, pour employer une comparaison, qu'un poète ou un musicien mineurs peuvent avoir une foule d'admirateurs. Ajoutons qu'un gourmet n'est jamais exclusif. Car c'est aussi un curieux et sa curiosité l'entraîne à chercher, à découvrir, à reconnaître des saveurs véritablement originales. Or, dans les mousseux, il en existe une infinité. Certains (ils sont très nombreux) ont un charme particulier auquel un dégustateur « conscient et organisé » a le droit de s'attacher fortement. Et c'est pourquoi la *blanquette*, la *clairette*, l'*arbois*, l'*étoile*, le *seyssel*, le *saint-péray*, le *vouvray*, l'*anjou*, le *saumur*, le *gaillac*, le *touraine*, le *montlouis*, l'*asti*, le *côtes-du-jura*, le *bourgogne*, le *savoie* entraînent, chacun en ce qui le concerne, son groupe de thuriféraires, voire de dévots. Il suffit d'ailleurs de faire à ce propos le nombre d'expériences nécessaires pour s'en rendre compte et comprendre ce point de vue. D'autre part, il ne sera jamais offert sur le marché suffisamment de champagne pour remplacer (ce serait d'ailleurs regrettable) tous ces petits crus particuliers dans lesquels pétille l'esprit d'un terroir. Dans chaque région viticole française, italienne ou allemande (et même ailleurs), on comprend de plus en plus l'intérêt d'offrir de bons mousseux bien typés. Ceux-ci, comme leur grand frère champenois, sont capables de rendre à peu près les mêmes services. Ils figurent souvent avec honneur au cours de repas fins. Il ne faut pas les négliger, et surtout ne pas les mépriser, car beaucoup d'entre eux sont aussi, dans leur genre, des crus de grande classe.

C'est sans doute au fameux alchimiste, médecin et astrologue catalan Arnaud de Villeneuve que l'eau-de-vie doit son nom, sinon ses propriétés.

Cet homme-protée, qui vécut aux XIIIe et XIVe siècles, fut aussi un grand voyageur. D'abord attaché à la cour des rois d'Aragon, on le retrouve tantôt à Montpellier où il enseigne la médecine, tantôt à Palerme où le roi Frédéric II de Sicile l'a appelé auprès de lui, quand il n'est pas, à Rome, le conseiller du pape Clément V.

Chercheur éclectique, curieux de tout, Arnaud de Villeneuve sera le premier à introduire l'alcool dans la pharmacopée après en avoir appris des Arabes la distillation, dont il décrit le principe et les méthodes dans un traité intitulé *De conservanda juventute*.

A ses yeux, l'eau-de-vie n'est pas qu'une boisson ordinaire propre à faciliter les digestions difficiles, mais bien un breuvage miraculeux capable d'assurer, à qui en usera, jeunesse et longue vie.

C'est entre le Xe et le XVe siècle que fleurit en Europe occidentale la « iatrochimie » — qui faisait de la chimie le fondement unique de la médecine. Le moine anglais Roger Bacon, Arnaud de Villeneuve et ses élèves, parmi lesquels Paracelse, sont les plus illustres représentants de cette école. Un autre disciple du Catalan, le Majorquin Ramón Llul, consacrera l'*aqua vitæ ardens* comme « la consolation du corps humain ».

De ces vertus cardinales, l'alcool conservera ce nom magique d'un bout à l'autre de l'Europe. Les Italiens l'appelleront eux aussi *acquavite*, les Espagnols *aguardiente*, les Danois *akvavit*, les Suédois *aquavit* ...

La *vodka* des Russes n'est autre qu'une « petite eau », diminutif plein de reconnaissance pour un cordial générateur d'une bienfaisante chaleur.

Quant au *whisky*, les étymologistes ont établi que le mot descendait en droite ligne du substantif composé gaélique *uisge beatha*, que les Ecossais amputèrent d'abord de son second terme avant de faire subir au premier une altération phonétique qui a changé *uisge* en ce *whisky* que nous nommons *scotch*.

Ces convergences philologiques soulignent bien la considération dans laquelle on tint l'alcool à cette époque et longtemps après. Sans acquérir la signification sacrificielle du vin, l'eau-de-vie va bénéficier, des siècles durant, d'une « aura » universelle. Nul ne doute qu'elle donne la force physique qui assure la victoire. Il faudra attendre le verdict sans appel des spécialistes de la nutrition, condamnant les abus auxquels elle donne lieu, pour qu'elle cesse d'être regardée comme une panacée.

Le plaisir que dispense l'alcool à qui sait se garder d'en trop boire l'a hissé de nos jours jusqu'au sommet des subtils raffinements qui composent le petit sanctuaire salvateur que se bâtissent les plus zélés serviteurs de nos sociétés industrielles.

Quoi qu'il en soit, Arnaud de Villeneuve mérite la reconnaissance de ses contemporains et de leurs innombrables descendants.

De l'« al-kimiya » à l'« al-kuhl »

Quant aux sources de l'alchimie, on les situe généralement en Egypte, où le vocable *al-kimiya* désignait l'art antique de créer aussi bien des alliages métalliques que de distiller des liquides. Des rives du Nil ce savoir allait bientôt gagner le monde arabe tout entier, puis l'Europe, dont on oublie souvent ce qu'elle doit — outre l'algèbre et la symbolique des chiffres — à un Orient qui y a laissé, dans de nombreux domaines, les traces indélébiles de son immense savoir.

On comprend mieux dès lors que Zosime, qui vivait au Ve siècle de notre ère et dont certains manuscrits sont parvenus jusqu'à nous, ait pu décrire avec précision les appareils qu'il utilisait pour fabriquer des boissons alcoolisées. C'est ainsi qu'apparaît l'alambic — de l'arabe *al'inbiq* —, vase qui servait à distiller les moûts fermentés. Il n'est pas impossible que cette invention soit très antérieure puisque, huit siècles plus tôt, Aristote y fait allusion tant à propos du vin que de l'eau de mer, dont la transformation en eau potable est aujourd'hui plus que jamais au centre des préoccupations des écologistes.

On peut donc avancer sans grand risque d'erreur que la production de liqueurs alcoolisées remonte, tout comme celle du vin, à la plus haute antiquité et qu'elle fut entreprise partout où l'homme devenu sédentaire commença d'exploiter systématiquement le milieu biologique afin de pourvoir à sa nourriture, puis, à mesure qu'une civilisation se développait, à sa joie de vivre.

Ainsi en sera-t-il en Orient, en Europe, mais aussi jusqu'en Chine et en Amérique bien avant que Christophe Colomb y débarque certain jour de l'an de grâce 1492.

Les multiples splendeurs de la distillation

Les fruits et les baies préalablement macérés fournissent des eaux-de-vie délicatement parfumées : pomme, poire, prune, abricot, framboise, etc., particulièrement répandues en Allemagne et en Suisse.

Des céréales sont issues les plus fameuses eaux-de-vie distillées dans les pays anglo-saxons: *whiskies* en Grande-Bretagne et au Canada, *whiskeys* en Irlande et aux Etats-Unis. Cette différence d'appellation est affaire de tradition linguistique. En revanche, alors que l'orge prévaut sur le Vieux Continent, Américains et Canadiens distillent aussi, indifféremment, le maïs, le seigle, le millet, le sorgho, qu'ils mélangent souvent dans des proportions très variables, selon le type de boisson souhaité.

Du résidu de pressurage provient le *marc* de raisin, encore appelé *grappa* en Amérique et en Italie. Sa qualité est liée à celle du vignoble dont il est originaire. C'est une eau-de-vie rustique mais très appréciée, généralement consommée sur place, bien que sa commercialisation ait été heureusement développée dans les principales régions viticoles, notamment en France, où Bourgogne et Champagne ont acquis dans ce domaine un renom amplement mérité.

De ce traitement appliqué au vin résultent *cognac* et *armagnac*, dont l'appellation est strictement limitée à une aire de production caractérisée par l'implantation d'un type déterminé de vigne.

Quant au *calvados*, en France, et à l'*applejack*, aux Etats-Unis, ce sont les distillats du cidre.

Mais les spiritueux composent une famille plus complexe, sinon plus nombreuse, que celle des vins, et bien des breuvages aux noms exotiques, à commencer par le *rhum*, distillat de la canne à sucre, ont inspiré, bien davantage que le *bordeaux* ou le *chianti*, écrivains et journalistes en mal de dépaysement.

L'ivresse du père Noé ne devrait rien au jus de la treille, mais à l'un de ces vins d'avoine dont, bien plus tard, Pline l'Ancien donnera la recette aux lecteurs de son *Histoire naturelle*. Le rescapé du déluge ne serait donc point, comme l'affirme la Bible, le précurseur de la vinification du raisin. Il n'aurait eu ainsi aucune excuse à s'être enivré par ignorance des effets d'une boisson jusque-là inconnue, et les reproches de son fils Cham s'en trouveraient dès lors pleinement justifiés.

Quoi qu'il en soit, au pied du mont Ararat, où gît peut-être l'épave de l'arche de Noé, s'étend cette Transcaucasie, mère patrie originelle du vin, annexée depuis longtemps par les buveurs de *vodka*, distillat fameux né de la pomme de terre que l'Occident préfère frite à l'huile !

Une chose est certaine : si loin que l'on remonte dans le temps, les hommes n'ont jamais, en la matière, manqué d'imagination, témoin le *honey brandy* des Anglo-Saxons, qui n'est autre, comme son nom l'indique, qu'une eau-de-vie d'hydromel !

Tout se passe comme si l'apprentissage de la connaissance, longuement mûri au contact quotidien d'une nature d'abord hostile, imposait à l'initiation des alchi-

mistes de gravir des degrés que les chimistes mettront des siècles à réinventer en laboratoire.

Il y a en effet une sorte d'unité cosmique dans la quête obstinée qui conduit des être séparés les uns des autres par des milliers de lieues, sans aucun moyen de communication, ne sachant rien des mécanismes de l'univers, doutant chaque soir du retour de l'aube, à parfaire leur savoir dans l'accomplissement d'expériences nouvelles.

Ci-dessus : ce sont ces instruments d'alchimiste qui permirent à Arnaud de Villeneuve de fabriquer son « élixir de longue vie ».
Ci-dessous : l'Enivrement de Noé, mosaïque du XIIIᵉ siècle (Venise, église Saint-Marc).
Page de droite : chope à bière en ivoire avec dorures, œuvre de Tobie Ludwig Krug réalisée vers 1660-1670 (Munich, Residenz Museum).

La grande division qui sépare la civilisation du vin de celle de la bière est sans doute aussi vieille que le monde. Et, pareille à la colonne de distillation dont les fumées opaques planeront sur les raffineries de pétrole du XXᵉ siècle, chacune d'elles distribue aux tribus qui peuplent déjà les sables des émirats persiques, d'où jaillira un jour l'or noir, les sous-produits de l'orge ou du raisin.

La bière d'avoine du père Noé

Encore qu'il faille se garder d'être catégorique, les boissons issues de la macération et de la fermentation des céréales durent apparaître avant le vin. A défaut d'un nom plus précis, on peut parler de *bière d'orge* ou — comme on l'a vu à propos de Noé — *d'avoine*. Quels qu'aient été ses composants, on doit la situer tout en haut de cette colonne de distillation imaginaire plantée au beau milieu du camp installé quelque part en Orient par une tribu nomade qu'un environnement propice à l'élevage et à la culture a conduite à changer son mode de vie.

Donc les femmes pilent les grains jusqu'à ce qu'elles en aient fait une pâte. De mystérieuses mutations se produiront, qui conféreront à cette bouillie un caractère rituel, puis profane. Si bien qu'un jour la société, profondément enracinée dans le terroir qui la nourrit, s'étant donné ses structures et ses lois, l'administration, embryon de la nation, gardienne vigilante du trésor du groupe ou de l'ethnie, découvrira le profit qu'elle pourrait tirer d'un impôt frappant la source de ces bacchanales désormais organisées sous les prétextes les plus variés par un peuple prospère et heureux de l'être.

L'ère de la consommation n'est pas encore pour demain, mais, à n'en pas douter, on est sur la bonne voie.

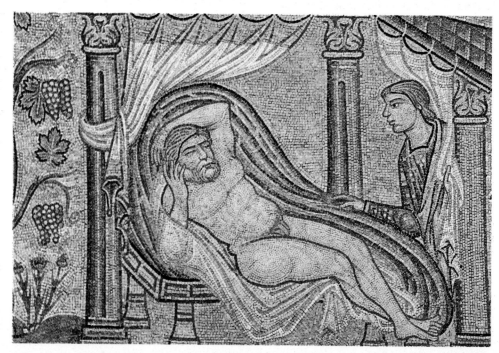

Les Sumériens, qui occupent la basse Mésopotamie 4 000 ans avant J.-C., ont mis au point une réglementation inspirée à la fois par le respect des pratiques religieuses... et le souci de protéger un commerce florissant contre la concurrence étrangère. Les jarres emplies de bière ou d'alcool de grain étaient scellées et un cachet officiel y était apposé afin de garantir l'origine et la qualité du contenu, lequel devait être, en outre, préservé de tout contact impur. Quant à la signification proprement sociale de l'alcool, elle est attestée chez les Assyriens par la coutume qui impose à la jeune mariée d'apporter en dot à son époux la chaudière vouée à la fermentation des grains.

Au cœur de l'Egypte pharaonique se répandra l'usage de breuvages particulièrement corsés, sans doute plus proches du *rye* des pionniers de la conquête de l'Ouest américain que d'une *pilsener*. Quant à la bière primitive de Sumer ou de Babylone, si elle trouve place en ce chapitre consacré à l'eau-de-vie, c'est que sa composition comme ce que l'on peut savoir de son goût, de sa saveur, de sa densité ou de sa teneur en alcool, éprouveraient le palais des paisibles fidèles du demi pression, avec ou sans « faux col »... Ce n'est pas un hasard si les Hébreux s'interdisaient de boire tout le temps de la pâque un alcool de datte et d'orge,

mariage chaleureux aux suites explosives. Et comme il fallait bien qu'un jour les céréales se mesurent au raisin, les alcools d'Orient envahirent l'Empire de la vigne dans les énormes fontes accrochées aux flancs des éléphants d'Hannibal.

Le « whisky » du brave général Agricola

Nul ne peut affirmer que le Carthaginois ait mené à bien une entreprise infiniment plus aléatoire que la conduite de la guerre. En revanche, quelque trois cents ans plus tard, un autre général, romain celui-là, Cnaeus Julius Agricola, beau-père de Tacite, revint de Grande-Bretagne, où il avait débarqué à la tête de la 20e légion, au Ier siècle de l'ère chrétienne, porteur d'un étrange attirail au moyen duquel il se mit à fabriquer à l'intention de ses compatriotes un breuvage dont il avait appris la recette des Calédoniens, industrieux ancêtres des Ecossais. De là à penser qu'ayant inventé le *whisky* — eau-de-vie d'orge — ils connaissaient nécessairement la distillation il n'y a qu'un pas. Le franchir, c'est avancer de plus de huit siècles la découverte d'une technique attribuée aux Arabes. Il est intéressant de noter à ce propos que l'alchimiste Arnaud de Villeneuve n'en aura connaissance, lui, que trois cents ans plus tard.

En tout état de cause, si l'on veut bien se souvenir des propos révélateurs tenus par Aristote sur la distillation de l'eau de mer, mais cette fois près de quatre siècles avant J.-C., on peut tenir pour infiniment probable qu'il s'est trouvé, bien avant Hannibal et Agricola, un homme assez curieux de toute chose pour pousser plus loin le raisonnement d'Aristote et étendre l'expérience à d'autres liquides plus plaisants au palais que l'eau douce... Quelle que soit la date à laquelle on pratiqua pour la première fois au monde la distillation, on consommait depuis longtemps et dans les temps les plus reculés des boissons fermentées, obtenues à partir des végétaux les plus divers, de l'érable à la châtaigne.

La chaîne est complexe mais ininterrompue qui va des sucs naturels aux mystérieux pouvoirs vulnéraires, à la noble et puissante famille des spiritueux et des liqueurs dont l'élaboration savante s'affine à mesure que l'alchimie cède le pas à la chimie. Avec l'élargissement des connaissances, les classements se font de plus en plus précis. L'imagination est désormais guidée par l'expérience rationnelle, et celle-ci est servie par l'analyse et un matériel que le travail des métaux et du verre permet de perfectionner sans cesse.

De même que les cisterciens réussiront brillamment, en France et en Allemagne notamment, dans la sélection des cépages nobles et la vinification de quelques-uns des meilleurs crus du monde, les chartreux se consacreront avec un égal bonheur à la composition de subtils élixirs. On n'en espère plus l'éternelle jeunesse, et le mythe de Faust est abandonné au diable par les serviteurs de Dieu, qui, médecins de l'âme, se contentent plus modestement d'herboriser pour prodiguer à leurs paroissiens les bienfaits d'un savoir exempt de miracle qui réconforte et guérit ici-bas. L'éternité n'est plus qu'affaire de foi, et non d'eau de jouvence, et les fabuleux propos du comte de Saint-Germain n'ébranlent point la leur.

Le 21 décembre 1620, plus d'un siècle avant l'apparition de cet aventurier de haut vol, dont on ne saura jamais la véritable identité, un événement important s'est produit : venant d'Angleterre, cent deux émigrants — les *Pilgrims Fathers* — ont débarqué ce jour-là sur la côte américaine. Ils y fonderont bientôt la ville de Plymouth, en Nouvelle-Angleterre.

Le whisky du « Mayflower »

Bien que les « pères pèlerins » embarqués à bord du *Mayflower* aient compté parmi eux quarante et un puritains, ils apportaient dans leurs bagages quelques bouteilles d'une eau-de-vie de grain, proche parente de l'*uisge beatha*, l'ancêtre du *whisky* écossais. Loin d'eux la pensée d'en boire pour y puiser quelque plaisir profane ! Mais la rude vie de pionniers qui les attendait dans le Nouveau Monde les avait incités à se prémunir contre les morsures de serpent, les piqûres d'insectes et plus généralement les accidents pouvant nécessiter l'administration d'un désinfectant ou d'un cordial.

Lorsque la provision initiale importée d'Angleterre fut près d'être épuisée, les colons entreprirent de fabriquer de l'eau-de-vie en distillant les céréales locales. Ainsi naquit le *whiskey,* en hommage à l'alcool irlandais, qui se distingue ainsi du *scotch* jusque dans l'orthographe de son nom.

Que quelques immigrants, plus accommodants à l'endroit de l'« eau de feu » que les austères gardiens de la pureté religieuse, aient été tentés d'en user désormais régulièrement à titre préventif tendrait à prouver que la situation économique de la jeune colonie s'était améliorée au point que sa population pût dorénavant joindre l'agréable à l'utile.

Il y eut certes bien des résistances, et l'hostilité des sectes évangéliques américaines ne cessa de se développer à mesure que l'industrialisation des Etats-Unis entraînait l'immigration d'une main-d'œuvre de moins en moins encline à considérer l'alcool comme un breuvage inventé par Satan pour précipiter les enfants du Bon Dieu dans le stupre et l'ignominie.

Paradoxalement, ce sont sans doute les Latins venus des terres à vigne de la vieille Europe qui assurèrent au *bourbon* et autres *ryes* un triomphe irréversible, malgré les coups sévères qu'allaient leur porter les puissantes ligues antialcooliques qui, de l'Alaska à la Californie, plantèrent les bannières vengeresses de la prohibition.

Dès le XIXᵉ siècle, la croisade anti-alcoolique gagna assez d'adeptes pour imposer progressivement le régime sec dans vingt-sept Etats.

Il fallut pourtant attendre les derniers mois de la Première Guerre mondiale pour que le président Wilson fasse voter par le Congrès, en janvier 1919, le dix-huitième amendement à la Constitution, qui étendait la prohibition à la totalité du territoire américain.

La même année, en Europe, la Finlande et la Norvège en faisaient autant. Mais c'est aux Etats-Unis que cette décision allait avoir des conséquences d'une importance considérable sur la vie sociale et économique du pays.

C'est sur la fabrication et la contrebande de l'alcool que les gangs vont bâtir un empire qui, la corruption aidant, deviendra rapidement un Etat dans l'Etat.

Ce fut une aubaine pour les chefs de la mafia, qui mirent le pays en coupe réglée, imposant par le meurtre et le chantage leur protection à tous les débits de boissons. De Chicago à La Nouvelle-Orléans, de La Havane à San Francisco, Al Capone, Anastasia, Luciano, Meyer Lansky érigèrent le commerce parallèle des alcools en une véritable entreprise industrielle disposant de ses propres distilleries et de ses lignes régulières de transport.

En même temps que la santé morale du pays, c'est sa santé physique qui était directement menacée, car, toujours à l'affût de nouveaux profits, les gangs ne s'embarrassaient guère de la qualité des alcools dont ils inondaient un marché échappant par nature à tout contrôle. Les cas d'intoxications mortelles se multiplièrent, dus souvent à l'absorption d'eaux-de-vie frelatées issues de la distillation du bois ! Non seulement la prohibition n'avait pas, bien au contraire, freiné la consommation d'alcool, mais ses suites s'avéraient particulièrement graves.

Malgré l'opposition grandissante de l'opinion publique et de nombreux parlementaires, inquiets de l'audace des *bootleggers* et des tueurs à leur service, le dix-huitième amendement ne devait être aboli qu'en 1933 par Franklin D. Roosevelt.

Seule la pègre en avait retiré profit et pouvoir, et les séquelles de la prohibition devaient longtemps encore peser sur la vie politique américaine.

Si l'histoire des eaux-de-vie de grain, *whiskies* et *whiskeys,* est liée à de vieilles traditions anglo-saxonnes et à l'établissement des colons britanniques en Nouvelle-Angleterre, on oublie souvent que les Etats de la côte Est furent aussi grands producteurs de *rhum.* Le rôle de celui-ci dans l'économie de cette région fut particulièrement important, car il servait de monnaie d'échange dans le commerce des esclaves.

Les pèlerins du Mayflower *avaient emporté avec eux, à titre de médicament, quelques tonnelets de whisky. Mais la vie rude qu'ils durent mener sur la terre nouvelle fit vite considérer cet alcool comme un remontant (estampe américaine du XVIIIᵉ siècle).*

Les distillats de vins

L'eau-de-vie, on l'a vu, fait, en quelque sorte, feu de tout bois : de l'orge à la canne à sucre, il se trouve toujours une graminacée propre à la distillation, ce qui explique, sans doute, l'extrême variété des alcools de grain.

Les vignerons n'en ont que plus de mérite à produire cognacs, armagnacs, marcs et autres brandies dont la qualité doit autant, sinon davantage, au terroir qu'au cépage dont ils sont issus. Or, s'il est relativement facile de reproduire un plant, il est impossible de recréer artificiellement un terroir, là où, en France, des rapports étroits existent entre les structures géologiques et les caractéristiques d'un distillat produit dans une région très précisément délimitée. Ainsi en est-il

des deux eaux-de-vie de vin françaises de réputation mondiale que sont le cognac et l'armagnac ; le premier originaire des Charentes, le second de l'ancienne contrée qui lui a donné son nom — aujourd'hui le département du Gers — et de quelques communes des Landes et du Lot-et-Garonne.

Henri IV, qui goûtait fort l'un et l'autre, appelait la Charente, qui irrigue le terroir cognaçais, « le plus beau fossé du royaume ». Il est vrai que cette paisible rivière arrose une heureuse province bénie des dieux de la gastronomie, patrie de l'huître de Marennes et de l'escargot — baptisé là-bas *cagouille* — que l'on sert nappé d'une espèce de coulis épicé très savoureux.

Quant au pays d'Armagnac, Alexandre Dumas et Edmond Rostand ont généreusement offert aux mousquetaires et aux cadets de Gascogne une immortalité littéraire inséparable de la noblesse de l'al-

cool. Celui-ci vieillit dans les chais vénérables des bords de la Douze et du Midoux, deux paisibles rivières aux eaux vertes, couleur de bouteille, en un pays où il partage son domaine avec le confit d'oie ou de canard et le foie gras.

Le sel de la mer

Sans doute est-il temps maintenant de percer les secrets de la distillation des vins qui engendrent des breuvages aussi accomplis.

Le cognac d'abord.

Son histoire vaut d'être contée.

Pendant des siècles, les Charentais produisirent un petit vin acide. Apprécié par les viticulteurs qui le réservaient en grande partie à la consommation domestique, il le fut bientôt des matelots des trois-mâts anglais ou scandinaves venus là pour y faire provision de sel. Lorsqu'il restait une place dans la cale, ils prirent

peu à peu l'habitude d'y loger quelques barriques de vin de Cognac. Ce marché inattendu allait se révéler si fructueux pour les viticulteurs de la région qu'ils imaginèrent de réduire leur vin en le bouillant : ainsi concentré, il prendrait moins de place, et les bateaux suédois et britanniques pourraient en emporter davantage à chaque voyage. Reconstitué par addition d'eau une fois parvenu à destination, le distillat des vignerons charentais retrouvait son caractère originel. Cette opération avait aussi certains avantages fiscaux pour les producteurs. Nul ne saura jamais qui, le premier, eut la géniale idée de déguster *sec* le vin bouilli. On pense que cet événement décisif se produisit au tout début du XVIIe siècle.

L'apparition d'une nouvelle eau-de-vie n'avait en soi rien d'extraordinaire, car la distillation s'était largement répandue, tant en France que dans toute l'Europe, depuis le Moyen Age. Comme c'est encore le cas en Allemagne pour les brasseries, chaque bourg comptait ses bouilleurs de crus.

En revanche — et c'était là l'originalité du cognac —, les Charentais s'aperçurent bien vite qu'il pouvait être bu tel quel, sans qu'il soit besoin d'y adjoindre une de ces mixtures adoucissantes utilisées à l'époque pour rendre propres à la consommation la quasi-totalité des autres alcools. La nature avait décidément fort bien fait

les choses. Comment ? On ne l'apprit que bien plus tard. Sous le second Empire, lorsque le géologue français Coquand se livra à une étude appropriée de la composition des sols. En comparant ses observations à celles d'un dégustateur expert, il lui apparut qu'à chaque type de terrain correspondait un cognac. Pareillement, on devait mettre en évidence le rôle joué, quant à la maturation de l'eau-de-vie charentaise, par le bois utilisé dans la fabrication des tonneaux. Le chêne du Limousin — choisi parce que planté à proximité du vignoble — allait, à cet égard, se révéler le meilleur agent de vieillissement. De la mystérieuse osmose qui se réalise au fil des ans entre contenu et contenant résultera un incomparable bouquet.

La craie du miracle

L'appellation est protégée depuis le début du siècle par des textes légaux.

La région de production ainsi délimitée s'étend sur quatre départements : la quasi-totalité de la Charente et de la Charente-Maritime ; quelques communes limitrophes de la Dordogne et des Deux-Sèvres. On y distingue cinq zones : Grande Champagne, Petite Champagne, Borderies, Fins Bois, Bons Bois, Bois ordinaires, ici classées selon des critères exclusivement qualitatifs qui établissent une hiérarchie universellement admise.

De vigne en vin la voilà la jolie vigne ! Et ici le beau raisin que d'attentifs maîtres de chai changeront en une eau-de-vie aux reflets somptueusement ambrés.

Seuls trois cépages peuvent être utilisés : *saint-émilion*, *folle blanche* et *colombard*. Le premier nommé couvre aujourd'hui à peu près 90% du vignoble.

Enfin, le vin issu de ces trois variétés de cultivars doit obligatoirement faire l'objet de deux distillations en alambic.

L'analyse géologique a confirmé la présence de calcaire actif dans le sous-sol charentais, dont les caractéristiques ont depuis longtemps retenu l'attention des spécialistes de la géographie physique, qui y voient les caractéristiques d'une veine particulièrement typée du crétacé supérieur et de l'ère jurassique.

L'abondance de la craie explique le nom générique de champagne donné en France à toutes les plaines, ou campagnes, généralement dénudées à dominante calcaire. Dès lors, la règle édictée par les hommes n'est que la reconnaissance rationnelle d'une espèce de miracle biologique, car si l'eau-de-vie, pas plus ici qu'ailleurs, ne dispense l'immortalité, elle est assurément le théâtre de mutations insaisissables où soudain l'inanimé s'anime. Mais en deçà de la rêverie métaphysique intervient le savoir-faire du vigneron, du distillateur et du maître de chai.

Sept siècles de tradition

Le vrai travail commence aussitôt après la récolte, étant entendu que l'on ne traite jamais en distillerie que des vins dont la fermentation est achevée.

Les crus charentais n'atteignent guère plus de 8 degrés. Ce qui serait insuffisant, s'agissant d'un vin de table, convient au contraire parfaitement à la transformation qu'il va subir par deux fois dans un alambic de cuivre chauffé à feu nu en tous points semblable à celui que l'on utilisait déjà au XVIIIe siècle !

Cette similitude a force de loi. Toute modification apportée à l'appareil ou à la méthode employés, et l'eau-de-vie obtenue ne serait pas du cognac. En effet, elle serait sans nul doute privée des subtiles senteurs du vin qui composent d'entrée l'essence d'un bouquet absolument unique, que les vertus du bois dont on fait les tonneaux affineront encore.

La distillation se fait donc en deux temps tout a fait distincts :
● La première chauffe qui produit un *brouillis* impropre à la consommation et titrant près de 30°. On élimine la *vinasse*. L'opération a duré une dizaine d'heures.
● La seconde chauffe, dite *bonne chauffe*, qui dure une douzaine d'heures.

C'est alors que le distillateur va donner libre cours à son génie. Le plus difficile reste à faire : séparer le bon grain de l'ivraie, c'est-à-dire les *têtes* et les *queues* du *cœur*.

La moindre erreur serait alors catastrophique. En effet, le début de la distillation libère les composés les plus solubles de l'alcool — esters et aldéhydes notamment — tandis que, moins volatils, les acides gras, par exemple, n'apparaissent que vers la fin.

Le cœur est ainsi pris en sandwich entre deux chaires de substances indésirables qu'il va falloir écarter avec une précision qui relève d'un savoir-faire séculaire. Certes, l'alcoomètre signale l'apparition du distillat convenable, mais les huiles et les essences échappent à son contrôle. C'est pourquoi bien des spécialistes préfèrent se fier à leur coup d'œil pour interrompre la distillation au bon moment : ils *coupent à trois perles*. Méthode simple et empirique puisqu'elle ne se fonde que sur une constatation visuelle et non sur une quelconque analyse chimique : lorsque trois bulles — deux petites adhérant à une grosse — apparaissent dans la *preuve*, une éprouvette, dans laquelle on recueille le distillat dont on suit l'évolution, on peut être assuré qu'il s'agit de cognac. Les Charentais disent alors que la *bonne chauffe est rendue*.

L'alambic du miracle

La création du cognac est le résultat d'une succession de petits miracles dans l'enchaînement desquels l'alambic charentais occupe une position charnière. En amont, c'est la nature qui l'emporte. Ensuite, dès que le vin a été versé dans la chaudière où il brûlera, la technologie prend le relais. La pièce maîtresse, sans laquelle rien n'est possible, en est l'alambic composé de quatre parties dont chacune est indispensable à la conduite de la distillation jusqu'à son terme. On distinguera, dans l'ordre chronologique où se déroule l'opération :
● la chaudière ;
● le chapiteau ;
● le chauffe-vin ;
● le serpentin.

Tous ces éléments sont fabriqués avec un soin extrême en fonction de normes très précises. La chaudière est en cuivre électrolytique pur. Sa conception répond à deux ordres de préoccupation : chauffe régulière ; curage facile après usage. Quant à sa structure, on a affaire selon les distilleries à une chaudière droite ou — plus facile à nettoyer — en oignon. Quel que soit le modèle choisi, le distillateur aura veillé à la perfection du martelage du cuivre qui empêche l'adhérence des lies.

L'épaisseur du fond — convexe — fait également l'objet d'une loi non écrite transmise de père en fils depuis des générations : 3/4 de pouce pour une chaudière de 220 gal. On compte en principe 0.016 po. par gallon supplémentaire. Bien que d'une manière générale il n'y ait aucune limite légale en matière de contenance, la finesse de l'eau-de-vie est liée au-delà d'un

L'architecture particulière de cet alambic, couronné d'une sorte de clocher à bulbe de cuivre, évoque quelque église secrète (à gauche). Tandis que le rite s'accomplit, le tonnelier est déjà à l'œuvre (à droite, en haut), comme ses ancêtres qui sculptaient dans la masse (à droite, en bas) le nom, le titre et le blason des destinataires de ces vénérables barriques.

certain seuil, à la capacité de la chaudière dans laquelle elle est traitée. De nombreuses expériences ont, en outre, montré que le processus de distillation est alors diversement altéré. Les spécialistes estiment généralement que le rapport qualité-capacité décroît sensiblement à partir de 280-325 gal. Quant au cuivre, d'origine électrolytique, il devra être exempt de toute impureté. Dans le cas contraire, en effet, l'acidité du vin entraînerait au contact du métal la formation d'hydrogène réducteur et le goût même du cognac s'en trouverait gravement affecté.

Le chapiteau qui couronne la chaudière et lui donne sa silhouette caractéristique — celle d'un col de cygne — doit être assez bas pour éviter une *rectification* nuisible de l'eau-de-vie lorsqu'il s'agit des meilleurs crus — *grande* ou *petite champagne*. Ce phénomène améliorera, en revanche, la qualité des cognacs issus de vignoble de moindre noblesse en éliminant certaines essences trop typiques de leur terroir.

Du chauffe-vin on attend — comme son nom l'indique — qu'il augmente progressivement la température du vin avant que la chaudière ne commence à fonctionner. Cette mise en train évite un réchauffement trop brutal.

Le serpentin, enfin, est destiné à faciliter la condensation et le refroidissement de l'alcool au terme de la distillation. Le cuivre dont il est fait doit être, tout comme celui de la chaudière, exempt de tout corps étranger. C'est ainsi que les soudures nécessaires à l'assemblage de cette dernière partie de l'alambic doivent toujours être réalisées à l'étain rigoureusement pur.

Ce bref bilan technique montre bien la rigueur avec laquelle doit être conduite la distillation.

Toutes les recherches, toutes les expériences effectuées par les spécialistes les plus éminents ont confirmé le rôle capital de l'alambic charentais dans l'élaboration de la plus célèbre des eaux-de-vie françaises. Hors de là point de salut ; autrement dit point de cognac !

L'accélération technologique caractéristique de ce demi-siècle devrait permettre d'étudier le problème non plus au niveau de la conception de l'appareil mais à celui de son rendement à condition qu'aucune amélioration ne se fasse au détriment de la qualité.

C'est pourquoi les travaux les plus récents effectués dans ce sens portent essentiellement sur le chauffage. Pour distiller 1 gal. de cognac, il faut brûler 10 livres de charbon.

Le combustible originel fut évidemment le bois. On emploie aujourd'hui également le mazout, voire le gaz naturel. Divers dispositifs d'alimentation automatique à régulation modulée permettent d'atteindre l'intensité calorifique souhaitée aux diverses étapes de la distillation.

Le flair du maître de chai

La température aura tout au long du vieillissement en fût une influence qui est loin d'être négligeable. Le maître de chai changera souvent ses tonneaux de place de manière à favoriser cette action bénéfique dont on crut longtemps qu'elle était liée au transport, parce qu'elle se manifestait régulièrement à l'étranger quand le cognac y avait été acheminé par mer.

La distillation achevée, rien n'est fini, bien au contraire.

Le séjour de l'eau-de-vie nouvelle dans des chais — qui ne doivent être ni trop secs, ni trop humides — a un double objectif : abaisser progressivement son degré alcoolique jusqu'à ce qu'il soit en accord avec la réglementation en vigueur ; lui donner la couleur naturellement ambrée que le cognac doit à son séjour dans les fûts de chêne — du Limousin ou de la forêt de Tronçais, dans l'Allier — qu'on utilise toujours aujourd'hui.

Dès lors une lente évaporation va commencer, que l'on estime à 4 % de la production — 6,5-9 millions de gallons en moyenne — d'un alcool pur qui perdra désormais 1° par année de fût. Mais, à ce rythme, il faudrait trente ans avant que le cognac puisse être légalement consommé. Et attendre plus d'un quart de siècle pour vendre le fruit d'une seule récolte n'est pas pensable. Le problème du stockage serait vite insoluble ; les investissements d'une campagne sur l'autre, impossibles ; le négoce paralysé et avec lui l'économie d'une vaste région de production qui intéresse quelque 175 000 acres de vignoble. Et puis, passé cinq ans, l'âge du cognac, contrairement à celui d'un vin, influe assez peu sur sa qualité, d'autant qu'une fois mis en bouteilles, il ne vieillira plus.

C'est pourquoi, sans bouleverser en rien la maturation normale de l'eau-de-vie, on accélère la décrue de son degré alcoolique en l'additionnant régulièrement d'un cognac allégé par un coupage préalable effectué de telle sorte qu'il diminue le titrage sans affecter en rien la finesse du produit.

Ainsi la commercialisation peut-elle intervenir après deux ans de vieillissement. Toutefois, ce minimum légal concerne la part la plus jeune du mélange complexe réalisé dans les chais selon des normes strictement contrôlées.

Les rites sacrés de la dégustation

On évoquera par ailleurs les appellations commerciales dont le classement, pour ne faire l'objet d'aucune réglementation, est souvent le seul repère du consommateur à la recherche d'un cognac selon son cœur... et son palais.

Mais auparavant, il convient, en compagnie du maître de chai, d'attendre la visite du dégustateur. C'est un personnage considérable dont l'intervention, bien qu'elle se produise alors que le vieillissement est presque terminé, s'avérera décisive quant à la personnalité de l'eau-de-vie destinée à être commercialisée.

En effet, tandis que la dégustation d'un bordeaux, d'un bourgogne ou d'un beaujolais n'est en somme qu'un constat, celle d'un cognac est un choix déterminant et définitif des différentes coupes — on appelle ainsi les distillats d'une même région traités par le même bouilleur — qui après un ultime mariage seront mises en fûts une année encore, puis en bouteilles.

Trois étoiles
Indication d'un vieillissement en fûts d'environ 5 ans.
VSO
Very Superior Old : environ 15 ans de vieillissement.
VSOP
Very Superior Old Pale : environ 20 ans de vieillissement.
VVSOP
Very Very Superior Old Pale : plus de 25 ans de vieillissement.

Le jugement du dégustateur résulte de l'exercice d'un art inséparable d'une vieille tradition culturelle. Il ne lui faut pas seulement un nez et un palais d'une rare finesse, mais encore une extraordinaire mémoire, car le verdict qu'il rendra à l'issue du procès qu'il aura conduit de bout en bout, s'accompagnera toujours de nombreux attendus motivés chaque fois par l'estimation précise de la valeur de chacun des composants qu'il aura sélectionnés. Bien que nécessairement fondée sur une suite de comparaisons, l'opinion qu'il formulera à l'issue de ce tournoi solitaire sera sans appel.

Le cérémonial de la dégustation est immuable et grave. Le silence de rigueur autorise la méditation à laquelle seul le maître de chai est admis à assister, comme le grand prêtre qui célèbre l'office dans le saint des saints, où la lumière diffuse du jour pénètre par les soupiraux en ogive. Dans la campagne proche qui sommeille après midi, écrasée par la chaleur moite d'un été charentais, seule la cloche d'une église bâtie dans le style robuste et rustique des architectes romans de la Saintonge médiévale marque le temps qui passe.

Quel que soit l'âge moyen du mélange ainsi créé, la loi ne retiendra que celui de la plus jeune des eaux-de-vie qui le composent.

Les « titres nobiliaires », dont on trouvera par ailleurs l'armorial, indiquent généralement une tranche de vieillissement préférable à tous égards à un âge précis auquel les experts eux-mêmes les plus exigeants sont de moins en moins attachés au-delà de la cinquième année.

Dans tous les cas, l'authenticité du produit livré sur le marché, en France comme à l'étranger, est absolument indiscutable : qu'il ait plus de deux ans de fût, comme l'exige la loi américaine, plus de trois, comme il est de règle en Grande-Bretagne, ou quarante, l'âge d'or du cognac, de l'avis des connaisseurs !

Et les noms des grands de ce monde sont inscrits sur les pages quadrillées des carnets recouverts de moleskine noire, dont les vieux maîtres de chai ne se séparent jamais. Mais en haut peut-être, dans les bureaux des antiques maisons dont les frontons élégants se reflètent dans les eaux calmes de la Charente où, jadis, jetaient l'ancre des grands voiliers de la Baltique, la mémoire électronique de l'ordinateur a déjà comptabilisé les commandes des clients de l'an 2000...

Ainsi, s'ignorant l'une l'autre, l'informatique et l'alchimie se dévouent pour la même cause.

L'escale préférée du roi-touriste

Si le terroir charentais n'a point attendu l'ordinateur pour entrer dans l'histoire, c'est que les grands courants de la pensée et de la création l'ont imprégné avant même la géniale invention de ses vignerons.

Dès le XIIᵉ siècle, un rayonnant foyer de culture s'est développé au voisinage d'une Guyenne dominée par l'intelligence et le savoir d'Aliénor d'Aquitaine.

Lorsque, quelque trois cents ans plus tard, naît à Cognac, le 10 septembre 1494, le futur François Iᵉʳ, Charles d'Angoulême et Louise de Savoie, ses parents, ont réuni au château des Valois une cour brillante qui annonce la Renaissance.

Vingt et un ans plus tard, le jeune et séduisant souverain sera conquis par le formidable et bouillonnant mouvement des arts, des lettres, des sciences qui d'Italie gagnera bientôt le royaume de France tout entier.

François Iᵉʳ aimait à voyager. Il quittait très souvent Paris pour s'installer ici ou là dans l'une des nombreuses résidences qu'il possédait aux quatre coins du pays. Marino Giustiniano, ambassadeur de Venise, aimait à raconter que sur les quinze mois qu'il passa auprès du roi il ne séjourna que quelques semaines dans la capitale et « jamais, écrit-il, la cour n'est restée dans le même endroit quinze jours de suite ! ».

Le roi n'en négligeait pas pour autant sa ville natale. C'est là, dans la demeure familiale, qu'il avait coutume de méditer les décisions touchant au mécénat qu'il ne cessa d'exercer durant son règne au bénéfice des artistes qu'il avait appelés auprès de lui. Ainsi étudia-t-il, lors de l'un de ses séjours en Charente, le projet de création du Collège de France que lui avait soumis Guillaume Budé.

Nul ne sait si François Ier découvrit en son fief préféré les vertus toniques de quelque eau-de-vie ancêtre du cognac. Ce n'est point impossible pourtant, puisque, s'agissant du vin de la région, des parchemins du XIIIe rapportent qu'il s'en faisait alors un grand commerce à partir du port de La Rochelle. Or, à cette époque, l'alambic existait déjà.

Ainsi les deux conditions indispensables à la fabrication du cognac étaient-elles alors déjà réunies.

Quant au cépage, on a la certitude que l'un d'entre eux, au moins, le *colombard*, était implanté dans le vignoble charentais et que les deux principaux crus qui en étaient issus avaient nom, tout comme aujourd'hui, *champagne* et *borderies*...

Comment expliquer alors qu'on ait attendu les premières années du XVIIIe siècle pour inventer le cognac. Certes, les Charentais sont gens habitués à laisser mûrir une idée jusqu'à ce que, en ayant soigneusement et longuement pesé le pour et le contre, évalué les conséquences les plus lointaines, ils prennent en parfaite connaissance de cause une décision à laquelle ils se tiendront ensuite quoi qu'il advienne ; mais de là à patienter trois cents ans !

C'est pourtant ce qu'il faut bien admettre, aucun des spécialistes les plus avertis de la question ne doutant que les choses se soient bien passées ainsi : jusqu'en 1600, on fait du vin, ensuite seulement on commence à le distiller. Pourquoi avoir attendu ? Le mystère reste entier, même si certains auteurs n'hésitent pas à renverser les rôles en attribuant la première distillation au commandant d'un navire néerlandais !

Ainsi le cognac serait le fils légitime du *Brandewijn* (vin brûlé, appellation générique que l'on retrouve en anglais — *brandy* — et en allemand *branntwein*).

Mais si le cognac est bien un brandy, tous les brandies ne sont pas des cognacs. Quoi qu'il en soit, il paraît infiniment probable que François Ier ne put apprécier l'eau-de-vie de son pays natal. C'est pourtant dans le château des Valois que s'établit en 1795 la famille Otard, dont le nom compte parmi les plus fameux de la région.

Ainsi François Ier allait-il exercer une sorte de mécénat posthume en cette demeure où il avait vu le jour.

L'histoire du cognac réserve au curieux bien d'autres surprises.

Cognac for ever

La séduction exercée sur les Nordiques par le terroir charentais, on l'a vu, ne date point d'hier, et si la distillation de son vin n'a point été inventée par un marin hollandais, les Britanniques installés là depuis des siècles n'ont cessé d'y travailler avec intelligence et bonheur.

Le premier des Martell s'établit à Cognac en 1715, l'année même de la mort de Louis XIV. Il arrivait de Jersey. Treize ans plus tard, la maison qu'il avait fondée expédiait déjà chaque année hors de France près de 30 000 fûts d'eau-de-vie !

C'est de Cork, une ville du sud de l'Irlande, qu'arrive en 1765 Richard Hennessy. Officier dans un régiment français, il vient de quitter l'uniforme pour le négoce. Naturalisés français, ses fils développeront le commerce familial tout en faisant une brillante carrière politique : l'un, Jacques, sera élu député en 1824, l'autre, Auguste, sénateur sous le second Empire. L'entreprise est aujourd'hui dirigée par Kilian Hennessy.

Ce sont les Hennessy qui, les premiers, en 1860, décideront d'exporter tous leurs cognacs en bouteilles et non plus en barils. L'événement prend à l'époque les allures d'une révolution. C'en est une quant à la garantie d'authenticité et de qualité que le consommateur est en droit d'attendre d'un produit renommé et coûteux qui ne souffre pas la médiocrité.

Il est certain que la mise en bouteilles effectuée chez le négociant-distillateur où l'alcool a vieilli, élevé avec amour et savoir par des maîtres de chai dépositaires d'antiques traditions, assure l'amateur contre toute fraude ultérieure. Au contraire, le baril est à la merci des trafiquants assurés de l'impunité. C'est pourquoi, peu à peu, tous les producteurs suivront l'exemple des Hennessy et enga-

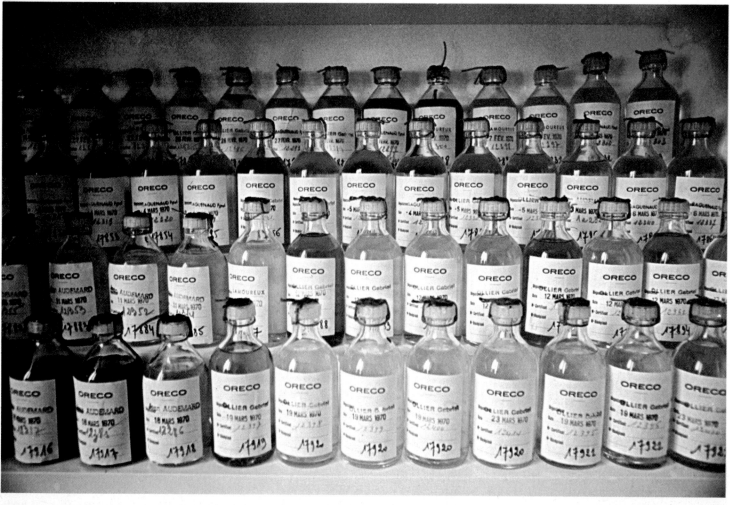

geront ainsi leur totale responsabilité dans le monde entier.

Cette prise de position se révélera particulièrement bénéfique en cette seconde moitié du XIXe siècle, où l'appellation de *cognac* ne s'est pas encore affirmée sur le marché. La mise en bouteilles présente en effet, entre autres avantages, celui de généraliser l'emploi d'étiquettes qui sont autant de cartes d'identité précises quant à la qualité, à l'âge et à l'origine géographique de l'eau-de-vie dont la provenance est ainsi certifiée. Alors seulement le nom d'une paisible sous-préfecture charentaise évoquera dorénavant pour des millions de gastronomes ce plaisir exquis qui couronne un fin repas.

C'est aussi de Grande-Bretagne qu'est originaire une autre des grandes dynasties du cognac : celle des Hine, venue du comté de Dorset en 1763.

Bref, les Britanniques méritaient bien la reconnaissance de la France pour le soin qu'ils prenaient de ce que l'on appelait encore *brandevin*.

Devenu empereur, Napoléon ne pouvait longtemps demeurer indifférent aux mérites d'une eau-de-vie qui avait conquis les fils d'Albion. Aussi l'intendance de la grande armée en fit-elle ample provision afin d'entretenir le tonus des grognards. La légende du *Brandy of Napoleon* — du nom que les Anglais lui donnèrent — ne naquit point pourtant au camp de Boulogne mais, semble-t-il, lors de la malheureuse campagne de Russie, où le cognac ranima les forces des troupiers transis de froid sous les murs de Moscou. Quoi qu'il en soit, jusqu'à un passé récent, il se trouvait encore des amateurs pour affirmer qu'il restait encore ici ou là dans de vénérables caves quelques fûts de cette eau-de-vie arrachés aux glaces de la Berezina... ou pour le moins contemporains de l'épopée napoléonienne.

Le fait est, en revanche, qu'en Charente, un bon siècle avant d'entrer dans l'histoire par la grande porte, l'Entente cordiale était déjà une réalité sans que la reine Victoria, le prince de Galles ou Delcassé y soient pour quelque chose.

Mais le patient travail des maîtres de chai allait bientôt être menacé par un terrible fléau : le phylloxera.

La catastrophe survint dans les années 1880. Le vignoble charentais fut entièrement détruit par ce minuscule insecte venu d'Amérique. Il fallut toute l'obstination des viticulteurs et des négociants charentais pour sauver leur précieux patrimoine. Une mission d'études fut envoyée dès 1887 aux Etats-Unis d'où elle rapporta des plants hybrides grâce auxquels l'aire de production put être patiemment reconstituée.

Le 1er janvier 1909, un décret consacrait l'existence légale de l'appellation protégeant le cognac : il était temps, car sa célébrité avait suscité de par le monde bien des imitateurs fascinés par la magie du nom. On avait vu fleurir sur les cinq continents d'étranges étiquettes, chefs-d'œuvre de faussaires férus de phonétique dont les artifices typographiques suffisaient à convaincre des millions d'honnêtes gens en quête de dépaysement.

Il en est ainsi chaque fois qu'un produit caractéristique d'un terroir ou d'un tour de main acquiert une notoriété internationale. Le champagne, le whisky et bon nombre de vins renommés n'ont pas échappé à ces falsifications malgré la vigilance des organismes chargés de combattre toute contrefaçon. Cependant, l'harmonisation des législations nationales vers laquelle tendent les efforts des pays de la Communauté économique européenne permet de réprimer plus efficacement une concurrence aussi déloyale pour le détenteur de l'appellation que pour le consommateur, victime le plus souvent ignorante d'un véritable abus de confiance.

Le cognac est vite devenu très vulnérable à de telles pratiques pour deux raisons principales qui se sont en quelque sorte additionnées : lorsque le phylloxera a détruit le vignoble charentais, les stocks disponibles ont été épuisés bien avant qu'il ait pu être reconstitué. Dès lors, la demande extérieure — 80% de la production — ne pouvant plus être normalement satisfaite, on imagine aisément que des importateurs peu scrupuleux n'aient pas hésité à fabriquer des ersatz en fondant sur la réputation de l'eau-de-vie française la certitude de confortables bénéfices au moindre prix.

La Première Guerre mondiale allait prolonger un marasme aggravé, sitôt la paix revenue, par l'instauration de la prohibition aux Etats-Unis et dans deux pays scandinaves.

Aujourd'hui, fort heureusement, la situation est complètement rétablie et le cognac a retrouvé, depuis longtemps déjà, sa place dans le monde. Les Anglais sont toujours les premiers clients de la France — avec plus d'un million de caisses par an, les Etats-Unis venant ensuite avec 500 000. Dans ces deux pays, la consommation ne cesse d'augmenter et, contrairement à ce que l'on pouvait croire, il se vend quatre fois plus de cognac outre-Manche que de whisky en France.

En 1946, cet effort aboutit à la création du Bureau national interprofessionnel du cognac, dans lequel l'Etat est représenté par un contrôleur affecté à la vérification de la comptabilité, et le gouvernement par un ingénieur général de l'agriculture et un commissaire délégué du ministère de tutelle. Le caractère officiel de cet organisme est encore affirmé par la présence à sa tête d'un fonctionnaire de l'administration des Finances.

L'étatisation du système est tempérée par une représentation professionnelle forte de 33 membres nommés par le ministre, mais qui sont l'émanation des différentes

corporations intéressées : vignerons, bouilleurs, distillateurs, maîtres et ouvriers de chai, négociants, courtiers, etc.
Tel quel le BNIC exerce d'importantes responsabilités à tous les niveaux de la profession, dont il harmonise les activités complémentaires dans l'unique souci de défendre l'appellation et de la rendre toujours plus compétitive. Le développement rapide des techniques de traitement statistique est appliqué à des études de marchés approfondies, assorties d'une recherche permanente de l'information. Le même souci anime les œnologues de la station viticole fondée au lendemain de la destruction du vignoble par le phylloxera. Ils sont en quelque sorte les médecins du vignoble charentais. Enfin, le Bureau joue un rôle moteur dans l'expansion du commerce extérieur du cognac, qui connaît une prospérité telle que les exportations dépassent désormais fréquemment 90%. C'est une remarquable

performance face à l'extraordinaire développement de la consommation du whisky sur tous les marchés du monde.

La recette de Talleyrand

Pour l'amateur, la dégustation est un rite au déroulement immuable. A la différence du whisky, le cognac est intimement lié à la gastronomie car, en facilitant une heureuse digestion, il joint l'utile à l'agréable. L'habitude du *long drink*, cher aux Anglo-Saxons, a gagné l'Europe, mais pour le connaisseur, il ne saurait être question d'allonger d'eau un authentique alcool de vin. Au reste, l'odorat tient ici une place aussi importante sinon davantage que le palais. Il suffit pour s'en convaincre d'observer la forme d'un verre de cognac : il a d'abord été créé pour le nez. Talleyrand, orfèvre en la matière, conseillait : « Prenez votre verre dans le creux de la main, réchauffez-le, puis imprimez-

lui au bout de quatre à cinq minutes un léger mouvement circulaire ; enfin penchez-vous vers lui et humez la précieuse eau-de-vie.
— Et ensuite, Monseigneur ? demanda quelqu'un.
— Ensuite ? Quand on a sacrifié à tous ces rites, on pose son verre et... on en parle. »

Au cœur du pays de d'Artagnan

Pour être moins connu hors des frontières de la France que le cognac, l'armagnac n'en mérite pas moins la piété vigilante et passionnée que lui vouent les plus fameux gastronomes contemporains.
Il semble bien que l'on ait distillé les vins du pays dès le XIVe siècle, pour satisfaire à la demande des médecins de l'époque qui usaient de l'*aygue ardente* comme d'une panacée.

La couleur viendra plus tard, lorsque l'alcool aura lentement vieilli en fûts.

Un jour vint où quelqu'un — praticien ou patient, nul ne le saura jamais — s'avisa que cette eau-là, outre ses vertus toniques et cautérisantes, valait bien d'être bue pour le seul plaisir qu'elle dispensait. L'expérience eut assez de retentissement dans tout le pays pour susciter le développement d'un négoce particulièrement actif dès le XVIIᵉ siècle. Alors déjà l'armagnac quittait sa région d'origine pour la côte atlantique.

Mais le terrain ne suffit point et la volonté de l'homme entre pour une bonne part dans l'aventure qu'est toujours la naissance d'un produit : celle-ci, comme bien d'autres, est intimement liée à une culture et à une civilisation originales. Ainsi y a-t-il à la fois une géographie et une ethnographie de l'Armagnac.

Le peuplement du pays résulte de la lente fusion à force de rencontres tantôt guerrières, tantôt amicales de races bien différentes puisque, outre l'inévitable colonisation romaine, s'établirent ici les Gaulois, bien sûr, mais aussi les Wisigoths et les Basques — aujourd'hui installés plus à l'ouest en bordure de l'océan, de part et d'autre de la Bidassoa, frontière naturelle entre la France et l'Espagne.

Une certaine rudesse austère de paysage s'accorde bien à ces notations ethnologiques. Les Pyrénées proches rendent les hivers rigoureux et les étés brûlants. On est loin de la mer et les courants océaniques n'abordent les terres d'Armagnac qu'après s'être asséchés sur l'immense pinède landaise incendiée de soleil, exhalant l'entêtante odeur de ses résines. Tandis que le haut Armagnac s'arc-boute sur un sol calcaire veiné d'argile, la Tenarèze, qui donna son nom à l'antique route conduisant d'Aquitaine en Espagne, s'appuie sur un plateau argileux. Plus favorisé encore est le bas Armagnac, aussi appelé Armagnac Noir : il bénéficie d'une assise calcaire tapissée de sable siliceux que recouvre un épais tissu forestier entaillé de vallées verdoyantes.

Voilà pour le visage d'un pays au caractère affirmé. C'est cette virilité ancestrale qui fait véritablement l'eau-de-vie. L'homme, lui, va la façonner à son image.

A la différence du cognac, l'alambic assure une distillation continue sans *repasse*. Les vapeurs d'alcool barboteront dans le vin d'où elles sont issues, dans deux ou trois chaudières superposées.

Les terres à vigne portent une grande variété de cépages où l'on retrouve ceux de Charente — *folle blanche, saint-émilion, colombard* — mais d'autres encore, parmi lesquels le *jurançon*, homonyme de ce cru dont quelques gouttes servirent, avec une gousse d'ail, au baptême du futur Henri IV.

On ne s'étonne point dès lors que le défenseur le plus illustre de ce terroir où abondent les coïncidences historiques, le marquis de Montesquiou, duc de Fezensac, soit le descendant du maréchal d'Artagnan dont le nom entra en littérature porté par un mousquetaire fameux, par ailleurs inspiré à Alexandre Dumas par la bouillante figure de Charles de Batz, autre gentilhomme du cru qui vivait jadis au château de Castelmore.

Mais la légende des *Trois Mousquetaires* est moins importante, on s'en doutait, que l'art des vignerons et des bouilleurs. Car chacune des trois régions autorisées à se prévaloir sans conteste de l'appellation imprègne de sa personnalité propre les eaux-de-vie qui en sont issues : la plus raffinée est celle du bas Armagnac ; viennent ensuite celle de la Tenarèze, reconnaissable à son parfum prononcé de violette, puis celle du haut Armagnac. Ces dénominations — hormis la première

— ne sont guère employées commercialement. On leur préfère le plus souvent une classification empruntée à la terminologie du négoce du cognac mais qui en diffère quant à la durée de séjour en fûts : cinq ans pour un *trois étoiles* ; dix pour un *VSOP* ; vingt pour un *extra*. Comme toujours, le vieillissement exige le respect de règles impératives. Seul le chêne du pays est apte à favoriser la maturation de l'eau-de-vie. Son bois obligatoirement débité à la hache aura séché une demi-douzaine d'années avant d'être employé. Distillé dans un alambic exclusivement chauffé sur un feu de bûches d'aulne et de chêne, l'armagnac pourra passer jusqu'à cinquante ans dans un chai où il aura subi généralement moins de coupes qu'un cognac. Mais ce demi-siècle de tonneau est une limite qu'on ne saurait dépasser sans risquer de tout perdre. Aux dires des experts, l'armagnac centenaire est une légende. Mis en bouteilles à la moitié de cet âge, il est divin !

Telle est l'histoire de cette eau-de-vie chère au cœur des Gascons dont elle a tout à la fois la finesse et la franchise.

Grandeur et servitude de la distillation

Alfred de Vigny vint souvent en Charente et il écrivit nombre de ses plus fameux poèmes — *la Mort du Loup* notamment — en son manoir du Maine-Giraud, non loin de la petite ville de Champagne-de-Blanzac, classée parmi les communes productrices de *fins bois*.

Après avoir longtemps considéré que la distillation de son eau-de-vie lui coûtait plus cher qu'elle ne lui rapportait, l'auteur de *Servitude et Grandeur militaires* s'avéra un viticulteur et un négociant avisé. Ainsi veillait-il, où qu'il fût au moment de la chauffe, à ce que son régisseur, Philippe Soulet, s'en tînt au prix qu'il ne laissait à personne d'autre le soin de fixer. Lorsque les cours baissaient, il tenait bon et donnait l'ordre que l'on gardât le cognac en attendant que les affaires reprennent.

Convaincu, à juste titre, de l'excellence de sa production — qu'il vendait habituellement à la maison Hennessy — Vigny redoutait par-dessus tout les rôdeurs toujours à l'affût d'un mauvais coup. Il exigeait que nul ne pût pénétrer dans ses chais, une fois les tonneaux remplis, et multipliait les conseils de prudence dans les lettres qu'il adressait très régulièrement à son régisseur pour s'informer des tractations dont celui-ci était chargé. Le châtelain du Maine-Giraud préférait chauffer son alambic au bois qu'à la tourbe, combustible moins cher, dont usaient alors la plupart des viticulteurs charentais.

Les magiciens de Jerez

Ou peut avancer sans grand risque d'erreur que les Espagnols pratiquèrent très tôt la distillation. Ils furent même très probablement les premiers Européens à réduire le vin pour fabriquer de l'eau-de-vie. En effet, les Arabes occupèrent totalement ou partiellement le pays du VIIIe au XVe siècle et l'imprégnèrent profondément dans tous les domaines. Une civilisation brillante, caractérisée par une culture sans doute plus avancée que celle de l'Occident médiéval, s'épanouit d'autant plus aisément que la reconquête entreprise par les princes chrétiens dura quelque huit cents ans ! De surcroît la négociation diplomatique l'emporta souvent sur la violence dans les rapports entre l'islam et la chrétienté et, à la fin du XIe siècle, Alphonse IV n'hésita point à se proclamer *emperador de las dos religiones.*

C'est dans ce contexte historique que la distillation apparaît, découverte par les alchimistes et les médecins arabes qui useront les premiers de l'alcool à des fins thérapeutiques. Les chrétiens, dont la foi s'accommode mieux que le Coran du vin et de l'eau-de-vie, trouveront dans le *jerez* l'intarissable source des plaisirs gastronomiques refusés aux fidèles de Mahomet et aux Espagnols convertis à l'islam. Ainsi, de quelque façon qu'on évoque la vigne, on n'échappe jamais à ce nom magique de *jerez*, sésame de toutes les béatitudes ibériques. Vin unique, celui-ci enfante une eau-de-vie rare que les connaisseurs ne craignent pas de comparer au cognac pour la finesse et à l'armagnac pour le bouquet.

Lorsque les Arabes auront quitté la péninsule pour regagner le Maghreb sans espoir de retour, les privilèges de la table l'emporteront sur les vertus de la médecine. Les jésuites concourront à cette conversion, et des documents précieusement conservés dans une de leurs maisons espagnoles établissent l'existence d'une grande distillerie à Jerez de la Frontera en 1580. D'autres ont été créées depuis, qui assurent toujours aujourd'hui à l'eau-de-vie de cette région sa première place sur un marché national pratiquement fermé de ce fait à l'importation du cognac. Les méthodes employées par les distillateurs charentais ne furent pas pour autant ignorées des bouilleurs de Jerez. C'est ainsi qu'à la fin du siècle dernier, ils envoyèrent à Cognac une mission réunissant quelques-uns de leurs meilleurs experts. Les enseignements qu'ils tirèrent de ce voyage allaient les conduire à mettre au point une technique combinant le système de la *solera* — emprunté à la vinification du *jerez* — et l'élimination des *têtes* et des *queues* qui est la règle fondamentale de la distillation du cognac, où seul le *cœur* (c'est-à-dire l'alcool le plus fin) est conservé.

L'eau-de-vie voyage donc de tonneau en tonneau au cours de la *solera*, entrant ainsi en contact avec des fûts de plus en plus « culottés », dont toutes les fibres sont saturées de tanin jusqu'à composer un suc qui communiquera à l'alcool encore jeune d'étranges mutations.

Antique tradition héritée des vignerons de Jerez : l'addition d'une certaine quantité de sirop de sucre qui adoucira le distillat originel et permettra de ramener progressivement sa teneur en alcool à 44°.

Les alcools plus ordinaires sont également traités selon le procédé de la *solera*, mais on y ajoute de l'eau aussitôt la distillation achevée.

On y incorpore ensuite du caramel pour en accélérer la coloration. En outre, chacune des barriques affectées à la maturation contient un fond de vieille eau-de-vie.

La Manche et la Catalogne comptent parmi les régions de production les plus renommées.

Un privilège en voie d'extinction

A côté des eaux-de-vie d'appellation, produites par des distillateurs professionnels puis mises en fûts, et enfin en bouteilles après des années de vieillissement par des négociants qui les commercialiseront, on dénombre en France quantité de bouilleurs de cru dont la production est limitée à la consommation familiale.

Les professionnels sont moins d'un millier. Les autres, aujourd'hui encore, plus de deux millions et demi, détenteurs d'un privilège qui fut rétabli en 1923, après avoir été suspendu au début de la Grande Guerre.

De quoi s'agit-il ?

De la liberté octroyée à tout propriétaire, fermier ou métayer d'une exploitation agricole, de distiller à sa guise tout ou partie de sa récolte.

De moins d'un million avant le premier conflit mondial, ils se retrouvèrent quelque trois millions neuf ans plus tard...

Depuis, tous les gouvernements ou presque ont tenté avec plus ou moins de bonheur de restreindre l'application d'une loi jugée de nature à encourager l'alcoolisme dont ils entendaient par ailleurs supprimer les méfaits.

Une solution semble bien pourtant avoir été — récemment — trouvée dans l'interdiction désormais faite aux bouilleurs de cru de transmettre à leurs héritiers le privilège par eux détenu. On considère toutefois que, à l'heure actuelle, seuls un peu plus de la moitié des bouilleurs exercent leurs droits. Le problème eut longtemps en France, sous la IIIe et la IVe République, des résonances politiques considérables dans la mesure où il concernait une part importante de l'électorat rural.

Le brandy en Italie

Les Italiens, comme les Français, sont des buveurs de vin, ce qui n'a rien d'étonnant étant donné l'abondance, la diversité et souvent la qualité de leur production vinicole. Mais ils sont également friands de bonnes eaux-de-vie, et ils n'en manquent pas puisque, dans presque tous les vignobles du pays, on distille soit le vin, soit ce qui reste du raisin lorsqu'il a été pressé, c'est-à-dire le marc.

Aussi produit-on en Italie des distillats qui rappellent plus ou moins le cognac, l'armagnac et le marc français.

On pourrait croire, d'après ce qui précède, que les Italiens sont de grands buveurs d'eaux-de-vie. Certes, il n'est guère de familles, chez eux, qui accueillent un ami ou un visiteur étranger sans sortir aussitôt de l'armoire à liqueurs quelques bouteilles de *Vecchia Romagna* ou de *Stock 84*, sans compter les flacons de *grappa*, nom qui, pour un francophone, n'a pas besoin de traduction.

Cependant, il s'en consomme relativement peu dans la péninsule. Pourquoi ? Ce n'est en réalité ni une question d'habitude, ni de physiologie du goût, ni de principe : c'est une affaire de climat, car, sauf dans le nord du pays et quelques régions montagneuses, il fait beaucoup trop chaud sous le soleil méditerranéen pour éprouver le besoin

d'absorber des calories à dose aussi concentrée. En fait, l'eau-de-vie, n'est guère d'usage courant que parmi les populations alpines. D'autre part, le peuple italien est en général assez sobre, entendons par là que sa nourriture quotidienne est à base de pâtes telles que les spaghetti. Lorsqu'il fait usage d'alcool, c'est-à-dire d'un distillat quelconque, il le considère simplement comme un digestif ou un tonique.

Les eaux-de-vie typiquement françaises sont arrivées en Italie avec le général Bonaparte et ses troupes. Elles sont devenues très à la mode dans certains Etats et surtout dans certaines cours italiennes de l'Empire napoléonien. Cognac et armagnac y connurent même un véritable engouement parce que, tout au moins au début, les Français étaient considérés comme les défenseurs de la liberté, d'autant plus que les Etats italiens connaissaient auparavant des régimes politiques qui confinaient à la tyrannie. C'est sans doute pourquoi, dans ces pays, lorsqu'un dégustateur veut faire l'éloge d'une bonne eau-de-vie de vin, il dit : « C'est un *Napoléon* ! » Un producteur français fort adroit n'a pas manqué d'en tirer parti sur le marché de la péninsule en baptisant ainsi l'un de ses alcools. L'importation de produits français eut pour conséquence de stimuler la production locale, et celle-ci fit de très sensibles progrès dans la recherche de

la qualité lorsqu'un Français vint un jour en Italie afin d'y créer une distillerie de cognac, au début du XIXe siècle. Il s'appelait Jean Bouton et était originaire du village de Tonnay-Boutonne, en Charente-Maritime. Après la chute de l'Empire, il alla se fixer définitivement dans les Etats pontificaux et orthographia son nom « Buton », transcription phonétique de Bouton en italien. Le brandy *Vecchia Romagna* est produit encore aujourd'hui dans l'une des distilleries Buton.

Par des procédés semblables à ceux qu'emploient les Charentais, le « cognac » italien est tiré d'un vin provenant de cépages *trebbiano*, *procanico*, *albano* ou encore *biancone*, qui correspondent aux variétés cultivées en France sous le nom de *ugni blanc*, *clairette ronde* et *saint-émilion*. Dans la région du *chianti*, on fabrique aussi un brandy *(Mellini)*, tiré du même genre de vin. D'autres marques, bien sûr, ont fait leur apparition sur le marché italien d'abord, européen ensuite, et se livrent une concurrence acharnée au moyen d'importants budgets publicitaires.

On peut dire finalement que si les alcools de vin italiens n'ont pas la réputation des cognacs et des armagnacs français, il n'en reste pas moins que beaucoup de ces produits sont excellents et qu'ils sont fort honorablement connus, non seulement dans leur propre pays, mais encore à l'étranger, la France exceptée.

Jusqu'au pied des Andes

L'aventure de l'eau-de-vie de vin dut emprunter la route longue et périlleuse des caravelles, car on la retrouve très tôt dans presque tous les pays d'Amérique latine, d'abord importée en des contrées où les populations autochtones s'étaient contentées, jusqu'à l'arrivée des Européens, des ressources locales que leur offraient notamment la pulpe, la moelle, les graines ou les noix de divers végétaux. Avec lui, l'homme blanc apportait les secrets de la culture de la vigne qui trouva vite le climat et les terres qui lui convenaient.

Aujourd'hui donc, le Pérou, l'Argentine, la Bolivie, le Brésil et le Chili notamment font d'excellents vins et, partant, distillent une grande variété d'eaux-de-vie. Le *pisco*, qui doit son nom à la ville péruvienne dont il est originaire, est le plus réputé des alcools sud-américains.

L'introduction de la vigne au Pérou date de l'arrivée des conquistadores au XVIe siècle. Ce sont eux qui implantèrent au sud de Lima, dans la région d'Ica, des cépages de *muscat* dit d'Alexandrie qu'ils avaient apportés d'Espagne. Les missionnaires développèrent ensuite la viticulture au Chili et en Argentine.

Le *pisco* est un brandy assez doux et très parfumé. A la bouteille, les Péruviens préfèrent un récipient de terre cuite typique de cet alcool qui doit être bu jeune.

Jusqu'à ces dernières années, on peut dire que toute la production de l'Amérique du Sud est restée à peu près sans intérêt, qu'il s'agisse de vins ou d'alcools. Ce n'est pas que le continent américain manque de bons terroirs ou de bons cépages. Ces derniers ont d'ailleurs été importés d'Europe, et plus particulièrement des grands vignobles français de Bourgogne ou du Bordelais.

Ainsi, les récoltants américains de raisin ont tout naturellement vinifié leur production en copiant les méthodes françaises, espagnoles ou italiennes. Grâce à des spécialistes venus d'Europe, ils découvrirent que, si leurs vins étaient aussi alcoolisés et aussi plats, c'était principalement en raison de la chaleur du climat, qui provoquait une fermentation accélérée.

On savait, en Europe, depuis longtemps, que, lors d'une trop rapide transformation des sucres en alcool, les esters et tout ce qui donne au vin son goût, son parfum et son bouquet, étaient en quelque sorte brûlés pendant la fermentation, tandis que montait exagérément le degré alcoolique.

La solution du problème se trouve dans l'emploi de méthodes nouvelles, inutiles dans les pays tempérés, et qui consistent à refroidir le moût de raisin afin qu'il fermente lentement. Bien entendu, il fallut concevoir, puis faire fabriquer

tout un matériel spécial, et en particulier des cuves réfrigérantes, qui laissent au moût le temps de développer toutes ses qualités.

Il est évident qu'un alcool sera meilleur s'il a été distillé à partir de vins dont la vinification a été bien menée. C'est pourquoi la production vinicole de l'Amérique du Sud s'améliore d'année en année. Il n'est pas douteux que ses brandies seront des distillats de plus en plus agréables, capables de rivaliser un jour avec certains brandies européens. Mais une constatation s'impose à ce propos : de plus en plus, les pays qui possèdent des terres susceptibles de recevoir des plants de vigne s'y intéressent parce que les vins et les eaux-de-vie de vin connaissent, sauf dans les régions musulmanes, une faveur grandissante. On peut donc tenir pour assuré que les grands pays à climat chaud se contenteront de moins en moins des alcools tirés

Du brandy italien — qui doit beaucoup aux méthodes des distillateurs de cognac ou d'armagnac — au pisco, qui est l'eau-de-vie favorite des Péruviens, on retrouve le même souci de donner à la bouteille sa personnalité originale : classique (à gauche) ou profondément marquée par l'antique tradition folklorique des peuples andins (à droite).

de la canne à sucre ou de fruits tels que les figues ou les bananes. C'est surtout le cas du Brésil, dont la population et la puissance industrielle s'accroissent sans cesse, et qui peut avoir un jour une production colossale.

On assisterait alors sans doute à une redistribution générale de la production mondiale dont la première conséquence serait l'apparition d'une Amérique latine économiquement organisée sur les grands marchés traditionnels de l'eau-de-vie de vin, jusqu'ici solidement tenus par l'Europe.

Marc et grappa

L'eau-de-vie de marc — ou plus simplement le *marc* — est le produit de ce qui reste du raisin, une fois pressé. Certes, ce mot de marc désigne également le résidu des pommes utilisées pour faire du cidre. Mais c'est l'usage qui prévaut, et lorsque l'on demande un verre de marc à un barman, celui-ci ne servira jamais autre chose qu'une eau-de-vie de raisin.

Selon le type d'alambic et la méthode utilisés, cet alcool fait l'objet d'une classification légale, très surveillée et assez complexe. Bien entendu, on en fabrique dans toutes les régions viticoles, et particulièrement en France, en Italie ou en Espagne. Dans ces deux derniers pays, on l'appelle *grappa* ou *grapa*. En France, l'Alsace, le Bugey, la Franche-Comté, l'Auvergne, les Côtes du Rhône et les Coteaux de la Loire bénéficient

d'appellations qui vont à des produits fort estimables. Mais la Bourgogne, avec notamment les célèbres Hospices de Beaune, et la Champagne — où on les nomme *dedaines* — distillent incontestablement les meilleurs marcs.

Il faut y ajouter une spécialité dont s'enorgueillit légitimement la ville d'Arbois, capitale des vins du Jura, où l'on vend un *marc égrappé*. D'une finesse exceptionnelle, il prend en vieillissant un arôme qui rappelle quelque peu celui du muscat desséché. Malheureusement, la production en est fort limitée.

Outre les eaux-de-vie dont la qualité justifie la consécration par une appellation légale, le plus modeste viticulteur aime par tradition à préparer son propre marc. Celui-ci est souvent excellent, quelle qu'en soit l'origine, car certains vieux vignerons-distillateurs possèdent un tour de main ancestral qui assure au produit un goût propre à ravir l'amateur éclairé.

Selon les régions, les procédés employés, les terroirs ou les soins apportés à sa fabrication, le marc peut être dur, sauvage, brutal, fin, parfumé, voire moelleux, s'il a convenablement vieilli.

Ce qui est important, outre la qualité du raisin, c'est que les grappes aient été soigneusement débarrassées de toutes leurs parties ligneuses. Celles-ci ne doivent pas, en effet, être distillées, car si elles ne changent pas sensiblement le goût de l'eau-de-vie, elles donnent de l'alcool de bois, toxique dangereux.

Il est évident que la toxicité varie selon la quantité ingérée, mais ce genre de produit, s'il était consommé pur, pourrait provoquer la cécité, la paralysie, et parfois la mort. Certes, dans une eau-de-vie de marc ou de grappa, même si l'on a laissé les parties ligneuses de la grappe, la quantité d'esprit de bois ne sera jamais très importante. Mais quiconque consommerait régulièrement un

tel alcool s'exposerait à une lente intoxication. C'est pourquoi le véritable amateur s'en méfiera s'il n'est pas sûr de son origine, c'est-à-dire qu'il s'adressera au producteur dont la réputation est sans tache.

A la différence de la vodka ou du gin, l'eau-de-vie issue de la distillation du marc de raisin ne doit pas être consommée trop jeune. Le meilleur conseil que l'on puisse donner est de la laisser vieillir et se bonifier le plus longtemps possible. Quels que soient ses qualités ou ses défauts, le marc est toujours très alcoolisé — de 40° minimum à 49° maximum —, et il conserve dans tous les cas une saveur rustique où le parfum du raisin se mêle à une senteur qui rappelle parfois celle du cuir. Ce bouquet caractéristique est en quelque sorte sublimé avant la distillation par l'entassement systématique du marc, dont la consistance est suffisante pour qu'on le

débite en briques. Il est alors stocké à l'abri de l'air dans des tonneaux ou, mieux encore, dans des cuves à ciel ouvert que l'on obture d'un épais tapis de terre.

On peut se demander si le marc est aussi apprécié qu'autrefois. Il ne le semble pas, et l'on constate même que bien des anthologies modernes consacrées aux vins et aux liqueurs l'oublient totalement ou n'en disent que quelques mots, ce qui est sans conteste injuste, car cette saveur rustique évoquée plus haut et qui constitue l'une des caractéristiques de cet alcool d'origine paysanne ne manque pas de charme.

Ne serait-ce pas, en définitive, une question de mode ? On ne le sert d'ailleurs pas aux femmes, qui ne l'ont jamais apprécié. Et la société élégante de notre époque possède un penchant très net pour des alcools tels que le whisky, le gin ou la vodka. C'est dom-

mage, car le marc devrait garder une place bien à lui dans la gamme des eaux-de-vie et liqueurs offertes après un repas fin.

Il fut un temps où le café, corsé avec une goutte de marc, exhalait un parfum qui ravissait les dégustateurs. On le considérait comme un remarquable digestif. Mais la vogue du café « arrosé » a passé, comme bien d'autres engouements. Sauf exception maintenant, on ne parle plus guère de ce verre de marc que le gastronome des générations précédentes réchauffait doucement dans sa paume et qu'il dégustait sans hâte, à petits coups, après en avoir longuement humé le parfum.

Enfin, pour terminer, il serait très injuste de ne pas citer dans la liste géographique des bons marcs, certains pays qui en produisent aussi d'excellents : ce sont la Yougoslavie, la Grèce, l'Italie, l'Espagne et la Suisse.

Garçon ! un fil de fer...

Dans la péninsule italienne, comme d'ailleurs en Californie, on parle de la *grappa*. En Sardaigne de... *fil di ferro* — fil de fer ! — Cette dénomination, pour le moins curieuse, n'est nullement péjorative et remonte à la dernière guerre. L'histoire vaut la peine d'être contée : elle ne manque pas d'une certaine saveur.

Au début des années quarante, les habitants de Santu Lussurgiu, dans le centre de l'île, apprirent par un avis officiel, affiché à la porte de la mairie, qu'ils devraient remettre aux autorités tous les alambics en leur possession. Or, pour la plupart, ils distillaient plus ou moins légalement la *grappa* destinée à la consommation domestique, comme le font tous les vignerons du monde. Emus par une mesure qui les touchait dans leur amour-propre, les hommes se réunirent aussitôt pour décider d'une attitude

commune. La décision fut vite prise : on n'abandonnerait aux carabiniers — avec leur accord tacite — que quelques vieux alambics hors d'usage... et l'on mettrait les autres en lieu sûr en attendant les prochaines vendanges.

Tout se passa comme prévu. Les gendarmes voulurent bien fermer les yeux et récoltèrent un stock de vieille ferraille et de cuivre dont l'état excluait qu'il pût être récupéré par les arsenaux de Mussolini.

Mais cette victoire acquise par la ruse pouvait être remise en cause par la moindre imprudence, pour peu par exemple que les Allemands, à qui l'île servait de plus en plus de porte-avions à mesure que la guerre se développait en Méditerranée, prennent l'affaire en main. Doués d'imagination et d'humour, les habitants de Santu Lussurgiu mirent au point un code. La forme du serpentin de cuivre qui assure le refroidissement de l'alcool

au cours de la distillation leur en fournit la clé : désormais, pour éviter toute indiscrétion lorsqu'on parlerait de marc, on dirait *fil de fer*...

La guerre finie et le privilège de distiller leur *grappa* rendu aux astucieux vignerons, le mot resta.

Voilà pourquoi, lorsqu'un Sarde commande un verre de marc dans l'un des *caffè* grand-place de Santu Lussurgiu, il réclame toujours aujourd'hui : « *Cameriere, per favore, un fil di ferro !* »

Voilà.

Cette histoire des eaux-de-vie de vin ou de marc, intimement liée à celle de la vigne, constitue l'un des chapitres fondamentaux de l'aventure humaine.

Car avec l'alcool issu du raisin, avant ou après que celui-ci a été vinifié, c'est une civilisation qui naît de l'alambic ; tout un patrimoine culturel qu'aucune révolution industrielle n'est encore parvenue à entamer.

Bien sûr, par-ci, par-là, il se trouve des hommes pour prédire la fin des plaisirs simples que des siècles d'amour et de savoir-faire ont changés en l'exercice tempéré d'un art fait de mille nuances imperceptibles pour le non-initié.

Ce qui importe, c'est moins la célébration d'un rite que les racines profondes et puissantes qui confèrent au culte sa pérennité.

Il ne s'agit point en définitive de défendre un mode de vie en raison de son ancienneté ou par refus du mouvement qui projette l'homme en avant sans qu'il puisse jamais y résister longtemps. Ce qui est en cause, c'est sa conviction justifiée que, où qu'il aille, quoi qu'il lui advienne demain, il est de la terre, et de nulle part ailleurs, tout comme la vigne, dont on a vu ici même la formidable capacité d'adaptation au sol le plus ingrat, face à toutes les agressions que lui inflige depuis des millénaires un milieu biologique qui est aussi le nôtre.

Bien davantage qu'une quête parfois aussi naïve qu'admirable vers une nature chimérique parée de toutes les vertus, la culture d'une liane généreuse demeure le symbole même de ce que la terre peut nous donner, si loin que nous allions encore dans la connaissance.

C'est en cela que l'eau-de-vie conserve, avec le nom que lui donnèrent les alchimistes, le merveilleux pouvoir que les hommes toujours se transmettront : celui d'être, d'aimer et d'espérer.

Quelque chose, en somme, qui ressemble à la définition du bonheur.

Lorsque la vinification est achevée, les ressources du raisin (en haut) ne sont pas encore épuisées. Ainsi servira-t-il à la distillation du marc, une eau-de-vie rustique dont la robustesse s'unira intimement (en bas) au parfum des fruits qu'on y fera macérer.

EAUX-DE-VIE DE CÉRÉALES

Le scotch whisky

Tout commence avec de l'eau

Qui pourrait croire que l'eau, ce liquide défini par les manuels comme incolore, inodore et insipide, constitue, à condition d'être de première qualité, l'élément indispensable à la fabrication d'un bon *scotch whisky* ?

Une anecdote est à ce propos souvent citée : dans un *pub* de Londres, un groupe de consommateurs parle de la meilleure manière de préparer cet alcool typiquement britannique, et chacun donne son avis. C'est alors qu'intervient un Écossais qui, tout en ponctuant chaque phrase d'une bouffée de sa pipe, déclare calmement mais avec toute la force de sa conviction : « Gentlemen, vous compliquez trop les choses. Tout en étant la meilleure des boissons, le vrai whisky se fabrique de la façon la plus simple du monde, avec trois ingrédients : de la bonne eau écossaise, de la bonne tourbe écossaise, de la bonne orge écossaise. Tout ce qu'on en dirait d'autre ne ferait que brouiller les idées. »

Passe encore pour l'orge, ou pour toute autre céréale. Mais l'eau et la tourbe ? La première est « imbuvable », comme chacun sait, et la seconde est sans intérêt, de toute évidence. Malgré tout, cette affirmation péremptoire n'est qu'une simple boutade. En effet, l'eau sert à imbiber l'orge mise à fermer, qui, après séchage dans des fours chauffés à la tourbe, donnera le malt que la distillation transforme en *whisky*.

Cette eau ne peut provenir que des sources du pays des Highlands ou des torrents limpides qui bondissent sur son sol granitique. Elle n'est d'ailleurs utilisée qu'après avoir été filtrée à travers d'épaisses couches de tourbe. Celle-ci agit comme *decanter* qui retire à l'*aqua fontis* jusqu'à ses moindres impuretés. Nous verrons plus loin que ce n'est pas le seul rôle dévolu à ce combustible.

Dans le pays qui a donné naissance au *scotch*, on recommande de le boire *naked*, c'est-à-dire « nu », ou pur. Pour celui qui désire absolument une boisson rafraîchissante (*long drink*), on admet l'addition d'un peu d'eau froide, à condition, bien entendu, qu'elle soit écossaise.

Et pour l'homme qui vit à Hong Kong, Aden ou São Paulo ? Les torrents des Highlands sont trop loin ! C'est alors qu'intervient une petite industrie unique, celles des metteurs en boîtes de la célèbre eau de Glen, qui exporte le précieux liquide vers tous les points du monde.

Mais que tout soit clair à ce propos : bien que l'on représente les Ecossais comme des gens très économes, voire quelque peu âpres au gain, cette activité industrielle et commerciale n'a pas pour but principal de gagner de l'argent. Ce n'est pas une affaire, c'est une manifestation de solidarité, de fraternité de clan, envers de malheureux compatriotes contraints, dans les climats torrides, de « baptiser » leur boisson favorite. Il est d'ailleurs certain que l'*aqua simplex* dont ces derniers disposent éventuellement sur place est impure dans tous les sens du mot.

C'est pour toutes ces raisons que les grandes distilleries des Highlands ne manquent jamais de réserver une place importante, dans leur publicité, à une source particulière.

La tourbe pour l'arôme

Ce combustible, généralement méprisé sur le continent, ne sert pas seulement de decanter aux Ecossais. Ceux-ci l'utilisent principalement pour chauffer, dans les distilleries, les fours servant aux opérations de maltage. Or le fond du four, et c'est peut-être là tout le secret, se trouve constitué d'une sorte de pierre très poreuse qui laisse filtrer assez de fumée provenant de la tourbe pour donner au malt un parfum très particulier.

C'est celui-ci qui transmettra ensuite à l'eau-de-vie cette sorte de fumage, ce petit quelque chose d'indéfinissable, de fin, de délicat et de sauvage à la fois, qui rend le whisky d'Ecosse meilleur que tout. Pourquoi pas ? Car la tourbe est le résultat d'une lente accumulation de végétaux dans des endroits très marécageux, où ses fibres subissent une sorte de carbonisation bactérienne.

On l'extrait des tourbières en la découpant en grosses mottes que, le plus souvent, on entasse au soleil, en prenant soin que l'air puisse y circuler. C'est ainsi qu'elle sèche. Sa nature même, la transformation physico-chimique subie par ses composants en font probablement l'élément de base idéal, indispensable au véritable scotch whisky.

Pour qui n'est pas né dans le Royaume-Uni, le premier contact avec cet alcool peut être assez décevant, surtout pour les Français, habitués au cognac et à l'armagnac. Certains diront : « odeur de pharmacie » ou même : « goût de punaise écrasée ». Ces opinions ne peuvent s'expliquer que par la dégustation d'un produit de qualité très inférieure, ou plus exactement d'une mauvaise imitation. On ne peut d'ailleurs comparer cognac et whisky. Ce sont des alcools bien distincts, destinés à satisfaire le consommateur dans des circonstances différentes. Il est évident qu'un dégustateur ne mettra jamais d'eau, plate ou pétillante, ni de glace dans un vieux cognac ou un vieil armagnac, alors qu'un whisky de bonne qualité peut être bu sec, avec des cubes de glace, ou bien avec de l'eau. Le plaisir n'est pas de même nature, mais il peut, dans chaque cas, être de même qualité.

Les Anglais ajouteront volontiers, en ce qui concerne le scotch, qu'ils ne connaissent pas de meilleure protection contre les rhumatismes, surtout dans les pays humides et brumeux.

L'orge, céréale vulgaire et précieuse

Les naturalistes ont affublé cette céréale d'un nom latin: *Hordeum vulgare*. Sans doute ne pensaient-ils pas qu'elle tiendrait un rôle aussi important dans la fabrication du scotch whisky. En tout cas, cette

L'Ecosse possède deux éléments indispensables à la fabrication d'un bon whisky : de l'eau très pure et de la tourbe d'une qualité exceptionnelle.

plante généreuse pousse un peu partout, de l'équateur à la Norvège, et se plaît fort sur les terres granitiques et humides. C'est sans aucun doute la raison pour laquelle elle s'est fort bien adaptée au pays des Highlands. Ses emplois sont très variés : alimentation du bétail, sous forme de fourrage, et de l'homme, bien que le pain qu'elle donne soit grossier. Elle est utilisée en médecine et en confiserie. Enfin, après maltage, la brasserie en fait une très grande consommation. Les grains d'orge contiennent 60% d'amidon.

Pour toutes ces raisons, l'*hordeum* devait devenir l'un des principaux produits agricoles de l'Ecosse. Celle-ci allait donc en tirer tout naturellement deux boissons bien agréables : la *bière* et le *whisky*, qui ont fait le tour du monde.

Le maltage, une opération de première importance

Sans entrer dans tous les détails d'une fabrication qui est toujours extrêmement méticuleuse, il convient cependant de préciser que le maltage de l'orge constitue l'opération capitale. C'est là qu'intervient l'eau, cette eau écossaise si pure qu'on pourrait la boire en la puisant aux torrents. Et pourtant, on le sait déjà, on la filtre à travers une épaisse couche de tourbe comprimée. On en imbibe ensuite les grains d'orge étendus en couche de 24 à 28 po. dans des chambres spéciales

sur un double fond de tôle percé de trous, où circule de la vapeur. Régulièrement, et surtout délicatement, des spécialistes remuent le tout au moyen de fourches et de râteaux de bois.

Au bout de quelques jours, sous l'effet de l'humidité et de la chaleur, les grains se mettent à germer. Lorsque le germe atteint la longueur voulue, soit environ une fois et demie la longueur de la graine, la première partie du maltage est terminée. A ce moment, l'orge contient encore 40 à 50% d'humidité. C'est du malt vert. Pour le débarrasser des germes et le sécher, on le met alors dans des fours spéciaux (*kilns*) chauffés à la tourbe. La dessiccation se poursuit à une température qui va de 140 à 176°F et, pour employer le terme technique, le malt vert est alors *touraillé*. Il sort de là avec une belle teinte jaune doré et donne à l'analyse 2 à 3% d'eau et 70% d'hydrates de carbone solubles.

Le traitement qu'il a subi depuis le début de l'opération a, en effet, développé des diastases ou enzymes qui ont transformé l'amidon de céréale en maltose, appelé sucre de malt. Ensuite le malt est moulu et broyé, il est à nouveau plongé dans l'eau, à une température constante soigneusement contrôlée, et enfin réduit en pâte dans de grandes cuves où des bras mécaniques le malaxent pendant des heures afin d'en extraire les matières solubles. Les brasseries-malteries où se pré-

pare la bière emploient à peu près la même méthode. Mais, bien entendu, et particulièrement en ce qui concerne la distillation du whisky, chaque maison utilise des procédés qui lui sont propres, des tours de main particuliers issus d'une longue expérience, voire de secrets de fabrication transmis de génération en génération et jalousement gardés.

Le moût de malt et la levure

Les opérations précédentes entraînent la production d'un liquide, le *wort*, qui n'est autre que du moût de malt. On en remplit alors des cuves énormes où l'on ajoute de la levure. Ainsi commence la fermentation qui va transformer en alcool et en gaz carbonique les sucres contenus dans le wort, lequel, une fois celle-ci accomplie, va titrer environ 5° d'alcool. Il devient, au bout de quarante-huit heures, un nouveau produit appelé *wash*, destiné à passer à l'alambic.

Une première distillation le transforme en *low wine*, c'est-à-dire en « bas vin », mais la seconde donne enfin un alcool, déjà presque digne du nom de whisky, et titrant à peu près 58°. On le ramène à 55° par une addition d'eau de source très pure. Pour obtenir environ 3 gallons, il a fallu utiliser près de 80 livres d'orge, qui pousse près de la Deverin, très réputé.

Bien entendu, nous n'en sommes pas encore au scotch whisky prisé des amateurs, aussi ce distillat encore brutal est-il mis à vieillir dans des futailles de chêne dont la contenance peut varier entre 12 et 80 gallons. C'est là qu'il s'affine lentement et prend une teinte analogue à celle du vieux cognac, obtenue d'ailleurs de la même façon. Il arrive toutefois que le distillateur qui ne dispose pas du matériel approprié soit obligé d'ajouter à son alcool une légère dose de caramel afin de le « roussir ».

Le vieillissement, qui s'effectue dans des caves fraîches et obscures, dure des années, au cours desquelles le degré alcoolique va diminuer lentement sous l'effet de l'évaporation. Et c'est la nature finalement qui, avec l'aide du temps, va bonifier le *scotch* jusqu'au moment de sa mise en bouteilles.

Le scotch et le grain

La fabrication du whisky écossais a été abordée jusqu'ici dans ses principes généraux, mais il existe bien des variantes. Au début, le malt, c'est-à-dire l'orge, a été utilisé seul. Toutefois, pour des raisons diverses — insuffisance de la récolte, diminution du prix de revient ou recherche de goûts nouveaux —, les distillateurs ont eu recours à d'autres céréales.

C'est pourquoi tous les fabricants, ou du moins la plupart d'entre eux, ont mis au point des whiskies dits *blended*, c'est-à-dire provenant en général d'un mélange de malt et de maïs. Si la proportion est bien étudiée et s'il y a vraiment entre les deux ce que les Ecossais appellent un mariage, le produit obtenu est également très bon. C'est d'ailleurs le blended qui est le plus exporté, le plus consommé partout.

On dit assez souvent *grain-whisky*, par opposition au *malt-whisky*, dans lequel l'orge est l'unique céréale de base. Car,

bien entendu, il s'en fabrique encore à l'usage des amateurs, qui le dénomment *single*, c'est-à-dire pur, simple dans sa composition. Mais, hors de Grande-Bretagne, il est difficile de s'en procurer.

Naturellement, la qualité, le goût et les prix du blended varient selon la quantité de maïs qu'il contient. Il faut avouer que les distilleries écossaises se sont trouvées, depuis un certain nombre d'années, devant un grave problème. Tout d'abord, le fisc prélève près de 90% de droits sur le prix de l'alcool. En outre, un malt-whisky, un single, exige de dix à quinze ans de fût pour se bonifier. On imagine l'immobilisation de capitaux que nécessite le vieillissement. Et de plus, ce qui est rassurant pour le consommateur, l'opération est si sévèrement contrôlée par les autorités compétentes que la fraude est pratiquement impossible. Elle ne servirait d'ailleurs pas les intérêts du fabricant, qui perdrait très vite sa clientèle en lui livrant un alcool insuffisamment mûri.

Un blended, au contraire, parvient à maturité en cinq ou six ans, parfois moins. D'autre part, le coût de production de ce dernier est beaucoup moins élevé, car le processus de fabrication en partant du maïs est moins long et moins complexe qu'avec l'orge seule. La distillation elle-même est plus rapide.

Ce qu'il faut admirer, c'est l'art patient et méticuleux avec lequel les professionnels écossais ont réussi à fabriquer un produit qui satisfait à la fois au goût et à la demande accrue du public, et qui, dans la majorité des cas, demeure égal à lui-même et fidèle à sa réputation. Ajoutons qu'à un palais d'Européen, le *single* pourrait sembler quelque peu âpre.

L'art du mélange

Après un certain temps de vieillissement se déroule l'opération du *vatting*. Il s'agit du mélange des différents *vats* (barils)

du groupe grain et du groupe malt. On admet, en général, une proportion de 50%, c'est-à-dire moitié grain et moitié malt.

En réalité, dans une technique aussi complexe, aussi délicate, un pourcentage ne signifie rien. La mixtion n'a pas lieu entre des céréales, mais entre les diverses variétés des produits qu'elles ont fournis. Il faudrait alors pouvoir entrer dans le domaine des formules secrètes, élaborées au prix de patientes et parfois coûteuses recherches dans les distilleries des bonnes marques.

Un historien du whisky, R. J. S. Mc Dowall, affirme que la valeur du blended dépend moins de la proportion des composants que de la qualité des singles qui interviennent dans le mélange. A l'instar du dégustateur de cognac, le *blender* de whiskies doit posséder un sens de l'odorat et du goût supérieurement développé.

Aucun pèse-liqueur, aucune éprouvette, aucune analyse, aucune machine, si perfectionnée soit-elle, ne peut rendre, en distillerie, les services que rend un blender doué. On cite d'ailleurs à ce propos un exemple typique : lorsque George Thomson, qui assumait cette importante fonction chez un grand distillateur, dut se rendre en Amérique pour son travail, il ne prit pas l'avion sans faire assurer ... son nez. Et les célèbres *lloyds* de Londres ne trouvèrent pas anormal de le garantir pour un million de dollars !

Le rôle de cet important personnage est de découvrir le meilleur mélange, en mariant deux ou plusieurs whiskies. C'est pourquoi les Ecossais l'appellent le « marieur ». Mais ses facultés olfactives et gustatives ne sont pas seules en cause. Il doit aussi faire preuve de jugement et connaître aussi bien les goûts de la clientèle internationale — qui est extrêmement composite — que ceux de la clientèle nationale. Enfin, il veille sur la réputation de la marque au service de laquelle il se trouve. Le blender écossais, de même que le maître de chai des caves françaises, est un grand seigneur.

La Distillers Co. Ltd.

Il existe en Ecosse plusieurs organisations industrielles et commerciales qui doivent bien grouper au total deux ou trois cents sociétés d'importance diverse. On pourrait penser tout naturellement qu'en conséquence la production est diversifiée au point d'offrir toute la gamme des qualités. En fait, il n'en est rien, car, depuis environ cent ans, 67 entreprises importantes se sont groupées en une sorte de coopérative qui dispose de 42 distilleries de malt et de 5 distilleries de grain. Cet organisme, la Distillers Co. Ltd., dispose d'un capital considérable, et ses actions sont cotées au Stock Exchange.

Il existe également une Scotch Whisky Association dont le siège est à Edimbourg et à laquelle adhèrent 167 petites et moyennes entreprises. La Pat Still Malt Distillers Association of Scotland est le groupement des distillateurs de malt à feu lent, et enfin tout le monde ou à peu près se retrouve au sein de la Worshipful Company of Distillers (l'Honorable Compagnie des Distillateurs), dont le rôle est surtout de former des apprentis de toutes catégories, afin de fournir de bons techniciens aux distilleries.

Pour toutes ces raisons, il y a dans l'industrie écossaise du whisky une certaine uniformité dans la qualité, et, bien entendu, dans la bonne qualité. C'est ce qui a permis à la Grande-Bretagne, grâce aux exportations des blendeds écossais, de faire entrer chaque année dans les caisses de l'Etat l'équivalent de 180 millions de livres sterling en devises étrangères.

Ajoutons que les exportations écossaises ont nettement tendance à augmenter et que, sur la consommation intérieure, le fisc anglais prélève la part du lion. Il

L'orge qui pousse sur la terre écossaise est, certes, la même qui pousse sur toutes les terres du monde. Du moins pour le botaniste. Mais celui-ci, comme tout savant ou tout spécialiste d'une technique, a beaucoup trop tendance à généraliser et à raisonner par analogie. En réalité, l'orge d'Ecosse a pris sur son sol granitique des qualités et même une personnalité qui lui sont propres. Du moins c'est ce qu'affirment les Ecossais. Pour quiconque en douterait, il faut rappeler que, pour tout fruit, toute céréale ou tout plant de vigne, le terroir joue un rôle essentiel.

reste, par bouteille vendue, quelques shillings qui doivent couvrir les frais généraux et constituer les bénéfices de la profession. On comprend mieux, dans ces conditions, pourquoi celle-ci, afin de s'organiser, a dû s'unir fortement et pratiquer l'entraide. La nécessité est la meilleure des inspiratrices.

Les baronets

Si la Distillers Co. Ltd. constitue une puissance industrielle et commerciale énorme du fait qu'elle groupe les plus forts, le *scotch* n'en possède pas moins son aristocratie, sa noblesse, celle-ci d'ailleurs reconnue par lettres patentes. Elle est représentée par les *Big Five*, autrement dit les « Cinq Grands », ou les baronets, dont presque tous ont reçu ce titre. On sait que c'est là un ordre héréditaire de chevalerie créé en 1611 par le roi Jacques Ier. En voici la liste :

Buchanan (*Black & White* et *Buchanan's de Luxe*) ;
Dewar (*White Label* et *Ancestor*) ;
Logan-Mackie (*White Horse* et *Logan's de Luxe*) ;
Haig (*Haig & Haig* et *Dimple Scots*) ;
Walker (*Johnnie Walker* et *Black Label*).
Pour chacun d'eux sont indiquées dans l'ordre la marque standard et la spéciale. Toutes sont connues dans le monde entier et se livrent une concurrence acharnée alors même que parfois leurs propriétaires possèdent des intérêts financiers communs. C'est en 1920 que James Buchanan a été fait baronet du Royaume-Uni, puis lord en 1922 sous le nom de Lord Woolavington of Lavington. John Dewar, baronet en 1907 et lord en 1916 ; Peter Logan, baronet en 1920. Quant aux Haig, leur nom a été rendu particulièrement célèbre par le field-marshall Douglas Haig, qui commanda le corps expéditionnaire britannique en France de 1915 à

133

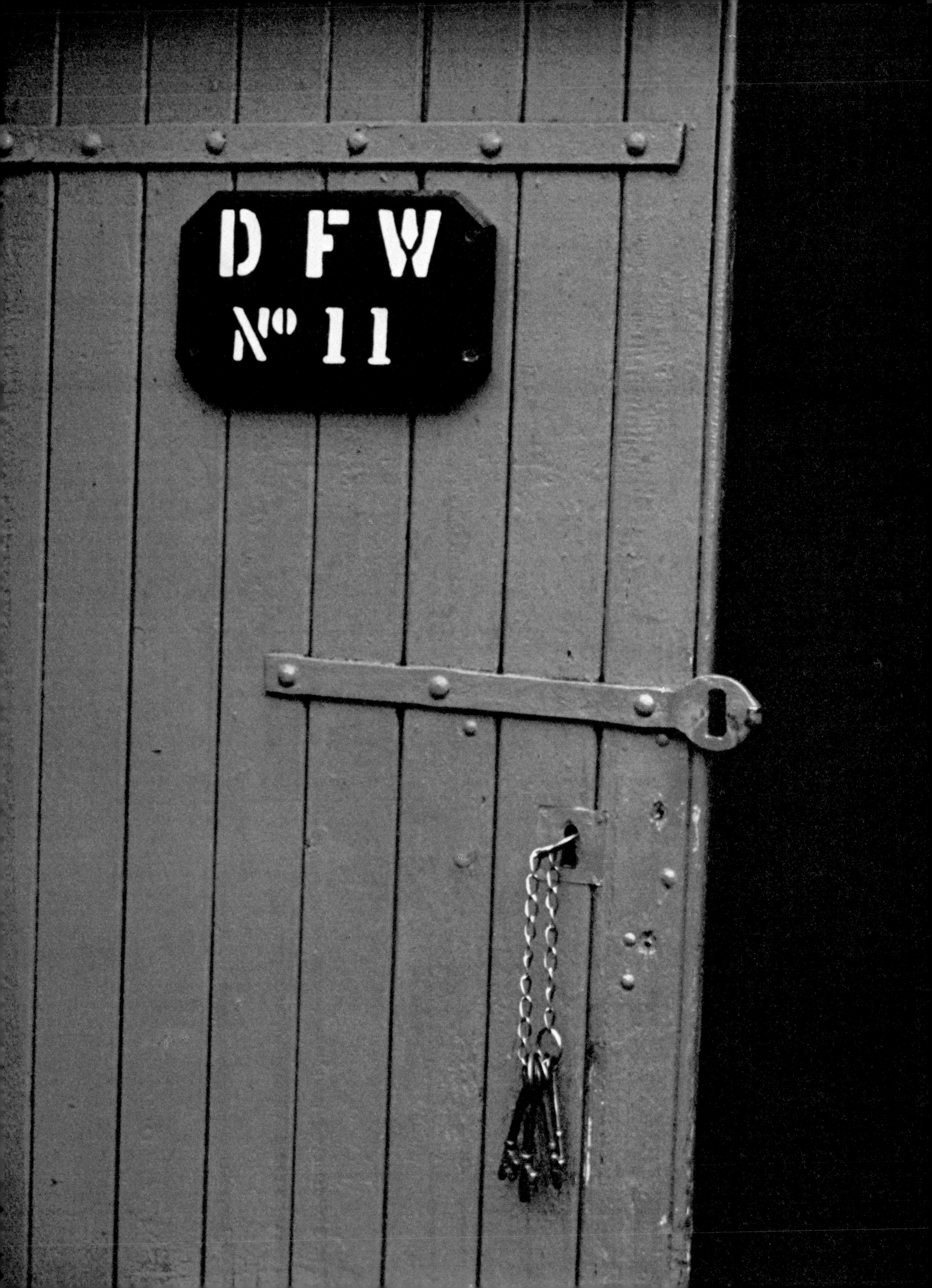
DFW
Nº 11

1918. Ses mérites militaires, joints à sa réussite industrielle, lui valurent le titre de *earl* (comte). Enfin, Alexander Walker devint, après la Seconde Guerre mondiale, Sir Alexander Walker.

Les Buchanan

Si James Buchanan n'est pas le pionnier de la fabrication du whisky (il a commencé en 1884), du moins fut-il sans doute le premier à prévoir le succès international du blended et à mélanger le grain au malt. Né au Canada de parents écossais, il est revenu très vite au pays de ses ancêtres où il a commencé sa carrière comme représentant et agent d'une marque de scotch. A Londres, centre de ses affaires, il connut rapidement le succès, voire la célébrité, grâce à ses talents de vendeur.

On admirait ses redingotes fleuries d'une orchidée à la boutonnière et ses hauts-de-forme rutilants. C'est pour toutes ces raisons qu'il réussit à devenir le fournisseur *by appointment* de la Chambre des communes. Ainsi put-il établir une véritable tête de pont dans cette Angleterre que le whisky n'avait pas encore pu conquérir.

Ayant gagné assez d'argent, il décida de voler de ses propres ailes et il ouvrit même une distillerie, *The Black Swan* (le Cygne noir), à Londres même, en 1898, dans le quartier de Holborn.

Mais les Buchanan méritèrent aussi l'admiration des foules par l'élevage de pur-sang, dont trois gagnèrent le Derby d'Epsom (*Hurry-on*, l'imbattable, et, issus de sa lignée, *Captain Cuttle* et *Coronach*). Présenté à l'origine dans une bouteille noire à étiquette blanche, le *Black & White* est de fabrication traditionnelle. La marque de prestige est le *Buchanan's de Luxe*, qui comporte une forte teneur en malt.

Les Dewar

Ils sont issus d'une modeste famille paysanne d'Aberfedy. Le premier de la dynastie est né en 1808. Il s'agit de John, qui, dit-on, fut le premier Ecossais à mettre en bouteilles du whisky distillé clandestinement. Tommy, son fils, montra un sens assez étonnant, pour l'époque, de la publicité tapageuse. C'est ainsi qu'un jour il pénétra dans le marché des brasseurs à l'Agricultural Hall de Londres, muni d'une cornemuse dont il tirait de bruyants ricanements. Bien entendu, il se fit expulser.

Mais ce qu'il escomptait se produisit : la presse s'empara de l'incident et publia une interview dans laquelle il affirmait qu'aucune musique au monde ne pouvait imiter celle de la cornemuse, de même qu'aucun whisky ne pouvait égaler celui de l'Ecosse. Il fut aussi le premier à en exporter. En 1894, il revint d'une tournée dans 26 pays d'Europe et d'Amérique,

chargé de commandes importantes dont l'une pour la Maison-Blanche.

De même que les Buchanan, les Dewar élevaient des pur-sang pour la course (un de leurs chevaux, le fameux *Cameronian*, gagna magnifiquement le Derby d'Epsom alors qu'il avait trois ans).

Les produits de la marque sont toujours obtenus à partir de malt longuement mûri. L'*Ancestor*, de création relativement récente, est le plus malté.

Les Logan-Mackie

Le premier qui se rendit célèbre dans le monde de la distillation fut James Logan-Mackie. C'est à Glasgow, en 1883, qu'il fonda sa maison. La marque *White Horse* fut créée par son neveu, Peter Mackie. Ce dernier était un personnage assez curieux que, dans son livre *Scotch*, Sir Robert Bruce Lockart représente comme un être caractérisé par le génie, la mégalomanie et l'excentricité. Il écrivit un ouvrage dans lequel il exaltait l'impérialisme britannique.

D'autre part, afin d'« améliorer » sa famille et sa descendance, il inventa une sorte de farine alimentaire appelée BBM, abréviation de *Brain, Bone and Muscle*. Il pensait ainsi développer le cerveau, fortifier les os et développer les muscles de tous les Ecossais.

Ce fut surtout un distillateur remarquable qui sut habilement jouer des mélanges. Le nom de *White Horse* provient d'une antique enseigne pendue à l'entrée d'une auberge d'Edimbourg.

A partir de 1924, la vieille entreprise James Logan & Co. a pris aussi le nom de White Horse Distillers & Co. Sa production de prestige est le *Logan's de Luxe*.

Les Haig

Leur noblesse n'est pas aussi récente qu'on pourrait le croire. Un de leurs ancêtres figurait parmi les chevaliers normands qui, en 1066, prirent part à la bataille de Hastings aux côtés de Guillaume le Conquérant. Originaire de Beaumont, dans la presqu'île du Cotentin, au cap de la Hague (d'où son nom), il s'établit et fit souche à Bemersyde, dans le Berwick, non loin d'Edimbourg. En 1200, on trouve la signature de l'un de ses descendants sur une charte octroyée au bourg de Bemersyde.

D'après un livre de James Lever, *The House of Haig*, les membres de cette famille agrandirent leur fief et participèrent aux croisades, d'où ils ramenèrent leurs armoiries qui portent la croix de saint André.

Quand devinrent-ils distillateurs ? On ne sait. Cependant, on trouve dans la paroisse de Saint Ninan (Stirlingshire), un document qui porte la date du 4 janvier 1655 et qui accuse un certain Robert Haig d'avoir profané le jour du Seigneur en gardant du feu sous l'alambic. Etant

gentilhomme, l'intéressé ne fut pénalisé que d'une simple amende.

La John Haig & Co. Ltd. est née, en 1894, de la fusion avec un autre groupe familial, Haig & Haig Ltd. Elle fait partie de la Distillers Co. Ltd. (DCL) depuis 1923. Elle offre un *Blended Haig* standard, un *Haig & Haig* pour l'exportation. Quant à son produit de prestige, le *De Luxe Dimple Scots*, il porte ce nom à cause de la forme de sa bouteille, caractérisée par des fossettes, ou *dimples*.

Les Walker

Plus d'un siècle et demi s'est écoulé depuis l'année 1820, au cours de laquelle John Walker obtint une licence de *grocer* (droguiste) pour le commerce des épices, des vins et des alcools dans le Royal Burgh de Kilmarnock. Il était né dans une modeste famille de cultivateurs de l'Ayrshire. Son effigie, devenue le symbole de sa firme, demeure caractéristique et même populaire grâce au croquis de Tom Browne, le célèbre peintre, membre de la Royal Academy. Sous l'original, lorsque celui-ci lui fut présenté, John Walker ajouta cette inscription : « Né en 1820, il va encore très vite. »

C'est le slogan qui accompagne la carrière de son whisky Johnnie Walker (Jeannot le Marcheur) dans les 168 pays où il se vend. Et l'on dit même avoir entendu un jour un Canadien francophone demander à un barman : « Donnez-moi un Jeannot qui marche sur des cailloux », traduction littérale de Johnnie Walker on the rocks !

Jusqu'en 1908, la société a porté le nom de Kilmarnock, village où elle a pris naissance. Ses produits, probablement les plus répandus dans le monde, comprennent, outre les deux types dont nous avons déjà parlé, un whisky rare et précieux, le *cardhu*, fabriqué à partir du malt des montagnes des Highlands, dans la distillerie de Knockando, un bourg éloigné du Speyside. Enfin, les nouvelles installations de Barbith sont actuellement équipées pour produire trois millions de bouteilles par semaine.

Les Sanderson

Les Sanderson ont débuté en 1863 mais ne font partie de la DCL que depuis quelques années. On peut les considérer comme le sixième grand du *scotch*.

William Sanderson faisait mûrir son alcool dans des tonneaux de chêne ayant pendant de longues années contenu du vin de Jerez, que les Anglais appellent *sherry*. La méthode, à priori, semble excellente. Mais Sanderson était surtout un passionné des mélanges, et il mit au point une centaine de blendeds différents, chacun d'entre eux étant vieilli dans une futaille numérotée.

Après de patients examens et des séances de dégustation prudentes mais plusieurs

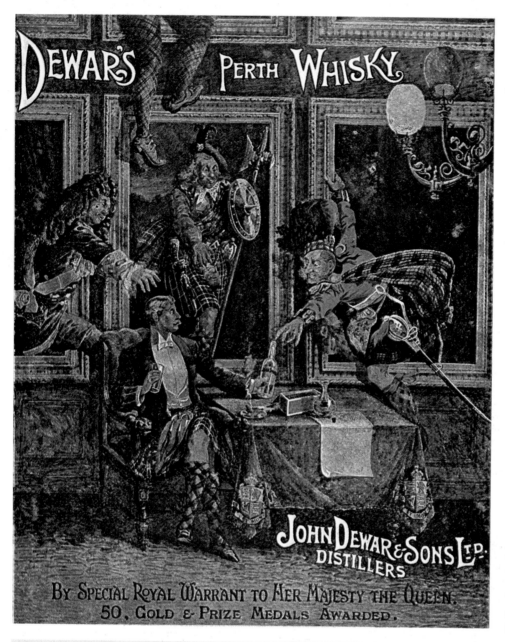

SCOTCH WHISKY

The original White Horse Cellar

fois répétées, les dégustateurs finirent par tomber d'accord — et, chose surprenante, à l'unanimité — sur un mélange contenu dans un baril, un *vat*, portant le numéro 69, d'où la célèbre étiquette *Vat 69*, connue dans une bonne partie du monde, et surtout dans l'Europe du Nord. On dit que c'est le plus « féminin » de tous les whiskies.

Les Indépendants

Ce qu'on appelle en Ecosse les Indépendants sont les distillateurs qui ne sont pas membres de la DCL, c'est-à-dire de la considérable Distillers Co. Ltd. Il existe pourtant parmi eux de grandes sociétés, et en premier lieu la George Ballantine & Son Ltd. (fondée en 1827), qui possède cinq distilleries dans les Highlands et deux à Dumbarton. Elle produit un alcool standard mais aussi plusieurs séries de whiskies vieillis pendant douze, dix-sept et trente ans, ainsi qu'un *Milton Duff* de pur malt mûri pendant treize ans.

Ils sont très recherchés par les amateurs. La distillerie de Dumbarton se distingue par une particularité traditionnelle : son « corps de garde », composé de 70 oies de grande race, qui circulent librement jour et nuit dans les entrepôts. On les appelle les gardiennes du Capitole des formules secrètes du *blending*.

Vient ensuite l'International Distillers and Vintners, qui réunit quatre producteurs. Sa marque la plus connue est la *Justerini & Brooks*. Le fondateur de celle-ci est un distillateur italien de Bologne, Giacomo Giusterini, qui vint se fixer à Saint Patrick en 1749 par amour pour une cantatrice anglaise. Puis il s'associa à Mr. Brooks, riche commerçant londonien spécialisé dans les vins et liqueurs. Il faut citer aussi W. & A. Gilbey, Gilbey Tursa et United Vintners. La Berry & Rudd est la maison d'un produit fort connu dit *Cutty Sark*. Ce nom a été emprunté à un célèbre *clipper,* voilier qui, au XIXᵉ siècle, acheminait en Angleterre le thé des Indes. Il a laissé son nom dans l'histoire des transports maritimes, nom que l'on pourrait traduire par « la Friponne » ou « la Coquine ».

La Seager Evans, elle, a été fondée à Londres en 1805. Sa distillerie de Tormore passe pour un véritable joyau d'architecture. Au début, elle fabriquait du *gin*, mais en 1930 elle est passée au whisky après avoir racheté les installations d'un certain John Mac Donald, surnommé, à cause de sa très haute taille, *Long John*, d'où cette marque très répandue. La Teacher's Ltd. date de 1830 et depuis

En haut : une amusante vignette publicitaire datant de la fin du XIXᵉ siècle.

En bas : la taverne qui a donné son nom au célèbre White Horse.

Page de droite : palette de caisses de whisky prêtes à être expédiées.

136

cette époque est toujours propriété des fondateurs. Elle est surtout connue par son *Highland Cream*. La Seagram, d'origine canadienne, a repris une distillerie d'Aberdeen de grande notoriété, la Chivas Brothers, dont la marque de luxe est le *Chivas Regal*.

Enfin, la famille Mackinnan est, depuis 1892, propriétaire d'une formule très spéciale de liqueur qui, d'après la légende, remonterait à 1745 et proviendrait d'une recette donnée par le prince Charles Edouard. Il s'agit du *Drambuie*, connu partout; originaire de l'île de Skye, il est sucré au miel et aromatisé avec des plantes sauvages selon une composition gardée secrète. On l'utilise aussi parfois pour les desserts, dans la pâtisserie, ou pour arroser les crèmes glacées. Bien entendu, ce n'est pas la seule liqueur fabriquée avec du whisky. Il en existe toute une gamme.

Et maintenant, dégustons !

On peut citer, nommer une marque, un type de whisky, mais on ne les conseille jamais. Pour les amateurs, surtout britanniques, ce serait une sorte d'incorrection. Chacun en préfère un qui correspond à ses goûts, à ses habitudes, voire à son caractère. Proposer à quelqu'un d'abandonner son alcool favori pour un autre équivaudrait à décrier devant un homme la femme qu'il aime en lui conseillant de l'abandonner.

C'est que, à moins d'être frelaté ou mal mélangé, chaque whisky possède des qualités qui lui sont propres. Certains l'aiment *peaty*, c'est-à-dire bien fumé à la tourbe, ou plus léger; d'autres le veulent malté ou le préfèrent au seigle. Enfin, il y a ceux qui le boivent à l'eau, plate ou pétillante, et ceux qui le dégustent pur sur des cubes de glace, *on the rocks*.

Mais ces dernières manières de procéder provoquent le plus souvent, on le sait, la réprobation des Ecossais, et même de très nombreux Anglais. Cette réaction a été très bien observée et utilisée dans un dialogue du film tiré du roman de Jules Verne *le Tour du monde en quatre-vingts jours*. Ce dialogue, d'ailleurs très rapide, est à peu près le suivant :

« Qu'est cela, James ?

— Votre whisky, Monsieur.

— Dans cette espèce de tonneau ?

— Il a été allongé avec de l'eau, Monsieur.

— Suis-je donc une baleine ? Et cette chose qui flotte à la surface ?

— C'est de la glace, Monsieur.

— De la glace ! Suis-je donc un ours blanc ?

— On le boit ainsi en Amérique, si Monsieur le permet.

— Justement pas. Ce sont là des habitudes de peaux-rouges, James, de pures habitudes de peaux-rouges. »

Evidemment, un whisky ne se boit que pur, non pour la soif, mais pour la joie de la dégustation. Si quelqu'un veut à la

fois se livrer à ce plaisir et se désaltérer en même temps, voici comment s'y prendre : on place à côté du verre d'alcool un autre verre rempli d'eau, de soda ou de *ginger ale,* mais en aucun cas on ne fait de mélange, sinon, bien sûr, dans l'estomac ! On boit une gorgée de scotch, puis une gorgée d'eau ou de limonade, et ainsi de suite. Quant au whisky lui-même, il doit se trouver à la température ambiante, et même tiédi dans le verre que le buveur réchauffe dans la paume de sa main. Quant à y mettre de la glace, c'est, dans tous les cas, *strictly forbidden,* c'est-à-dire interdit, moralement !

Il est certain que bien des gens boivent leur scotch chez eux, à leur guise, mais, en Ecosse, mieux vaut, en public, se conformer à l'usage local, sous peine de passer pour un « peau-rouge ». Maltraiter le whisky est considéré comme un manque d'éducation. C'est aussi grave que de pénétrer dans une propriété privée ou, pour un joueur solitaire, de ne pas se laisser doubler par un couple sur le parcours du Royal and Ancient St. Andrews Golf Club.

Certes, il ne faut jamais se montrer exclusif, et s'il est bon d'éviter de choquer les autres, chacun possède le droit, imprescriptible, de prendre son plaisir où il le trouve. Pour la majorité des continentaux, le whisky peut se boire de bien des façons, et, qu'il soit écossais, irlandais, canadien ou américain, il possède l'avantage d'être désaltérant lorsqu'il est allongé d'eau glacée.

Les Français, qui, généralement, mettent leur cognac et leur armagnac au-dessus de tous les alcools du même genre,

admettent aussi volontiers que l'eau-de-vie de grain ou de malt est moins entêtante que les autres. Si par hasard on en a imprudemment abusé on est beaucoup moins sujet à pâtir de ce phénomène très pénible que l'on appelle vulgairement la « gueule de bois ». C'est du moins ce qu'affirment la plupart des consommateurs qui ont eu l'occasion de faire des comparaisons.

Quoi qu'il en soit, et pour toutes sortes de raisons dont la mode, voire le snobisme, les whiskies écossais ont conquis une partie importante du Vieux Continent et même du Nouveau Monde. Si on les apprécie, il importe de savoir que ceux de malt pur, qui deviennent relativement rares dans le commerce, sont appelés *glens*, car ils proviennent de la distillerie de Glenlivet, tout au moins dans leur majorité. Mais il en existe d'autres tout aussi appréciés !

Le plus souvent, ils servent de base aux mélanges, et la finesse, l'arôme de ceux-ci dépend de la qualité des malts. Et si beaucoup d'amateurs restent fidèles au scotch, c'est que la réglementation britannique concernant la fabrication et le vieillissement de ces alcools est extrêmement sévère et la surveillance constante. En cas d'infraction, les amendes sont si lourdes que personne n'oserait en prendre le risque, et, d'autre part, les véritables distillateurs écossais tiennent à leur réputation.

C'est pourquoi le nom de l'un d'eux sur une bouteille constitue la meilleure des garanties. Ajoutons qu'ils en produisent 180 millions par an, ce qui pour le moment satisfait à peu près à la demande.

Et les whiskies des autres pays?

Si l'on parle de « champagne » espagnol, russe, américain ou allemand devant un Français, il s'indignera ou éclatera de rire, selon son caractère ou son humeur du moment. Et si, devant un Ecossais, on évoque les whiskies fabriqués dans d'autres pays que le sien, il exprimera aussitôt son mépris par un sourire sarcastique ou une petite moue de pitié.

Aussi souhaite-t-il que les Américains, les Canadiens et les Irlandais renoncent à décorer du nom de whisky les alcools qu'ils fabriquent et qui ne sont pour lui que de pâles copies de sa boisson favorite. Reconnaissons d'ailleurs que les produits fabriqués en dehors de l'Ecosse portent des noms légèrement différents. Ainsi le *whiskey*, sans autre appellation particulière, est typiquement irlandais. Les habitants de ce pays, nous l'avons déjà vu par ailleurs, donnent à ce mot une origine celtique. Ils n'ont pas tort, et c'est ce qui leur permet d'affirmer que le whiskey remonte à la plus haute antiquité. Il aurait, de très loin, précédé le scotch dans le temps, et serait en quelque sorte l'ancêtre de celui-ci. Mais bien des Irlandais pensent sincèrement que la première distillation de grain, orge, blé, seigle ou avoine, doit être attribuée à saint Patrick (390-461 après J.-C.), qui fut leur premier évêque et demeure leur patron, même des descendants de ceux qui émigrèrent en Amérique, où ils représentent le quart de la population des Etats-Unis.

Ce sont eux qui, dit-on, furent, dans la nouvelle colonie, les continuateurs de saint Patrick, en ce qui concerne tout au moins l'utilisation de l'alambic. Ce qui est certain, c'est que l'alcool de grain n'est pas né d'hier.

L'*irish whiskey*, ainsi d'ailleurs que la plupart des scotchs, est à base de malt d'orge mélangé au maïs et parfois à d'autres céréales dans une sorte de bouillie soigneusement dosée. Mais la ressemblance s'arrête là. Les distillateurs irlandais emploient, pour le reste des opérations, des procédés différents. Quoi qu'il en soit, l'*irish* classique est aussi un blended. Il n'est jamais mis en vente avant cinq ans d'âge, au moins pour l'exportation, et sa qualité demeure absolument constante.

Il faut entendre par là qu'il n'en existe aucun qui soit de second choix. La raison en est simple : presque toutes les marques, les plus importantes, sont groupées au sein de la United Distillers of Ireland Ltd. Or la surveillance est grande, les règles sont strictes et il est impossible, pratiquement, de découvrir sur le marché un alcool indigne du nom de whiskey. Et, pour ne pas mécontenter les Ecossais, n'oublions jamais le « e » avant l'« y » !

Bien entendu, dans la verte Erin, la production totale est très loin d'atteindre le niveau de celle du scotch : 6 millions de bouteilles contre 180 millions. Les marques les plus connues en France sont le *Jameson*, le *Powers*, le *Tullamore* et le *Paddy*.

Le whiskey entre pour un tiers dans une boisson fort appréciée et célèbre un peu partout : c'est l'*irish coffee*, qui se déguste avec du sucre brun ou de la cassonade et du café brûlant. On ajoute au moment de servir une bonne cuillerée de crème fraîche épaisse qu'on évite de mélanger au reste et qui doit flotter en surface. Mais, lorsqu'on parle des boissons de cette grande île pittoresque et accueillante, il faut citer sa bière brune, la *Guinness*, et son *irish mist*, fortifiant et roboratif à base de whiskey, bien sûr, et d'extrait de bruyère. On l'appelle en français « vin de bruyère ». Il est capable de ressusciter un mort ! Les Irlandais l'affirment. Quant aux alcools de grain américains, ils sont loin d'être négligeables et ont aussi leurs amateurs. Dans le nord du Nouveau Continent, il en existe trois familles principales : le *rye*, le *bourbon* et le *canadian*. Le premier provient du seigle, mis en bouillie, auquel on ajoute assez de malt et de levure pour amener la fermentation alcoolique. Pour le second, la base principale est faite de maïs, également mis en bouillie, avec adjonction de malt de blé ou d'orge. Quant au troisième, il est issu de céréales, seigle et maïs, auxquelles on ajoute de l'orge malté et de la levure.

Mais quelles sont les caractéristiques de chacun des trois whiskeys dont il est question ? Le rye est un *blended rye* mélangé d'alcool de seigle et d'alcool neutre ou un *blended straight rye* constitué d'au moins 51% de seigle, le reste provenant d'autres céréales. Il est assez difficile de traduire *straight* en français. Mais on peut dire à propos d'alcool qu'un blended straight rye est un whiskey provenant *strictement* de la distillation de grain, seigle, maïs, orge, blé ou avoine, plus ou moins mélangés, dans des proportions établies par l'expérience et le plus souvent fixées par la loi. Le rye est généralement un alcool assez lourd et quelque peu rude.

Le bourbon est plus apprécié, surtout par les Européens, et certains le préfèrent au scotch. C'est affaire de goût. Il en existe trois variétés, qui sont réglementées de façon très sévère par la loi américaine. On a tout d'abord, disons au sommet, celui qui mérite l'appellation *bottled in bond*. L'expression, qui est à peu près intraduisible, signifie que l'alcool ainsi désigné a vieilli sous surveillance pendant au moins quatre ans, et huit ans au maximum, dans des fûts de chêne brûlés mais neufs, qu'il provient d'une distillerie, d'une région déterminées et qu'il a été élaboré à partir d'une seule bouillie de céréales. Celle-ci est en grande partie composée de maïs. Ce type de whiskey ne se trouve guère qu'aux Etats-Unis. La seconde variété est celle qui est généralement exportée un peu partout : le *straight*. Elle n'est pas soumise à des règles aussi strictes quant à l'origine, la mise en bouteilles et le vieillissement, ce dernier ne dépassant guère deux ans.

La troisième est de qualité nettement inférieure; c'est le *blended bourbon*, mélange dans lequel peut entrer jusqu'à 70 ou 80% d'alcool neutre, le reste étant fourni par du straight.

Les bourbons purs, c'est-à-dire ceux qui appartiennent aux première et seconde catégories, ne contiennent, il faut bien le noter, que de l'alcool de grain. Ils sont en général secs, assez moelleux. La fabrication en est toujours très soignée. Les amateurs les boivent comme le scotch. Tous sont mûris en fûts de chêne brûlés à l'intérieur et détruits obligatoirement après chaque cuvée.

De même qu'en Ecosse, l'eau joue un rôle important dans le processus de distillation. Mais, chose curieuse, alors que les Ecossais n'emploient que des eaux douces très pures, les Américains en utilisent qui contiennent des sels calcaires en dissolution. Ceux-ci jouent-ils vraiment un rôle dans l'arôme des whiskeys américains ?

Quoi qu'il en soit, il faut reconnaître que la loi de prohibition, dite aussi loi Volstead, qui fut appliquée aux Etats-Unis de novembre 1920 à décembre 1933 (période de « l'Amérique sèche »), a fini par favoriser l'industrie de l'alcool en l'obligeant à se réformer elle-même. Certes, tout d'abord, la prohibition a provoqué, par la contrebande et la fraude, une véritable explosion de gangstérisme. Mais lorsque la loi fut abrogée, les distillateurs n'oublièrent pas que l'un des principaux arguments avancés par les prohibitionnistes avait été les ravages causés dans la population par l'abus de l'alcool et surtout par la consommation de produits de très basse qualité.

Aussi, la liberté retrouvée, industriels et négociants du whiskey établirent-ils des règles de fabrication, un statut professionnel et un code de déontologie qui empêchèrent le retour aux anciens errements. La loi sanctionna le fait d'autant plus volontiers que le fisc y trouvait des ressources nouvelles. Enfin, tout le monde avait reconnu que pendant toute la période « sèche » il ne s'était jamais vendu autant d'alcool frelaté, véritable poison, cause d'innombrables intoxications se terminant parfois par la cécité ou la mort.

Les temps ont bien changé, et si l'on boit aujourd'hui aux Etats-Unis des *corn whiskeys* plutôt râpeux, dans la tradition du Far West, on déguste aussi des bourbons convenablement mûris qui constituent des spiritueux remarquables. Et ni les uns ni les autres ne sont dangereux, à moins, comme pour tous les alcools, d'en faire un usage abusif. La production

actuelle, qui atteint annuellement environ 110 millions de gallons, est susceptible d'augmenter si les whiskeys américains s'exportent davantage, ainsi qu'il le semble actuellement.

Mais d'où vient ce nom de bourbon, familier à tous les Français qui n'ont pas oublié leur histoire ? Il apparut en Virginie lorsque, afin d'évoquer leur patrie d'origine, des colons français fondèrent un comté auquel ils donnèrent le nom de Bourbon, en l'honneur de Louis XV le Bien-Aimé. Ce comté existe encore dans cette partie de la Virginie qui est devenue par la suite l'Etat du Kentucky, « pays de l'herbe bleue ». Pourtant, contrairement à ce qu'on pourrait croire, ce n'est pas un Français de Virginie qui inventa cet alcool, mais un pasteur baptiste du nom d'Elijah Craig, probablement d'origine écossaise.

Les marques les plus couramment vendues en Europe sont: *Old Forester, Old Grand Dad, Four Roses, Old Taylor, Harper, Old Crow, Jack Daniel's Old Charter.* Le *canadian whisky* est le dernier-né de la famille, mais sa réputation s'est très vite étendue en dehors de son pays. Ceci au point que les exportateurs de scotch, qui jusqu'à ces dernières années se considéraient comme les rois du marché, commencent à éprouver une certaine inquiétude en voyant le *canadian* gagner

lentement mais régulièrement du terrain. En effet, pour les palais européens, qui ne sont pas vraiment habitués depuis longtemps au whisky écossais, il flatte mieux le goût que tous les autres, car il est léger et parfumé.

On le tire d'une bouillie de maïs et de seigle à laquelle on ajoute de l'orge maltée. La proportion de chaque sorte de grain utilisée est fixée strictement, et une loi fédérale interdit l'adjonction à la bouillie de base de tout produit autre que des céréales. Le contrôle s'étend au processus de fabrication depuis le début jusqu'à la mise en bouteilles. La distillation de l'alcool de grain a déjà été décrite, dans ses principes généraux, à propos des fabrications écossaises. Elle est la même au Canada, à quelques variantes près. Il est vrai que ces différences de procédés ont souvent des conséquences importantes, non pas en l'occurrence sur la qualité intrinsèque de l'alcool, mais sur son arôme, son goût. C'est là évidemment qu'interviennent les différents « tours de main » des bons distillateurs.

En outre, les Canadiens utilisent des types d'alambics extrêmement perfectionnés, donc fort complexes, mais avec lesquels il est possible de faire varier, dans les limites autorisées, les taux de concentration, les dosages, les caractéristiques de

chaque produit, afin d'offrir à une clientèle aux goûts divers le whisky correspondant à ses désirs. Mais ce qui, certainement, lui donne ses qualités particulières, c'est l'opération minutieuse de vieillissement à laquelle il est toujours soumis. En premier lieu, le distillat est légèrement dilué afin d'être amené au volume alcoolique optimum, nettement supérieur à celui qui sera le sien lorsqu'il sera mis en bouteilles. Puis il est stocké dans des fûts de chêne portant sa date de fabrication et entreposés dans des locaux à température constante.

Il y passera généralement huit ans sous la surveillance des maîtres de chai et aussi sous celle des agents de l'Etat. Pendant tout ce temps, il va d'une part s'évaporer légèrement en perdant de l'alcool et d'autre part respirer à travers le bois. C'est celui-ci qui finit par le colorer en lui cédant du tanin et un peu de sucre. Alors se produisent de multiples échanges entre l'alcool, le bois et l'air, échanges dont l'ensemble constitue une opération chimique d'une complexité qui semblerait effarante au profane.

C'est ainsi que le temps achève l'œuvre de l'homme en la perfectionnant. La maturation achevée, c'est le moment de procéder aux mélanges, car le canadian whisky est aussi, le plus souvent, un blended.

Des bouteilles et des hommes...

Des bouteilles ? Il en existe de toutes les formes, de toutes les tailles, de toutes les couleurs. Les sveltes brunes côtoient les blondes aux épaules effacées ou bien trapues à la carrure athlétique ! Certaines sont en verre, d'autres en grès, peu importe. Le consommateur a non seulement le droit, mais encore le devoir, de ne pas négliger le contenant au seul profit du contenu. En définitive, du flacon que l'on pose devant soi, on attend aussi qu'il flatte l'œil.

Chaque bouteille a son histoire. Sa forme, son étiquette peuvent être imposées, consacrées par le succès et la tradition. La plus ou moins grande opacité du verre, la silhouette sont des éléments assez importants pour ne pas avoir été laissés au hasard. Imagine-t-on du vieux marc emplir jusqu'au col une bouteille de *whisky*, de *chartreuse* ou de *drambuie* ? Ce serait une véritable hérésie, que le *connoisseur*, comme disent les Anglo-Saxons, ne peut admettre.

Voilà des considérations fortement empreintes de soucis esthétiques. Mais ce sont de semblables préoccupations qui animent le collectionneur, auquel nous conférerons le titre ronflant de *butticulophile*. (Point n'est besoin de chercher dans le Littré l'origine d'un mot qui, avouons-le, n'y figure pas. Ce terme vient du bas latin *butticula*.) Enfin, il est nécessaire et légitime de rattacher à ces préoccupations le souvenir d'un plaisir délicat.

On peut également collectionner les étiquettes (sans parler des cachets de cire). Il en est de rouges, de vertes, ornées de rangées de médailles célébrant les mérites d'un produit reconnus à l'exposition de Riga de 1881. A moins que ce ne soit à Bruxelles en 1922. Pourquoi les marques ne feraient-elles pas leur propre éloge ? L'or et le laurier rehaussent un graphisme vieillot. Enfin, dans l'angle inférieur droit, on déchiffre à grand-peine le sempiternel « Attention ! se méfier des contrefaçons ». Et, dès que la collection s'étoffe, on a la joie de se livrer à la secrète alchimie des échanges. L'essentiel est que, là aussi, le rêve ait sa part, à la droite de l'imagination.

A ceux à qui cette vertu ferait défaut, donnons une idée. Un dallage peut devenir un jeu de dames géant ou un échiquier d'un nouveau genre, si à la fumée des pipes ou des cigares se mêle la senteur du bois résineux que l'on a jeté dans la cheminée... On conviendra que la fiole d'armagnac figurera la tour. Le cognac sera le roi et la gentiane la reine ou le fou. Après le sacramentel « échec et mat », le joueur défait en ce singulier combat cédera sa dernière bouteille. Celle qu'il préfère ou celle qu'on lui a offerte... et qu'il déteste. Il n'est pas besoin de souligner la nécessité impérieuse d'arroser dignement la partie, selon un rituel soigneusement mis au point. Une gorgée stimulera la réflexion, dans l'attente du maître coup qui désorganisera la savante défense de l'adversaire.

Des collections de bouteilles, il en est d'extraordinaires dont la valeur peut atteindre des sommes relativement considérables. Et ce n'est pas tant la beauté du verre ou la pureté du cristal qui leur donne le plus d'intérêt. C'est leur ancienneté ou leur forme originale. Dans la vitrine d'un grand collectionneur, on verra la bouteille faite à la main au XVIe siècle, ou le flacon représentant la Liberté éclairant le monde, voire Napoléon debout sur le rocher de Sainte-Hélène, ou *la Source* d'Ingres. Beaucoup de ces pièces, d'une touchante naïveté, n'en sont que plus admirables parce qu'elles montrent qu'il a existé un art de la *butticula*, qui ne saurait être confondu avec aucun autre.

La vodka

Pour la plupart des Européens, la *vodka* (ou « petite eau ») est surtout russe, à la rigueur polonaise. En fait, elle semble bien être née dans les pays slaves, où le climat, avec ses hivers très rigoureux, lui donne une importance vitale. Riche, avec des saveurs corsées, cet alcool est tout particulièrement adapté à la nourriture dont les hommes ont besoin. Il constitue le complément indispensable du caviar, bien sûr, mais aussi de tous les poissons fumés, salés, conservés en saumure ou à l'huile, tels que harengs, sprats, saumons ou autres, qui composent l'essentiel des hors-d'œuvre à la russe, ou *zakouskis*. Alternés ou mélangés, ils sont d'ailleurs excellents, mais personne ne pourrait les ingérer ni les digérer facilement sans avaler quelques verres de « petite eau » : le premier parce qu'il est nécessaire, le second parce que le premier provoque une sensation de bien-être, et le troisième, comme le dit un proverbe russe, parce qu'un tabouret doit avoir trois pieds. Mais rien n'empêche d'en consommer d'autres !

La diffusion de la vodka en Europe et en Amérique a diverses origines, parmi lesquelles les guerres mondiales, les voyages de plus en plus fréquents, les échanges de toutes sortes et le goût de l'exotisme. Cependant, on a commencé à la connaître après la révolution russe, lorsque certains émigrés ouvrirent des cabarets dans de grandes villes comme Paris, Berlin, Londres ou New York. Ces « cabaretiers » étant parfois des aristocrates, la société élégante se mit à fréquenter assidûment ce que les Parisiens appelèrent dès le début « les boîtes russes », au décor très moscovite.

On pouvait y écouter des chœurs et des orchestres tziganes ou ukrainiens constitués principalement du violon et de la balalaïka.

Les habitués, très vite accueillis comme de vieux amis, soupaient là en bandes joyeuses dans une ambiance qu'il est difficile de décrire et impossible d'imaginer si on ne l'a pas connue. Musiciens, chanteurs, danseurs en costume folklorique s'exprimaient avec un art spontané qui passait de la frénésie à la nostalgie sans aucune transition, et qui empoignait toute l'assemblée.

La vodka seule n'y aurait pas suffi, mais elle incitait les auditeurs à s'imprégner de la beauté des chœurs et surtout des chansons populaires russes, qui sont peut-être les plus émouvantes du monde. C'est dans ces « boîtes » que les émigrés venaient oublier leur misère et retrouver leur patrie perdue.

Au début, grâce à elles, la « petite eau » se fit connaître, puis, petit à petit, prit une place enviable dans le commerce mondial des eaux-de-vie, après le cognac et le whisky, et à égalité avec le gin. Cependant, on ne peut pas dire, à la première épreuve, qu'elle flatte le palais comme un vieil alcool mûri en fût. Cela parce qu'elle est blanche, pratiquement sans odeur, sans goût prononcé et, en apparence, faiblement alcoolisée. C'est du moins l'impression du dégustateur lorsqu'il absorbe, d'un seul geste, rituellement, le contenu de son verre, pur et glacé comme il se doit.

La vodka donne très rarement, sinon sur des muqueuses stomacales fatiguées, une impression de brûlure. Et pourtant, elle titre généralement de 35 à 49 degrés d'alcool. L'amateur véritable n'y ajoute jamais d'eau. Il lui laisse prendre la température convenable de son réfrigérateur, voire de son congélateur. C'est ainsi, d'ailleurs, que se déguste souvent l'*aquavit* dans les pays nordiques. En hiver, s'il fait très froid, on peut aussi mettre sa bouteille de vodka sur son balcon ou sur le rebord de sa fenêtre. A table, le seau à glace est indispensable. Mais d'où lui vient cette popularité grandissante ? Certainement pas de la noblesse de ses origines, ni des parfums qu'elle dégage — puisqu'elle n'en a aucun — ni de saveurs étranges que certains palais trouveraient peu communes. En réalité, son succès tient à sa franchise et à sa simplicité. La vodka est sans détour, pourrait-on dire, sans complication et sans prétention. Son charme est dû à une absence totale de mystère. Elle s'accorde d'ailleurs typiquement — puisqu'elle ne sollicite pas la gourmandise — avec ce besoin profond qu'éprouve l'homme d'ingérer des substances plus ou moins toxiques, selon la dose, et qui développent chez lui des sensations de bien-être. Car si l'alcool est un excitant, c'est aussi un tranquillisant. Le sage est, bien entendu, celui qui sait l'utiliser à bon escient et sans tomber dans l'abus. Avec quoi fabrique-t-on la vodka ? On a cru très longtemps qu'elle provenait de la distillation de la pomme de terre. En fait, il y eut une époque, en Pologne, dans les pays baltes et dans le vaste empire des tsars, où n'importe qui, plus ou moins clandestinement, faisait marcher son alambic avec du grain, certes, mais aussi avec des pommes de terre ou même des restes de pain. Il est fort probable qu'actuellement le brave kolkhozien produise encore en fraude, dans sa petite ferme personnelle, le « tord-boyaux » destiné à la consommation familiale.

Mais l'alcool reste un monopole d'Etat, pour la vente comme pour la distillation, bien entendu. Il est toujours tiré de céréales maltées, plus précisément du meilleur froment d'Ukraine. Le distillat est rectifié et surtout filtré à de nombreuses reprises dans des appareils spéciaux contenant du charbon de bois provenant d'arbres fruitiers, et le plus souvent de pommiers. Tout est réglementé sévèrement et surveillé de même. C'est pourquoi la vodka soviétique (officielle) qui titre 41° est d'une extrême pureté. Elle non plus ne contient pas ces éthers, ces substances aromatiques auxquels les eaux-de-vie de fruits ou de vin doivent leur succulence. En contrepartie, toutefois, elle possède sur celles-ci un certain avantage : celui de ne pas provoquer d'insupportables migraines chez ceux qui ont dépassé la mesure raisonnable.

Un alcool « jeune »

Il existe sans doute plusieurs qualités de vodka, car il se trouve en Union soviétique des bouteilles qui, à égalité de poids, portent des noms différents, et dont les prix varient sensiblement. A Moscou ou ailleurs, il n'est pas question, du moins à ce propos, de litres, de demi-litres, ou de quarts de litre, mais de g (onces). Le conditionnement le plus courant est la bouteille de 500 g (1 livre) et la variété la plus cotée, la *rouskaïa*, dont le prix relativement élevé doit laisser à l'Etat soviétique des bénéfices substantiels, compte tenu d'un coût de fabrication assez modique. Mais on sait aussi que le gouvernement de l'U.R.S.S. cherche plus à décourager qu'à encourager sa consommation. C'est d'ailleurs l'une des raisons pour lesquelles il s'efforce depuis quelques années de développer la culture de la vigne.

En effet, le vin constitue une boisson beaucoup plus hygiénique, à condition d'éviter les excès. Etant donné l'effort accompli à ce propos dans les terres où la viticulture est le plus susceptible de se développer, il faut s'attendre qu'un jour l'Union des républiques soviétiques devienne grosse productrice de vin. Il est probable qu'à ce moment la distillation de celui-ci deviendra importante et que l'on boira également dans ce pays des « cognacs » et des « armagnacs » à la française. Il en existe déjà, mais en très faible quantité.

La vodka rouskaïa, dont il vient d'être question, est le produit le plus soigné, le plus fin de tous. La plus vendue est la *moskovskaïa*, fabriquée à Moscou, comme son nom l'indique. La plus douce, grâce à une légère adjonction de sucre, est la *stolichnaïa*. Certaines sont aromatisées, comme la *zoubrovka*, où l'on a fait macérer une herbe dite « herbe à bison ». Parmi les plus cotées, il faut citer la *baltiskaïa*, originaire des pays baltes. Enfin, la plus alcoolisée est la *krepkaïa*, avec 56°. Dans ce dernier cas, peut-on encore parler de « petite eau » ? Quant à la *smirnoff*, qui est la plus célèbre en Occident, elle est depuis fort longtemps devenue britannique. En effet, la marque a été achetée à son propriétaire par la firme Gilbey Twiss.

Ajoutons que la vodka, qu'elle soit anglaise, balte, polonaise, roumaine ou

russe, sert très souvent de base à des cocktails, d'autant mieux que son goût, loin d'effacer celui des autres ingrédients, le renforce. Aussi est-elle, à ce propos, de plus en plus utilisée, bien que la mode des mélanges ait quelque peu perdu de sa vogue.

En Amérique du Nord, et plus particulièrement aux Etats-Unis, cet alcool typiquement slave connaît un regain de faveur. Il dépasserait actuellement le total de 155 millions de bouteilles. En France, il s'en vend 255 000 de diverses origines.

Il ne faut pas s'imaginer que toutes les vodkas se ressemblent. D'abord, il en est de plus pures que d'autres. Ensuite,

de même que pour le whisky ou tout autre distillat provenant de céréales, les petits secrets traditionnels de fabrication apportent au palais du dégustateur des nuances de goût qu'il sait apprécier.

La vodka est toujours un alcool simple. On dit souvent qu'elle est « jeune ». C'est vrai en ce sens qu'il n'est aucunement besoin de la faire vieillir en fûts ou autrement. On peut la boire telle qu'elle sort de l'alambic, à la seule condition de la frapper, car trop chambrée elle perd une grande partie de son mérite. Mais on la dit jeune également parce qu'elle convient aux jeunes gens.

Il est en effet très rare que ceux-ci possèdent un palais capable d'apprécier

les subtilités d'un vieux cognac ou d'un vieil armagnac lentement dégusté. Par sa jeunesse, par son âpreté et son « effet », la vodka plaît aux jeunes Canadiens, dont les aînés connaissent depuis toujours le « whisky en esprit » ou « petit blanc », une eau-de-vie de grain de très haut titrage, qui ne le cède en rien à la vodka, qu'elle vienne de Russie ou d'une distillerie locale. C'est aussi avec une âme neuve que, dit-on, la boit le Russe. C'est un moyen de mieux rire, de mieux chanter, d'aimer mieux, ou de rêver pour oublier, la tête perdue dans les nuages roses, qu'il existe une terre dure et ingrate, où les êtres comme les choses sont soumis aux lois inflexibles de la pesanteur.

DES PLANTES ET DES FRUITS

Pulque, tequila et mezcal

Les alcools mexicains, dont, en Europe, on connaît surtout le nom, sont certainement parmi les plus vieux du monde. C'est aux Mayas qu'on attribue, en effet, l'invention de l'eau-de-vie d'agave. Parmi les légendes transmises par ce peuple de haute civilisation, il y a celle de la découverte de l'*Agave salmiana*, ou maguey, qui a donné lieu à un véritable culte.

A l'origine, le suc de cette plante, appelé *aguamiel* dans le pays, c'est-à-dire « eau-miel », était destiné à être consommé frais, mais quelqu'un dut un jour en boire quelques gorgées dans une jatte oubliée, où le liquide avait commencé à fermenter. L'euphorie due à l'alcool fut attribuée à la visite d'un dieu, au dieu Soleil plus précisément, qui trouvait commode, probablement, de se manifester par l'intermédiaire du maguey. Ainsi, l'aguamiel fermenté fut d'abord une boisson rituelle et propitiatoire et l'agave considéré comme une plante plus ou moins sacrée.

Le maguey, comme toutes les variétés d'agaves, croît dans les régions tropicales arides et semi-arides de l'hémisphère Nord. Il n'est pas facile de s'en approcher, car ses feuilles, lourdes et charnues, étalées en couronne, portent les nombreuses épines caractéristiques des plantes ayant à lutter contre la chaleur. Pas de floraison annuelle qui vienne égayer son apparence austère. Mais, au bout de dix à quinze ans, une hampe florale se dégage, qui s'élève parfois jusqu'à 30 pieds de hauteur, puis fleurit, annonçant par son apparition la mort prochaine du végétal.

Au Mexique, le maguey pousse sur les terres pauvres et peu profondes des hauts plateaux. Les paysans incisent ses feuilles pour recueillir un liquide épais et abondant (environ 1 gal. par jour et par plante) très doux, l'aguamiel, qui donne, par fermentation, une eau-de-vie que les Mexicains appellent *pulque*. Celui-ci, de couleur blanchâtre, est un alcool assez grossier qui se boit jeune. Soumis à une nouvelle fermentation et à diverses rectifications, le pulque donne une eau-de-vie de forte teneur alcoolique, comparable, pour l'aspect, à l'eau pure, et qui porte le nom célèbre de *tequila*. L'aguamiel retiré non des feuilles mais du cœur du maguey fournit une liqueur plus rare et plus précieuse, le *mezcal*.

Ce sont les agaves de l'Etat de Jalisco, des régions d'Oaxaca et de Toluca qui donnent les meilleurs produits, sauf pour la tequila, dont la plus appréciée se fabrique, bien sûr, dans le district de Tequila. Pour les connaisseurs, cette dernière doit se boire selon un rituel précis qui a pour but de prolonger le plaisir et de le rendre plus complexe. Le verre de tequila, au Mexique, est toujours accompagné d'un petit pot plein de jus de citron (ou d'une rondelle de ce fruit), à moins que ce ne soit de jus de tomate fortement poivré.

La salière est également indispensable, c'est même par elle que commence le rite. Première opération : on prend une pincée de sel et on la dépose dans le petit creux formé par la réunion du pouce et de l'index de la main gauche. Deuxième opération : on lèche le sel avec la pointe de la langue et on le savoure lentement. Troisième opération : on prend dans la bouche quelques gouttes de jus de citron (s'il s'agit de jus de tomate, on mord ensuite un morceau de la tranche de citron). Opération finale : on boit enfin le petit verre de tequila, que le palais, stimulé par le sel et purifié par le citron, est prêt à apprécier à sa juste valeur.

Le calvados

Dans la patrie du *camembert*, du *livarot* et du *pont-l'évêque*, sur les côtes où s'étalent les belles plages de Deauville, de Trouville et de Houlgate, s'échoua en 1588 un bâtiment de l'Invincible Armada. Cet accident dut frapper les esprits de

L'incision des feuilles permet de recueillir l'aguamiel, qui, par fermentation, donnera la tequila. Mais c'est seulement avec la pulpe retirée du cœur de l'agave qu'on fabrique le mezcal.
Page de droite en bas : tronçons de plantes prêts à être transportés à la distillerie.

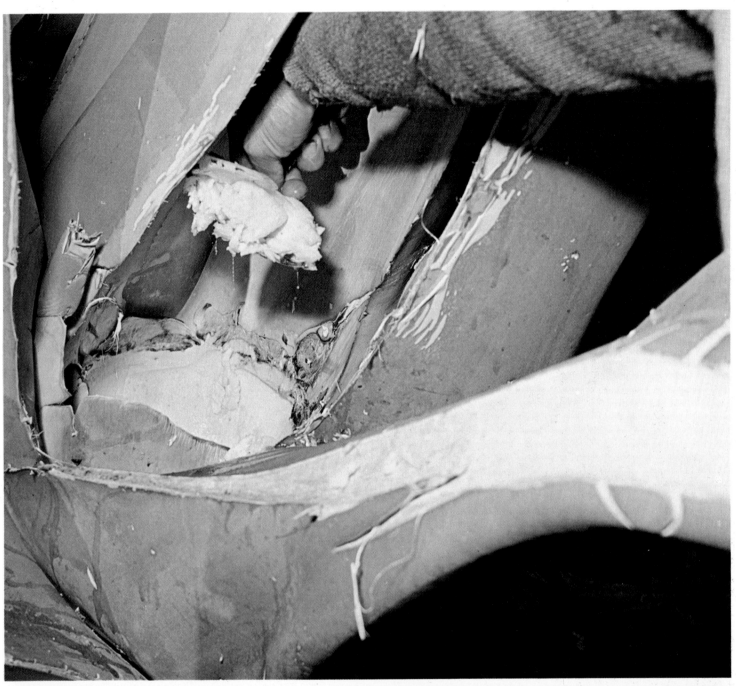

quelque manière, car le nom du vaisseau, le *Calvador*, fut donné aux rochers de l'endroit et, plus tard, après la Révolution, à un département. Vers le début du XIXᵉ siècle, on appela *calvados* l'eau-de-vie de cidre que l'on fabriquait depuis toujours dans la région.

De nombreuses variétés de pommes de Normandie et de Bretagne, qui ne sont pas de bons fruits de table, conviennent parfaitement à la préparation du cidre, qui ne doit pas avoir moins de 4° pour mériter d'être distillé en *calvados*. Lorsque le distillat a été jugé bon par une commission régionale, il est mis à vieillir dans des fûts de chêne où il prend sa couleur dorée et son admirable bouquet. Les meilleurs *calva* proviennent de la vallée d'Auge, et ceux qu'on peut boire dans les caves normandes sont nettement supérieurs à ceux qu'on trouve dans le commerce.

L'anis

Nom générique de diverses plantes aromatiques servant à parfumer de très nombreuses liqueurs qui n'ont parfois aucun lien de parenté entre elles. Leur utilisation en pharmacie remonte à très loin puisque c'est en 1263, sous le règne de Saint Louis, que fut créé en France, par édit royal, l'« Ordre des anysetiers du Roy ». Avec une belle équité, Dumas attribue aux Hollandais la paternité de la pre-

mière liqueur parfumée avec les fruits d'un anis, l'anis âcre, plus connu sous le nom de cumin. C'est en 1575, en effet, que Erven Lucas Bols aurait fabriqué pour la première fois ce *kummel* qui devait plus tard séduire les Russes (et pas seulement pour sa robe de sucre cristallisé !).

En France, on parle d'*anisette*, dont la plus célèbre est la *marie-brizard*; en Italie d'*anicione* ou de *sassolino* à Modène, de *sambuca* dans le Latium, de *mistrà* à Soresina et d'*anesone triduo* à Orzinuovi ; en Espagne, simplement d'*anis* ; en Grèce, d'*ouzo* et de *mastika*, cette dernière contenant, en outre, de la sève de lentisque. Les touristes abordant au Pirée achètent souvent un mélange baptisé *ouzo* et fabriqué « à la maison », qui ne vaut même pas son prix de fabrication. Mais on en trouve d'excellent dans les bons magasins. On doit ranger dans ce chapitre l'*absinthe*, bien que la proportion d'anis entrant dans sa composition soit moins forte que celle de la plante (*Artemisia absinthium*) qui lui a donné son nom. Cette liqueur vert clair est relativement récente, puisque c'est vers la fin du XVIIIᵉ siècle qu'un médecin, le docteur Ordinaire, en découvrit la formule. Bien vite elle se répandit à travers toute l'Europe et fut particulièrement à la mode parmi le peuple à cause de son bas prix. C'était aussi la boisson préférée des peintres et des poètes « maudits », et sans doute est-elle

pour quelque chose dans la folie de Van Gogh et les dérèglements de Rimbaud. Le mal en est imputable autant à l'absinthe elle-même qu'à l'abus qu'on en faisait. Mais, on l'oublie trop, si la liqueur est effectivement nocive pour les nerfs, la plante possède, elle, des vertus médicinales. Pendant longtemps, elle entra dans la composition de boissons revigorantes. Un « thé d'absinthe » était même recommandé par les médecins comme vermifuge.

Quoi qu'il en soit, l'absinthe fut interdite en France en 1915, et il n'y a plus guère qu'en Espagne qu'on puisse encore en boire. Cependant, on s'était trop bien habitué au petit goût de l'anis. Or le docteur Ordinaire avait confié son secret en 1797 à un certain Pernod, qui se mit alors à fabriquer une boisson du même type qui est un *anis* ne contenant pas d'absinthe. Le *pernod* devint ainsi la boisson à la mode après la Première Guerre mondiale. Enfin, pendant les années trente apparut sur le marché une boisson typiquement marseillaise, le *pastis*, qui, lui non plus, ne contient pas d'absinthe. Il se différencie de l'anis par son mode de fabrication (on l'obtient par macération, et non par distillation) et sa composition, dans laquelle entre toujours de la réglisse. Le pastis, qui fut pendant longtemps l'apéritif traditionnel des seuls Méridionaux, est consommé de plus en plus dans toute la France.

Liqueurs de fruits

La vaste famille des liqueurs de fruits conserva une suprématie incontestée jusqu'à ce que se généralise la mode des boissons « sèches ». Agréables et savoureuses, les liqueurs restent les préférées des femmes et de tous ceux qui, en général, s'habituent mal au *whisky*, au *cognac* et au *rhum*. On ne les boit jamais pour la soif ou pour se « remonter le moral », mais uniquement pour le plaisir de sentir naître sur sa langue un parfum délicat et précis et couler dans ses veines une douce chaleur. Mais il faut se garder d'abuser de ces boissons, surtout lorsqu'elles sont très liquoreuses, car l'organisme les tolère beaucoup moins bien que les boissons sèches.

Agrumes

On extrait des oranges diverses liqueurs qui sont souvent délicieuses. L'une des plus anciennes et des plus célèbres est le *curaçao*, qu'on produisait dans l'île du même nom, au large du Venezuela (Antilles néerlandaises), avec l'écorce du *Citrus curassaviensis* prélevée sur le fruit encore vert. Il apparut en Hollande, pour la première fois, au début du XVIIIᵉ siècle. Il en existe de trois couleurs différentes : blanc, jaune et vert, le blanc étant le plus alcoolisé. Parmi les *curaçao* jaunes, le *dubb orange* est certainement le plus célèbre.

En France, Marnier-Lapostolle fabrique le *grand-marnier*, dont il existe deux types : le *cordon rouge,* qui est le plus alcoolisé, et le *cordon jaune.* Un peu partout dans le monde, aujourd'hui, on produit du *triple sec, curaçao* blanc mis à la mode en Europe par la maison Cointreau, qui, devant l'abus que l'on faisait de cette appellation, nomma le sien, tout simplement, *cointreau.*

Le *forbidden fruit* des Américains est une sorte de curaçao brun rougeâtre fait avec des *shaddocks* (espèce de gros pamplemousses) que l'on vend dans des bouteilles dont la forme et la taille rappellent le fruit dont il est tiré.

En Italie, Isolabella fabrique avec les mandarines une liqueur douce, tandis qu'en Afrique du Sud c'est l'écorce de *nartjie* (agrumes sud-africains) qui est l'ingrédient de base du *Van der Hum.* La composition exacte de cette liqueur à goût d'orange, dont le nom signifie « Monsieur Machin », varie selon les producteurs, qui gardent tous leur formule secrètement.

Framboises et mûres

Certaines espèces de rosacées épineuses donnent des fruits qui servent davantage à la fabrication de liqueurs qu'à être mangés nature. Ceux du framboisier (*Rubus idaeus*) fournissent une eau-de-vie délicieuse qui porte le simple nom de *framboise.* C'est certainement le meilleur alcool de fruits. On le prend glacé, dans des verres assez grands, à la fin du repas.

La ronce sauvage (*Rubus fructicosus*) porte des baies rouges au printemps, noires au début de l'été, qui servent elles aussi à faire une eau-de-vie agréable et dont la meilleure, en France, vient des Vosges.

Abricots et prunes

L'abricot n'est pas distillé : on le met à macérer dans l'alcool pur, avec le noyau, ce qui ajoute à l'*abricotine* (tel est le nom de la liqueur obtenue) un petit goût caractéristique d'amande.

Dans presque toutes les régions où pousse le prunier, on tire d'excellentes liqueurs du fruit de cet arbre. Mais les meilleures sont celles de Lorraine, d'Alsace, de la Forêt-Noire et du Valais. La liqueur porte le nom de la variété de fruit dont elle est tirée : on peut boire ainsi de la *quetsche,* de la *mirabelle,* etc. Toutes se consomment fraîches ou glacées, après des repas simples et savoureux comme ceux que l'on fait à la campagne, sauf la *tuica* des Roumains, qui, bien que tirée des prunes, s'apprécie mieux à la température ambiante et se boit parfois chaude et épicée.

En Tchécoslovaquie, mais surtout en Yougoslavie, où Bosnie et Serbie sont deux grandes régions productrices de prunes, on fabrique la célèbre *slivovitz* avec des fruits qui proviennent unique-

Cueillette des cerises en Provence.

ment d'arbres ayant au moins vingt ans d'âge. La slivovitz, étant obtenue par double distillation, est toujours d'un fort degré alcoolique, au moins dans son pays d'origine, car celle qu'on destine à l'exportation ne dépasse pas, généralement, 43°. Elle subit donc l'opération du mouillage. Cette eau-de-vie se boit fraîche ou à la température ambiante.

Cerises

Comme tous les fruits utilisés pour la fabrication d'eaux-de-vie, les cerises qui sont soumises à la distillation ne sont ni appétissantes ni réellement bonnes à manger. Souvent, la petite cerise dont on se sert est produite par des arbres qui poussent le long des routes et dont on ne se soucie qu'au moment de la récolte. On obtient le *kirsch* en distillant les fruits avec leurs noyaux puis en laissant mûrir le distillat dans des récipients en terre cuite ou dans des fûts dont les parois sont recouvertes d'un enduit spécial : c'est pourquoi le kirsch est toujours un alcool blanc. Le meilleur est fait en France (Alsace, Lorraine), en Allemagne (Forêt-Noire), où il porte le nom de *kirschwasser,* et en Suisse (canton de Zoug).

Les Anglais tiennent beaucoup à leur *cherry brandy,* qui, contrairement aux définitions qu'en donnent trop de dictionnaires, n'est pas une eau-de-vie de cerises, mais une liqueur obtenue en faisant macérer ces fruits dans de l'alcool.

Le célèbre *marasquin* italien est lui aussi une liqueur obtenue avec des cerises, mais amères celles-là, appelées marasques, que produit en abondance la Vénétie Julienne. Lorsque la ville de Zara devint yougoslave (et prit le nom de Zadar), la maison Luxardo, qui s'y trouvait, se transporta à Padoue, où son entreprise continue à prospérer.

Noyau et cacao

L'amande contenue dans le noyau de certains fruits, et spécialement celle de l'abricot, sert à fabriquer une liqueur sirupeuse, dite *crème de noyau* ou même simplement *noyau,* qu'on sucre artificiellement. Son goût rappelle souvent le fruit dont elle est issue. On la sert froide dans un verre à liqueur.

Dans divers pays, mais surtout en Amérique centrale, le cacao est utilisé pour la confection d'une crème que sa teneur en alcool (20° en moyenne) et la douceur de son goût font apprécier des femmes. On peut boire cette liqueur assez sirupeuse comme apéritif, ou la faire entrer dans un de ces cocktails du type *flip,* dont la particularité est de comporter des jaunes d'œufs.

Les herbes

C'est aux moines que l'on doit sinon l'invention, du moins la prolifération des liqueurs à base d'herbes médicinales ou aromatiques.

Chartreux, cisterciens, trappistes, bénédictins, après s'être, en quelque sorte, « fait la main » en distillant le jus de la vigne, se mirent à fabriquer des élixirs et des cordiaux destinés à soulager les malades et à réconforter les pèlerins abattus de fatigue. Il y eut ainsi, à côté des moines distillateurs, des moines cueilleurs d'herbes qui allaient dans les collines ou sur les montagnes faire d'immenses provisions odoriférantes. Le plus vieux d'entre eux, généralement, dirigeait l'expédition et, seul, avait assez de connaissances et d'expérience pour mener à bien une tâche aussi délicate. Il fallait cueillir jusqu'à une centaine d'herbes différentes et, si telle d'entre elles devait être moissonnée à l'aube, telle autre ne se devait arracher à la terre qu'à la tombée du jour.

Le père distillateur, dépositaire de recettes dont le secret fait encore aujourd'hui la renommée, sinon la richesse de certains couvents, mettait sa science et, bien sûr, sa conscience au service de ses frères et de tous ceux qui vivaient à l'ombre du couvent. Au début, certes, toutes ces boissons, apéritives ou stimulantes, digestives ou diurétiques, diaphorétiques ou dépuratives étaient vendues pour soulager les maux des pauvres gens. Mais elles flattaient trop le palais, et l'habitude fut bientôt prise de s'approvisionner chez les frères, non pour recouvrer une santé défaillante, mais pour s'offrir un plaisir qui, ayant une origine presque sacrée, ne pouvait qu'être anodin. D'autre part, aider les bons moines dans leur commerce, c'était, pour les mécréants, un prétexte idéal pour boire impunément à leur santé.

Parmi les nombreux élixirs dus à des religieux et qu'on trouve encore en France, le plus connu est sans doute celui qui porte le nom de *chartreuse*. Saint Bruno fonda, en 1084, au cœur du massif de la Grande-Chartreuse, dans les Alpes, un peu au-dessus de Grenoble, un monastère qui prospéra bien vite. Les chartreux furent expulsés de leur couvent en 1795, ils le réintégrèrent en 1816 mais durent l'abandonner à nouveau en 1905 (lors de la séparation de l'Eglise et de l'Etat) pour y revenir de nouveau en 1941. C'est dans ce couvent qu'on se mit à fabriquer, au début du XVIIe siècle, cette chartreuse qui jouit, un peu par tradition et un peu pour ses réelles qualités, d'une excellente réputation.

Quelques vicissitudes ont marqué l'histoire de cette liqueur. Lorsque, au début du XXe siècle, la marque commerciale des chartreux fut vendue avec tous leurs biens, plusieurs firmes, alléchées par de faciles profits, se mirent à fabriquer de la chartreuse qui ressemblait peu à la liqueur originale. Les moines avaient, bien sûr, conservé leur secret. Pour tourner la difficulté, les disciples de saint Bruno allèrent continuer leur travail de distillateurs à Tarragone, en Espagne, où leur ordre possédait un couvent. Mais, dès 1932, ils reprenaient la fabrication de leur liqueur en France, à Voiron, sans pour autant cesser cette activité à Tarragone.

La chartreuse est faite avec de l'eau-de-vie de vin et des extraits d'herbes dont la composition est gardée, aujourd'hui encore, secrète. Autrefois on faisait de la chartreuse blanche, mais, actuellement, on ne trouve plus que la jaune et la verte, cette dernière étant la plus alcoolisée. Les connaisseurs affirment que le mélange des deux, en parties égales, est supérieur à l'une ou l'autre bue séparément.

Il existe de nombreuses autres liqueurs du même type, jaunes ou vertes. Les bénédictins de l'abbaye de Fécamp, en Normandie, fabriquent une *bénédictine* dont la formule aurait été élaborée en 1510 par Don Bernardo Vincelli, qui cherchait à mettre au point un élixir pour combattre la fatigue. Vers 1860 la formule passa à un laïc qui fonda une société dans laquelle les religieux n'ont plus aucun intérêt financier.

On fabrique normalement une seule variété de bénédictine, de couleur jaune or, faite avec de l'eau-de-vie de vin dans laquelle on met à macérer, avant distillation, des herbes, des racines, des écorces, selon une formule que jamais plus de trois personnes ne connaissent à la fois. Mais, aujourd'hui, on trouve dans le commerce des bouteilles marquées « B & B » (*bénédictine* et *brandy*) qui

C'est dans le cadre admirable de cette vallée alpine que se dresse Saint-Pierre-de-Chartreuse. Les bâtiments actuels datent de 1676 mais s'élèvent sur l'emplacement même qu'avait choisi saint Bruno en 1084.
Ci-dessus : l'abbaye de Piona (Italie) est célèbre pour ses gouttes impériales, liqueur *qui titre 95°.*

contiennent de la bénédictine à laquelle on a ajouté de l'eau-de-vie afin de la rendre moins douce et plus conforme au goût des consommateurs. Les lettres DOM, portées sur les étiquettes, sont les initiales de la formule ecclésiastique *Deo Optimo Maximo*.
C'est encore une industrie laïque qui fabrique la *verveine du Velay*. Faite avec de l'eau-de-vie de vin et de nombreuses herbes, parmi lesquelles, en proportion notable, celle qui lui a donné son nom, il en existe deux variétés, l'une jaune, l'autre verte. Cette dernière est la plus alcoolisée.
La *vieille cure*, qui n'est pas sans rappeler la bénédictine, est fabriquée à Cenon, en Gironde, avec plusieurs sortes d'eaux-de-vie et une cinquantaine d'herbes différentes.
Les trappistes, dans leur abbaye de La Grâce-de-Dieu (Doubs), fabriquent une

trappistine de couleur vert-jaune, tandis qu'une société laïque fabrique l'*aiguebelle*, dont la formule aurait été trouvée dans un ancien couvent de leur ordre. Les cisterciens de l'abbaye de Sénanque, en Provence, conservent le contrôle de la distillerie qui fabrique la *sénancole*, laquelle évoque assez bien la chartreuse jaune.
On trouve d'excellentes liqueurs faites avec des herbes aromatiques à peu près dans tous les pays du monde : *élixir d'Anvers* en Belgique, *Strega* en Italie, *Izarra* au Pays basque (France), pour n'en citer que quelques-unes dont la réputation a franchi les frontières de leurs pays d'origine.
Signalons encore une liqueur assez excitante, l'*alkermès*, dont un des ingrédients n'est pas banal. On distille de l'alcool dans lequel on a fait macérer de la cannelle de Ceylan, des clous de girofle, de l'ambrette, et on le parfume avec divers extraits de plantes (iris, jasmin, rose). Ensuite, on colore ce distillat en rouge avec la cochenille du type kermès qu'on utilisait autrefois sous le nom de *graine d'écarlate* pour fabriquer une teinture pourpre. Il semble qu'on ait pris longtemps ces cochenilles pour une baie du chêne kermès sur lequel cet insecte passe toute sa vie.

Des fruits encore et puis des fleurs

Plusieurs volumes seraient nécessaires pour passer en revue toutes les liqueurs, toutes les eaux-de-vie que les hommes se sont ingéniés à tirer des substances les plus diverses et, parfois, les plus inattendues. Ce ne serait pas, d'ailleurs, une entreprise facile. Parfois, le même nom, utilisé sur tout un continent, varie d'une région à l'autre et recouvre des produits qui n'ont, en fait, rien de commun. Ainsi le mot *arack* devient, selon le pays, *arrack, araka, araki, arki, raki*, etc., ce qui ne serait rien si toutes ces variantes désignaient la même boisson. Mais l'arack d'Extrême-Orient est une eau-de-vie obtenue par distillation de mélasses de canne à sucre et de riz, matières premières qui, en Iran, sont remplacées par des dattes et, au Liban, par du jus de raisin préalablement parfumé à l'anis. En fait, de la Turquie à Ceylan en passant par la Chine, il y a autant d'aracks que de régions géographiques.
Il ne serait pas plus facile de passer en revue l'immense famille des *crèmes*, ces liqueurs douces obtenues en parfumant, avec les graines, les fleurs ou les fruits les plus divers, de l'eau-de-vie sucrée.

Le genièvre et ses vertus

Certaines plantes, certains fruits et certaines baies possèdent des vertus médicinales que les hommes ont pu découvrir par empirisme et que la pharmacologie et la diététique modernes confirment le plus souvent. C'est le cas du genièvre et en particulier de ses baies, diurétiques et diaphorétiques, c'est-à-dire qui augmentent l'élimination des toxines et des déchets de l'organisme, par les reins et par les glandes sudoripares.

On connaît leur action bienfaisante sur les rhumatismes, et en particulier sur la goutte, cette maladie des sédentaires trop bien nourris. Ces baies constituent aussi un excellent condiment dans quelques plats cuisinés, dont la choucroute. Dans ce cas, elles ne sont pas sans heureux effets sur la digestion.

A partir de ces constatations, il est certain que l'eau-de-vie de genièvre (que les Anglais traduisent par *gin*) mérite de prendre place autant dans l'armoire dite « à pharmacie », où bien des familles rangent leurs médicaments, que dans l'armoire à liqueurs à côté du cognac, du whisky ou de la chartreuse. Or, pour cet alcool comme pour tous les autres, il ne faut jamais oublier qu'il s'agit d'un produit qui peut devenir toxique à forte dose, ou même à petites doses si celles-ci sont trop souvent répétées.

Quoi qu'il en soit, lorsqu'il est question d'eau-de-vie de genièvre, il faut faire la différence entre celle qui est fabriquée en Hollande et celle qui est préparée en Grande-Bretagne ou ailleurs.

Dans les Pays-Bas, on l'obtient obligatoirement, selon la loi, en distillant une bouillie de seigle et de malt d'orge qui au préalable a été aromatisée avec des baies de genièvre. Le produit titre au moins 35°, mais ne dépasse jamais 49°. La réglementation, qui est appliquée strictement, interdit tout mélange avec d'autres alcools n'ayant pas la même origine.

Connu sous le nom de *schiedam* ou *jenever*, il semble bien être une invention hollandaise. En tout cas, c'est de ce pays, sans doute au XVIIe siècle, qu'est venue en France cette eau bien particulière que l'on appelle en latin, pour se donner l'air savant, *aqua juniperi*. De *jenever* les Anglais ont fait *geneva*, puis *gin*. Bien entendu, on a pendant longtemps attribué à l'alcool de genièvre des propriétés médicinales qu'il n'avait pas, sous prétexte que les baies qui lui donnent son goût sont utilisées en médecine galénique, ou thérapeutique par les plantes.

C'est d'ailleurs un pharmacien de Leyde qui eut l'idée de les faire macérer dans l'eau-de-vie plutôt grossière que l'on trouvait à cette époque et que les marins embarquaient à bord de leurs vaisseaux. Il avait eu aussi le mérite de diminuer la teneur en alcool de l'eau-de-vie et d'effectuer d'autres mélanges également « galéniques » avec de la coriandre, du cumin, de l'écorce d'orange et de la racine d'angélique. Son officine s'en trouva bien.

Comment le jenever ou le schiedam, quel que soit son nom, finit par envahir l'Angleterre reste problématique. Toujours est-il que l'invention du potard néerlandais y connut un succès prodigieux. Bien entendu, le Royaume-Uni se mit à fabriquer du gin qui ne tarda pas à couler des alambics à jet continu. Les *pubs* de ce temps, les auberges des villages les plus ignorés, les fermes isolées, tout le monde vendit et consomma du gin. L'abus ne tarda pas à devenir général, dans le peuple aussi bien que dans l'aristocratie.

William Hogarth, le grand peintre et graveur anglais, a laissé des tableaux et des gravures qui nous montrent à quel point — incroyable — la population se trouvait atteinte par ce vice, au début du XVIIIe siècle. La réaction ne pouvait tarder. En 1736, à la suite d'un rapport établi par un membre de la Chambre des lords, le gouvernement décida de frapper le gallon de gin (4,543 litres) d'une taxe de 20 schillings. Celle-ci parut exorbitante à la plupart des consommateurs qui jusqu'alors pouvaient s'enivrer pour quelques pence, c'est-à-dire pour une somme extrêmement modique.

Il se produisit des troubles, presque des émeutes dans la rue, chose bien rare dans l'ancienne Angleterre. Considérant d'une part que les cas d'ivresse diminuaient de façon spectaculaire et que d'autre part le trésor public trouvait là une ressource nouvelle fort importante, le gouvernement tint bon. Mais si la mesure qui frappait le gin était excellente dans son principe et louable dans son intention, l'impôt prélevé n'en était pas moins excessif.

Comme toujours dans les cas de ce genre, il faut bien tenir compte de la faiblesse humaine et de la malignité de certains individus. Sinon, la fraude se développe de façon générale. C'est exactement ce qui se produisit. Les pharmaciens vendirent l'eau-de-vie sous des noms divers, en y ajoutant parfois des substances aromatiques ou du sucre, et les distilleries clandestines se multiplièrent.

Encore le cabinet ministériel britannique n'était-il pas allé aussi loin que le Congrès des Etats-Unis en 1919 lorsqu'il interdit la consommation de tout alcool. La situation n'est pas sans analogie cependant, car l'impôt institué sur le gin était pratiquement prohibitif.

Dans ces conditions, le commerce clandestin, même en vendant moins cher, faisait des bénéfices énormes. D'autre part, la qualité moyenne de l'alcool avait baissé car les fraudeurs distillaient n'importe comment. On ignorait en ces temps à quel point l'alcool, surtout lorsqu'il est frelaté, pouvait apporter de graves troubles au consommateur.

Mais le gouvernement se rendit compte que la situation ne pouvait durer. Ainsi, en 1743, il annula les premières mesures prises et appliqua des taxes raisonnables. Pour les fraudeurs, les risques ne valaient plus la peine d'être courus. La fraude retomba dans les limites où elle s'était exercée auparavant.

Mais là encore on retrouve une analogie avec les Etats-Unis, lorsque la prohibition prit fin : les professionnels, puis l'Etat, réglementèrent la distillation de tous les alcools. Dans cette voie, la Grande-Bretagne a précédé l'Amérique. Les textes qui ont abrogé le *Gin Act* de 1736, ont prévu une surveillance constante aussi bien de la fabrication que de la vente et de la qualité. On peut dire que celle-ci a encore été nettement améliorée grâce aux procédés modernes de distillation et de rectification. La base du produit reste toujours le grain, mais un grain de premier choix. Le rectificateur joue un rôle important. C'est lui qui doit débarrasser le premier distillat de toute substance plus au moins aromatique ou de toute impureté qu'il pourrait contenir. C'est au cours de cette deuxième distillation que l'on ajoute les baies de genièvre. D'après certains professionnels, celles des régions méridionales de l'Europe, de couleur rouge-orange, seraient les plus parfumées. Mais d'autres affirment que celles de Grande-Bretagne, qui sont bleu noirâtre et un peu plus petites, donnent un arôme plus fin. Qu'elles proviennent des pays méditerranéens ou du nord de l'Europe, elles doivent être conservées deux ans, de telle sorte que la dessiccation augmente leur parfum et leur teneur en sucre. Elles ne sont jamais utilisées avant la fin de ce délai de maturation. D'autre part, peuvent aussi entrer dans la composition du gin

des graines de cardamone ou de coriandre, de la racine d'angélique, de la cannelle, ou encore de l'écorce d'orange. Il existe à ce propos des dosages, parfois infinitésimaux, des proportions qui constituent les petits secrets des fabricants et que ceux-ci conservent jalousement.

Ce sont toujours des spécialistes expérimentés et hautement qualifiés qui procèdent à ces savants mélanges. Ils donneront à chaque type, à chaque produit, à chaque marque le bouquet léger mais bien particulier capable de le caractériser et de plaire à telle ou telle catégorie de consommateurs. Il faut préciser aussi que tout ce qui est ajouté à l'alcool de base au moment de la rectification provient de substances végétales inscrites au Codex des pharmaciens.

Mais nous avons déjà vu plus haut ce qu'il fallait en penser lorsque, pour curatives qu'elles soient, elles prennent l'alcool comme véhicule.

Le gin véritable, donc anglais, constitue un produit de haute qualité qui conserve la faveur d'un public important aussi bien sur place que dans le reste du monde, sauf dans ce que l'on pourrait appeler la « zone vodka ».

Il convient de remarquer aussi que la prohibition américaine, qui dura de 1919 à 1933, l'a beaucoup favorisé, aussi curieux que cela puisse paraître. En effet, l'eau-de-vie de genièvre est la plus facile à fabriquer, même chez soi. C'est ce

que les Américains, avec le pittoresque linguistique dont ils font souvent preuve, appelaient alors le *bathtub gin*. En voici la recette :

Mettez dans votre baignoire cinq ou sept gallons d'alcool de contrebande. Faites-y macérer pendant plusieurs jours trois ou quatre poignées de baies de genièvre, quelques autres ingrédients à votre goût, zestes d'orange ou un peu de cannelle, par exemple. Brassez de temps en temps. Filtrez soigneusement et mettez en bouteilles.

Il arrivait parfois, dit-on, que le « tord-boyaux » des distillateurs clandestins fût si corrosif que, après avoir dissous l'émail, il attaquait le métal jusqu'à le percer ! Les optimistes répondaient que l'estomac humain, qui contient — c'est notoire — une estimable proportion d'acide chlorhydrique, décapant énergique, est parfaitement apte à digérer du bathtub gin.

Ils ajoutaient que la grosse erreur des artisans-bricoleurs d'alcool était d'utiliser une baignoire de cette sorte alors que la céramique résiste même au vitriol ! Dans le monde entier, la méthode a été une source intarissable de plaisanteries. Mais si certains consommateurs furent parfois intoxiqués au point de ne plus supporter le goût du genièvre, bien d'autres s'y habituèrent. Ainsi accueillirent-ils avec un plaisir facile à imaginer le gin britannique dont la finesse les ravit.

Le rhum

Lorsque l'on parle de rhum, on pense irrésistiblement aux Antilles, en étant persuadé que la canne à sucre d'où il est tiré, est originaire de ces îles. En réalité, il n'en est rien. Ce grand roseau (qui atteint souvent dix pieds de haut) est originaire du bassin du Gange. Ce sont les Grecs d'Alexandre le Grand, puis les Arabes qui propagèrent sa culture vers l'Afrique et surtout vers le bassin méditerranéen. Il est certain, en tout cas, que le produit édulcorant qui est tiré de sa sève, porte dans toutes les langues un nom qui vient directement du sanscrit. Ce sont les croisés, au Moyen Age, et les Vénitiens qui, les premiers, firent connaître en Europe le sucre de canne. Quant à la plante qui le fournit, elle a été systématiquement cultivée dans les Antilles et l'Amérique du Sud après colonisation et surtout lorsque les européens y eurent amené des esclaves noirs.

Les sucres, c'est-à-dire les hydrates de carbone, ou encore les glucides, sont l'un des éléments indispensables à la fermentation alcoolique. Il est donc naturel, et même nécessaire, lorsqu'on en dispose aussi facilement, de fabriquer des boissons alcooliques. De ces roseaux, gorgés de sirop si délicieux qu'on peut le

consommer tel quel, les Martiniquais et les Jamaïcains ne pouvaient manquer de tirer le rhum.

D'où vient ce nom ? Personne ne le sait avec certitude. Toutefois, son origine est probablement anglaise, à moins qu'elle ne soit latine. Mais est-il besoin de recourir à ce propos à quelque savante spéculation étymologique ? Une explication, qui paraît fort logique, a été fournie par des Martiniquais dont la compétence ne saurait être mise en doute. Ils connaissent, en effet, non seulement tous les types d'alcool distillés à partir de la canne à sucre ou de ses résidus, mais encore leur histoire dans ses plus petits détails. Voici la version qu'ils donnent de la naissance de cette appellation.

Les premiers distillats issus de ces grands roseaux sucrés étaient fort rudes, à tel point que les étrangers qui en buvaient pour la première fois éprouvaient la très nette impression de sentir passer dans leur gosier une espèce de liquide épais, râpeux et enflammé. Les larmes aux yeux, ils émettaient, quelques secondes après, un rugissement étouffé et comme étranglé qui ressemblait à « rrrrrhum » ! Le nom de rhum proviendrait donc, disent-ils, d'un *phonème onomatopéique*. Mais, comme le dit un pro-

verbe italien, *Se non è vero, è ben trovato.*

Du point de vue fabrication, il faut d'abord noter que de tous les alcools, ce sont ceux qui nécessitent le moins de transformations, car ils sont tirés directement du jus de la canne, ou de la mélasse des raffineries de sucre. Dans l'un et l'autre cas, les distillats sont de qualité supérieure. Les plus chargés en saveurs ont subi une fermentation lente, c'est-à-dire durant une huitaine de jours et parfois plus. Les plus légers ont fermenté entre trente et quarante-huit heures environ.

Ces derniers semblent de plus en plus appréciés car leur arôme est nettement plus subtil et leur goût plus fin. Ce qui va le plus différencier les rhums entre eux, c'est le genre de levure employée pour la fermentation. Celle-ci peut évidemment être naturelle ou cultivée, mais dans les deux cas, il existe une infinité de combinaisons et de « secrets » qui jouent un rôle important.

On le sait, et c'est une question qui a déjà été soulevée, chaque distillateur d'eau-de-vie, whisky, gin, cognac ou autre, possède une façon d'opérer qui lui est strictement personnelle. Sans quoi tous les alcools de même appellation se ressembleraient, ce qui serait fort regrettable.

En ce qui concerne les rhums, ce sont surtout les procédés de fermentation, de distillation et de vieillissement qui les empêchent de donner un type standard dont l'uniformité amènerait la monotonie. Il y a lieu de noter aussi que pour le rhum léger, il n'est pas question de distillat faible en alcool. En réalité il atteint en moyenne 95° parce qu'il a été en partie rectifié, c'est à dire débarrassé dans une assez forte proportion des esters qu'il contenait après la première distillation.

Lorque le rhum sort de l'alambic, il est blanc : on lui donne, à la Martinique, l'appellation de « grappe blanche ». On le laisse parfois vieillir en fûts de chêne dont l'intérieur a été légèrement flambé. Il y reste trois ans et prend alors une teinte qui va du jaune doré au vieil or. Après cette durée, il sentirait trop le bois. Aussi poursuit-il son vieillissement, mais plus lentement, dans des foudres ordi-naires. Pour l'amateur, il est mûr et atteint enfin sa plénitude au bout de quinze années. Les qualités exportées et destinées à la consommation courante sont des produits industriels jeunes, colorés au caramel, seul ingrédient auto-risé par la loi, du moins en France et dans ses départements d'outre-mer, titrant de 40 à 45°.

Et ailleurs ? S'il n'existe pas, comme pour les vins et liqueurs des pays du Mar-ché commun, des AOC, c'est-à-dire des appellations d'origine contrôlée, on cons-tate cependant, entre tous les rhums, de sensibles différences. Elles dépendent souvent à la fois de l'origine et des méthodes de fabrication. Aussi est-il intéressant de dresser une liste, regroup-pant au moins les principaux pays d'origine.

La Jamaïque. Les rhums de cette grande île montagneuse et tropicale semblent bien avoir été les plus connus pendant fort longtemps grâce au commerce et à la marine britannique. On en connaît quatre sortes principales. Des deux premières, l'une est plus corsée, sa teneur en esters étant très forte, mais toutes deux titrent environ 85° au sortir de l'alambic. La troisième est nettement plus légère et la quatrième, produite en distillation continue, est totalement purifiée : toutes deux atteignent 95 et même 96 volumes. Les rhums plus tradition-nellement jamaïcains, c'est-à-dire robustes et savoureux, sont connus sous les noms de *Wedderburn* et *Plummer.*

La culture de la canne à sucre exige un climat très chaud mais tantôt sec, tantôt humide. C'est pourquoi les îles et les pays riverains de la mer des Caraïbes sont les principaux producteurs de rhum.

La Martinique. C'est elle surtout qui alimente le marché français avec une production de 3 740 000 gal. provenant de la moitié de la distillation du jus de la canne à sucre, et de la moitié de celle de la mélasse. Le rhum blanc, beaucoup consommé dans le pays même, est avant tout utilisé sous le nom de « grappe blanche » par les amateurs de punch. Ceux-ci sont tellement nombreux que le punch martiniquais peut être considéré comme la boisson nationale. On ajoute à l'alcool de base du sirop de canne à sucre, quelques gouttes ou un zeste de citron, et on sert glacé. Quiconque en a dégusté ne pourra plus oublier ce délice. On le considère en outre comme une véritable source d'optimisme, et il a, voici déjà quelques années, commencé la conquête de la France.

Parmi les marques les plus cotées, citons le *Saint-James,* tiré du sirop de canne et de résidus de mélasse. Sa couleur est foncée et il ne possède pas le même goût que les autres, mais il a ses amateurs. Ceux dits de « grand arôme » sont issus de mélasses et colorés au caramel, donc plutôt corsés. Le *Clément,* blanc ou coloré, provient du jus de canne; le plus vieux a douze ans de fût. Le *Duquesne* est connu sous trois appellations : le *Val d'Or* (âgé de 10 ans), la *Grand-Case* (3 ans), tous deux de teinte plus ou moins dorée, et le *Genippa,* qui est blanc. L'un des plus populaires de la métropole est produit par la maison Bardinet et présenté sous l'étiquette *Négrita.*

Autrefois, on expédiait en Europe des rhums provenant des derniers résidus de la canne à sucre et de la mélasse. Les Martiniquais, dont le langage est souvent d'un

grand pittoresque, les appelaient « coco merlot ». Il fallait, à leur avis, être bien ignorant ou bien pauvre, pour se contenter d'un tel « pétrole ». D'ailleurs, lors de la dernière guerre, lorsque le carburant automobile s'est fait rarissime dans les îles, on a simplement redistillé et rectifié le « coco merlot » que tous les moteurs ont avalé allègrement.

Avec une production moindre, la Guadeloupe fournit des rhums de même qualité et la Guyane française est spécialisée dans le blanc.

Haïti. Cette ancienne colonie de la monarchie française, qui s'est libérée en 1791, possède un sol si favorable à la canne à sucre qu'elle y pousse partout. On y trouve plusieurs qualités qui se signalent par une, trois ou cinq étoiles. Il s'agit d'un produit remarquablement équilibré et corsé; il est traité selon de vieilles traditions françaises venues de la région de Cognac. Le blanc est vendu sur place sous le nom de « clairin ».

Cuba. Rendue particulièrement célèbre par Fidel Castro et ses barbus ainsi que par un incident diplomatique entre les Etats-Unis et l'Union des républiques soviétiques, cette île offre aux amateurs deux sortes de rhum, l'une dite *Carta Blanca* et l'autre *Carta Oro.* Cette dernière est colorée au caramel et un peu plus moelleuse que l'autre. Le distillat, obtenu à partir des mélasses fermentées, est souvent filtré au charbon de bois, ce qui le rend léger. Sa réputation est excellente, mais l'Etat n'en exporte pratiquement plus. Il faut aller dans ce pays pour en déguster.

La Barbade. On y trouve des crus qui figurent parmi les meilleurs des Antilles.

Ces bâtiments blancs écrasés de soleil sont ceux d'une importante rhumerie.
Vieilli en fûts, mis en bouteilles et emballé dans des caissettes, le rhum sera acheminé (page de droite) par la route vers le port le plus proche avant de traverser l'Atlantique pour le plus grand plaisir des connaisseurs.

Le rhum des douaniers

Les douaniers britanniques, outre les tâches qui leur incombent normalement quant à l'évaluation des droits frappant l'importation des alcools, détiennent le rare privilège de veiller à la bonne renommée d'un rhum fameux.

Seul, en effet, le contrôle rigoureux qu'ils exercent en permanence sur le *West India Rum* garantit son vieillissement en fûts d'origine dans un entrepôt du port de Londres, dépendance des Douanes, et lui confère l'appellation enviée de *London Dock.*

Tous sont tirés de la mélasse. Peu colorés, ils sont appréciés pour leur onctuosité. En outre, ils sont assez légers. Serait-ce dans cette île que l'on a fabriqué du rhum pour la première fois ? Ce n'est pas impossible. Certaines traces écrites remontent à la fin du XVIe siècle. Mais qu'il s'agisse de la Barbade elle-même ou de n'importe quelle île de cette mer, le rhum est vraiment de nationalité antillaise. Trois grandes distilleries y sont installées qui produisen actuellement plus

de 770 000 gal. Les plus connues sont la West India et la Barbados.

La Guyane britannique. Cette ancienne possession anglaise amène à elle seule un million et demi de gallons sur le marché, si ce n'est plus, c'est-à-dire 6 810 000 litres. Teintés au caramel, ses alcools sont en outre le plus souvent aromatisés au moyen d'épices et de fruits, mais ceux que l'on réserve à l'exportation sont moins chargés en substances aromatiques.

Porto Rico. Dernière île des grandes Antilles en allant vers l'Atlantique, elle dispute à la Barbade l'honneur d'avoir distillé le premier rhum. Celui-ci viendrait de l'esprit industrieux d'un conquistador espagnol, Juan Ponce de León, qui fut gouverneur de cette colonie vers le milieu du XVIᵉ siècle. Dès qu'ils connurent la canne à sucre, les indigènes qui vivaient là n'eurent pas besoin de professeurs étrangers, affirme-t-on. Mais peu importe, cette ancienne colonie espagnole, qui est devenue américaine, expédie tous les ans aux Etats-Unis un tonnage qui correspond à plus de soixante-dix pour cent de la consommation de ce dernier pays. Depuis la dernière guerre la législation appliquée à la distillation des alcools est devenue extrêmement sévère : la fabrication et la qualité sont donc surveillées de très près. Mais qu'il soit de la Jamaïque, de la Martinique ou de Porto Rico, c'est aux étiquettes des bouteilles que l'on en reconnaît l'origine. En France, lorsqu'elles portent « rhum de la Guadeloupe » ou « rhum de la Réunion », il ne peut y avoir de doute. Le mélange s'appellerait « rhum des Antilles ». Quant à la mention « rhum vieux », il signifie que le produit a passé au moins trois ans en fûts de chêne.

LE VIEUX RHUM ET LA MER
OU LA VÉRIDIQUE HISTOIRE DU GROG

En ce temps là — celui de la marine en bois — le rhum était la boisson du matelot, pour la raison sans doute qu'il n'y avait point à cette époque meilleur découvreur de terre... que les coureurs de mers. Marco Polo, Christophe Colomb, Amerigo Vespucci ou Jacques Cartier ont attaché leur nom à plus d'arpents que d'océans. Restait donc le rhum, dont la bonne réputation doit davantage aux terriens, planteurs et négociants qu'à ceux auxquels il était censé apporter réconfort et longue vue. Car il est bien évident que des hommes capables de s'embarquer sans savoir quand, et surtout où, ils mettraient sac à terre — en admettant qu'ils n'aient point entre-temps fait naufrage — se devraient d'avoir aussi bon œil que bon pied (marin).

La légende — qui, elle, « a bon dos » — affirme que, quelque intense que fût la soif de l'équipage (commandant compris), le cambusier veillait, parfois au péril de sa vie, à ce qu'il y eût toujours bonne mesure de rhum pour entretenir le moment venu l'acuité visuelle de la vigie.

Il est probable qu'un jour vint où l'amiral Vernon — dit familièrement « Gros-Grain » —, commandant la flotte de sa Très Gracieuse Majesté, éprouva quelque doute sur l'efficacité de cette méthode pourtant éprouvée.

Peut-être eut-il confirmation de ses soupçons pour avoir lui-même pris par gros temps l'estuaire de la Rance pour la baie d'Hudson. Nul ne saurait le dire, mais, un matin de 1740 — et ici la légende s'efface devant l'histoire de la marine —, il prit une décision drastique : faute de vin pour y ajouter de l'eau, les hommes de la Royal Navy mettraient de l'eau dans leur rhum.

Sage mesure, certes, puisque le nombre des mirages attribués à l'étrange pouvoir oculaire des vigies diminua jusqu'à avoisiner le zéro le plus absolu. Par-ci, par-là, on découvrit encore quelques terres dont aucun géographe ne parvint par la suite à établir les coordonnées exactes, mais désormais la plupart des marins britanniques attendirent d'avoir jeté l'ancre pour boire du rhum sans eau, à la satisfaction des cabaretiers caraïbes.

A petite cause, grands effets : en « baptisant » le rhum de ses matelots, l'amiral Vernon venait de redonner à la bordée traditionnelle toute sa valeur libératrice. C'est pourquoi les marins cherchèrent de quelle manière ils pourraient s'acquitter de leur dette envers un chef dette envers qui si bien concilier les exigences de la discipline militaire et le maintien du moral des équipages, désormais aptes en tout temps, quel que fût l'état de la mer ou la générosité du cambusier, à distinguer au premier coup d'œil les docks de La Havane de l'île du Diable.

Des mois passèrent avant qu'un gabier dont le nom est aujourd'hui injustement oublié puise, dans l'association d'un bol de rhum additionné d'eau bouillante et de l'uniforme de l'amiral, l'idée d'un nom qui a, depuis, fait le tour du monde.

Si Vernon avait été affublé du sobriquet de « Gros-Grain », c'est qu'il portait, à l'exclusion de toute autre, une tenue confectionnée dans un drap que les Anglais appellent *grogram*. On l'avait d'abord surnommé ainsi, puis, l'âge venant en proportion inverse du respect dû à son rang : « Old Grog ».

Ainsi, soixante-cinq ans avant Trafalgar, naquit le grog, dont la véridique histoire valait bien d'être tirée de l'oubli.

TOUT L'ORIENT

Au commencement était la Perse. C'est par ces mots que devrait débuter toute histoire du vin puisque, selon la légende, c'est dans ce pays qu'aurait été cultivée la première vigne et découverte, par un souverain, dit la tradition, la première boisson alcoolique. Il est de fait que, dans ce pays, partout où la nature le permettait, la vigne prospérait de façon si extraordinaire que la domination musulmane n'entraîna pas sa complète disparition.

Omar Khayyam, vers la fin du XIe siècle, pouvait encore chanter dans ses quatrains ce vin qui, plus que toute autre substance, l'aidait à supporter son angoisse métaphysique. Deux siècles plus tard, Marco Polo s'étonnait de la taille des ceps poussant dans la région de Chiraz, cette ville qui donnait son nom aux meilleurs vins persans. Mais, aujourd'hui, ce pays se borne à produire surtout des raisins de table et quelques dizaines de milliers de gallons de vin qui sont consommés sur place. Souvent les gens du pays boivent ce vin, après l'avoir sucré, en le mélangeant à de l'*arack* de dattes, le principal spiritueux produit en Iran.

Si ce n'est la Perse, c'est donc la Turquie, pourrait-on dire en pensant à la vigne et à son origine, puisque, si les Perses furent les premiers à la cultiver, cette plante croissait en Anatolie, depuis toujours, à l'état sauvage. C'est pourquoi, dans cette terre, la viticulture aurait facilement prospéré si la conquête du pays par les Arabes, puis les Turcs, n'avait laissé en survie qu'un mince vignoble destiné à produire uniquement du raisin de table. Mais peu à peu, grâce à des non-musulmans, une reprise s'amorça, qui porta la production de vin, à la fin du XIXe siècle, à soixante-dix-sept millions de gal. destinés, dans leur presque totalité, à l'exportation. C'est pourquoi il n'était pas difficile en Europe occidentale, tout au début de notre siècle, de trouver du vin turc. Mais la Première Guerre mondiale porta de nouveau un rude coup à la viticulture du pays. Les non-musulmans, déjà fort peu nombreux, disparurent les uns après les autres et leurs vignobles, quand ils n'avaient pas été dévastés, furent consacrés exclusivement à la production du raisin de table.

La tâche fut rude pour la jeune république turque qui, née en 1922, chercha, sous l'impulsion de Mustafa Kemal, à occidentaliser la jeune nation et à tirer profit des possibilités naturelles du pays. En 1925, le gouvernement faisait construire un premier chai d'Etat, instituait un monopole deux ans plus tard et déployait tous ses efforts en vue non seulement d'améliorer la quantité et la qualité du vin produit, mais aussi d'en augmenter la consommation intérieure (après la laïcisation du pays) tout en favorisant l'exportation.

Aujourd'hui, le vignoble turc est le cinquième du monde, mais une très faible partie seulement de la récolte (3 à 5%) est vinifiée. Le reste est consommé comme raisin frais ou comme raisin sec (un quart environ). En Turquie, la vigne pousse partout, mais les meilleurs vignobles à vin sont ceux d'Aydin-Tire-Ismir (Egée), d'Ankara et de Tokat (Moyenne Anatolie), de Konya et de Nigde (Anatolie du Sud), de Gaziantep enfin (Anatolie du Sud-Est).

En 1968, la production turque, dont le cinquième était exporté vers l'Allemagne (coupages), l'Angleterre et les pays scandinaves, ne dépassait pas 10 millions de gallons. Il est permis de croire que, les efforts du gouvernement se poursuivant, la situation s'améliorera. A mesure d'ailleurs que l'emprise de la religion se relâche, la consommation intérieure devient plus importante et stimule la production. En général, les vins doux sont plutôt médiocres, mais les rouges et les blancs (*busbag*, *doluca*, *kavaklidere*, *trakya*, *koroglu*) sont bons et quelquefois excellents.

La vigne a également existé en Inde, surtout au Cachemire, où les procédés de vinification étaient déjà parfaitement connus au début de notre ère. On y faisait encore du vin jusqu'au XVIIe siècle. Mais, à la fin du XIXe, le phylloxera porta au vignoble indien, déjà fort peu étendu, un coup presque fatal. Actuellement, ce vignoble est circonscrit à la région de Madras où son produit est consommé sur place, et au Cachemire où l'on fabrique un médiocre vin de table. Bien que les Indiens s'intéressent fort peu à l'alcool, l'Inde produit quelques spiritueux, en particulier du whisky et du gin, en quantités nettement plus importantes que le vin.

Il semble d'ailleurs qu'il y ait quelque incompatibilité entre celui-ci et l'âme extrême-orientale. Aucun poème asiatique ne vante le vin et les Japonais, qui connaissaient la vigne depuis le XIIe siècle, ne s'en sont servis, pendant longtemps, que comme plante décorative.

Cependant, ce sont ces mêmes Japonais qui, après s'être farouchement défendus contre toute influence venue d'Occident, se sont mis, dès la fin du XIXe siècle, avec une candeur qui frise parfois l'inconscience, à imiter celui-ci en tout.

Les Japonais se sont donc constitué un vignoble répandu sur tout leur territoire, mais dont la plus grande partie (celle aussi qui donne les meilleurs résultats) est située autour de Kofu et de Katsunuma (région de Tokyo). On utilise aussi bien des plants asiatiques qu'américains ou européens mais, de plus en plus, on préfère le *cabernet-sauvignon* pour le vin rouge et le *sémillon* pour le vin blanc. Certains vins de Kofu sont agréables et parfois bons mais, dans l'ensemble, la qualité de la production nippone reste moins que médiocre, ce qui n'empêche pas certaines étiquettes d'annoncer un « grand cru classé mis en bouteilles château » ! Avec 10 millions de gallons (1968), la production japonaise est loin encore de compter dans l'économie du pays et ne risque pas de bouleverser le goût national.

Le Japonais reste, pour le moment, un buveur de *saké*. Le saké n'est pas, comme on pourrait le croire, une eau-de-vie ou une liqueur, mais un *vin de riz*. On l'obtient en faisant cuire le riz à la vapeur, puis en provoquant la fermentation par diverses levures. Lorsque cette première fermentation est presque terminée, on en provoque une seconde en ajoutant encore du riz. Puis on filtre et on laisse vieillir environ six mois dans des récipients en émail avant de procéder à la mise en bouteilles. Le produit final, incolore, titre entre 12 et 17° et ne supporte guère un vieillissement de plus de deux ans. Assez doux (il rappelle un peu le *madère*), le saké laisse pourtant un petit arrière-goût amer, qu'on le boive chaud, dans des

Le saké se boit au début du repas, dans ces charmantes coupes de porcelaine, aux formes modernes.

tasses de porcelaine, ou à la température de la pièce. Lorsqu'on la boit pour la première fois, cette boisson est assez déconcertante; aussi déconcertante, disent les connaisseurs occidentaux, que Tokyo, dont on ne découvre les charmes que peu à peu.

Si le riz fournit aux Japonais leur boisson nationale, les Indochinois en tirent un alcool plutôt brutal, le *choum*, sans lequel aucune cérémonie rituelle ne saurait avoir lieu. On prépare cette eau-de-vie en faisant cuire du riz avec de l'eau, en quantités sensiblement égales, jusqu'à obtenir une sorte de pâte gluante qu'on étale au soleil. On lui ajoute alors le *men*, levain composé de plusieurs dizaines d'herbes écrasées, dont la composition est gardée secrète. Après trois jours d'exposition, on en remplit à moitié des jarres : deux jours suffisent dans ces conditions pour que la fermentation s'accomplisse. On procède alors à la distillation dans des alambics à chapiteau et l'on obtient ainsi une boisson digestive dont la teneur en alcool varie de 50 à 80°.

Fiers de leur civilisation et de leur cuisine, les Chinois s'étaient pourtant mis à aimer les boissons des barbares occidentaux. Le *whisky* et le *champagne* étaient devenus aussi célèbres que le *mao tai* ou le *shao hsing*. Mais la révolution ayant interdit l'importation des vins et des liqueurs, on ne trouve plus aujourd'hui que des imitations des produits étrangers. Le Chinois moyen, cependant, se contente des breuvages traditionnels. Parmi ceux-ci, les plus répandus sont le *shao hsing*, le *mao tai* et le *kuei hua chen chiew*. Le premier est une sorte de vin jaune qu'on fabrique dans le nord de la province du

Tchö-kiang. Une ancienne tradition de cette région veut qu'à la naissance d'un enfant on en mette plusieurs jarres sous terre où on les conserve jusqu'au jour de son mariage.

Le *mao tai* est un alcool obtenu à partir de jus de *sorgho* auquel on fait subir plusieurs distillations successives et qu'on laisse ensuite vieillir dans des jarres pendant au moins trois ans.

Le *kuei hua chen chiew* est plus accessible aux palais occidentaux que les deux boissons précédentes. C'est une sorte de bière qu'on obtient en brassant du riz malté parfumé d'herbes odoriférantes. Autrefois boisson destinée exclusivement à la famille impériale, elle est produite industriellement, depuis le milieu des années 50, dans les nombreuses distilleries de la région de Pékin.

Mais rien, dans ce domaine, n'égale en prestige le *ginseng*. D'après une légende, les anciens Chinois avaient remarqué que les cerfs, au début de la saison des amours — immédiatement avant la fonte des neiges — quittaient le troupeau pour aller chercher à quelques pouces sous le sol les racines d'un arbuste — le *ginseng* — qu'ils dévoraient avidement avant de rejoindre les femelles. On s'aperçut ainsi que ces racines possédaient des qualités stimulantes et l'on en fit une boisson. L. Binet, dans *Gérontologie et gériatrie* (éd. Que sais-je ?), affirme que « prolongeant la vie des vieillards, cette racine extraordinaire, « racine de vie », pourrait procurer, en outre, une puissance génésique incroyable et une vigueur extraordinaire ». Mais cette boisson est loin, on s'en doute, d'être aussi répandue que les précédentes.

LES APERITIFS

Le chasseur de la préhistoire qui mâchait une herbe amère avant de découper un cuissot de chevreuil prenait déjà l'apéritif, tout comme les Grecs, les Romains, les seigneurs et les bourgeois d'autrefois qui, avant de s'attabler devant une douzaine de plats, se faisaient servir de grandes coupes de vins doux, cuits, aromatisés, lesquels avaient pour but de transformer leur estomac en tonneau des Danaïdes. La vieille pratique du « trou normand » n'est elle-même qu'un apéritif pris au milieu du repas.

En bonne logique, au XXe siècle, après la Grande Guerre, la mode de l'apéritif aurait dû disparaître peu à peu puisque les menus devinrent brusquement plus légers et qu'il n'était plus nécessaire, par conséquent, de s'ouvrir l'appétit pour en venir à bout. Or, c'est tout le contraire qui s'est passé. Non seulement le déjeuner et le dîner sont souvent précédés d'un apéritif, mais il n'est pas rare que celui-ci constitue à lui seul un petit festin qu'on prépare avec autant de soin que le repas lui-même. Fruits secs et salés, charcuteries, petits sandwichs variés permettent à la maîtresse de maison de déployer déjà son imagination. En outre, les marques, sinon les types d'apéritifs, se sont multipliées.

Si l'on y regarde de près, l'histoire de la gastronomie semble marquée par une fidélité à la tradition telle que l'on pourrait parler à son propos de routine. Les recettes, certes, se sont modifiées au cours des siècles, mais rares sont les nouveautés qui ont réussi à s'imposer : très peu de nos plats surprendraient Brillat-Savarin. Il n'en est pas de même pour les apéritifs, dont un seul, le *vermouth*, ressemble peut-être encore à ce qu'il était au XVIIIe siècle ; les *quinquinas* ont beaucoup changé et les très anciens *anis* ont subi une véritable révolution vers 1930. De plus, on a vu apparaître une troupe de choc, qui triomphe dans toutes les réunions et qui n'est pas près de disparaître puisqu'elle prend soin de se renouveler chaque jour : les *cocktails*. C'est à eux que l'on fait appel pour animer une soirée, créer une atmosphère complice ou, tout simplement, préluder à un bon repas. Les *cocktails* mis à part (voir chap. suivant), on distingue les apéritifs à base de vin, les apéritifs à la gentiane et les apéritifs anisés.

Les apéritifs à base de vin

Si de nombreux vins « spéciaux », comme le *muscat*, le *rancio*, que l'on modifie volontiers d'après de vieilles recettes familiales, peuvent être consommés comme apéritifs, il n'en est que deux qui sont pratiquement destinés à ce seul usage : le quinquina et le vermouth.

Le quinquina. - Cet apéritif est un heureux exemple de ce que peut donner l'alliance de la médecine et de la gastronomie. Il est hors de doute, en effet, qu'à l'origine on a cherché davantage à fabriquer un « fortifiant » qu'une boisson simplement agréable. Mélange de mistelles et de vins qu'on aromatise avec diverses plantes, le quinquina exige une longue préparation qui peut durer jusqu'à trois ans.

On conserve séparément, pendant une période qui n'est jamais inférieure à dix-huit mois, les vins (rouges ou blancs) et et les mistelles (également rouges ou blanches), c'est-à-dire des moûts de raisin auxquels on a ajouté une certaine quantité d'alcool pour en arrêter la fermentation. Puis on mélange vins et mistelles et l'on procède au collage, opération qui consiste à introduire dans le vin des substances de nature protéique pour en provoquer la clarification et la stabilité. Après le filtrage, reste l'opération essentielle : l'aromatisation, que l'on peut réaliser selon deux méthodes différentes.

La technique de la macération à froid consiste à faire passer le mélange vin-mistelle sur différents plateaux superposés sur lesquels on a disposé le quinquina et les plantes aromatiques. C'est la méthode la plus ancienne.

Dans les établissements modernes, on utilise de préférence une méthode plus complexe : écorce de quinquina et aromates sont jetés, pour être brassés, dans une cuve munie de souffleries, avec une partie seulement du mélange. On obtient ainsi un quinquina très concentré que l'on dilue ensuite dans le mélange restant.

La « cuvée » ainsi constituée, il reste à terminer sa vinification. Un nouveau collage la débarrasse des impuretés provoquées par le brassage (particules végétales, poussières, etc.) et précède la réfrigération, effectuée à une température de 46 à 50°F, laquelle entraîne une précipitation des tartrates et permet d'obtenir un produit clair et brillant.

Ces différentes opérations terminées, le vieillissement peut commencer dans les caves enterrées ou de plain-pied où on laisse le quinquina pendant plusieurs années : il n'est pas rare qu'entre la vendange et la mise en vente se soit écoulé un délai de quatre à cinq ans. Un stockage aussi long nécessitant d'importants capitaux, on comprend que la fabrication des quinquinas soit le fait de grandes entreprises commerciales, comme Dubonnet ou Byrrh, qui disposent de moyens considérables.

Le quinquina se boit pur et porté à une température assez basse, mais non glacé.

Le vermouth. - C'est probablement le premier en date des apéritifs modernes. Selon de bonnes sources, il aurait été inventé à Turin, en 1786, par l'Italien Carpano.

De l'incorporation des écorces de fruits et de plantes séchées à l'embouteillage : la genèse industrialisée de l'apéritif classique, le vermouth, en l'occurrence.

Sa composition, simple dans son principe, se révèle assez complexe lors de la réalisation. A la base, on utilise un bon vin blanc, plus ou moins sec, selon la nature du produit que l'on désire obtenir, relevé par une petite adjonction d'alcool neutre et parfumé avec une liqueur aromatique, elle-même obtenue par macération. Pour cela on fait tremper pendant trois semaines, dans un peu de vin remonté à l'alcool, une quarantaine de plantes dont le choix constitue le secret de chaque maison. Une partie de ces mêmes plantes est distillée à part : leur distillat, très concentré, est alors ajouté à la « cuvée ». Vient ensuite le sucrage, qui est plus ou moins accentué selon qu'il s'agit de fabriquer un produit sec ou doux. Pour le *vermouth blanc* on utilise toujours du sucre raffiné, pur et sans goût ; pour le *vermouth rouge* on procède d'abord à une caramélisation.

Suivent ensuite quatre opérations qui ont pour but de stabiliser parfaitement le vermouth : celui-ci, une fois mis en bou-teilles, doit être capable de supporter aussi bien un froid intense que les températures les plus élevées.

La première de ces opérations, le collage, se fait généralement par ajout de gélatine. Elle a pour but, comme on sait, de clarifier le produit, qu'on pasteurise ensuite en le faisant passer sur des plaques chauffées à 176°F par des jets de vapeur. Ainsi sont détruits tous les micro-organismes qui pourraient être encore vivants. La réfrigération vient ensuite. Elle dure de deux à trois semaines pendant lesquelles le vermouth est conservé à une température de 14°F : cela provoque la chute des tartrates qui sont ainsi facilement éliminés. Un premier filtrage, puis un repos de plusieurs mois, suivi d'un second filtrage, et le vermouth est prêt à être mis en bouteilles.

On obtient ainsi un produit absolument pur et pratiquement inaltérable, parce que, comme le *cognac* ou le *champagne*, le vermouth est considéré comme terminé une fois mis en bouteilles : sans s'amé-liorer, il se conservera plusieurs années. La maison Carpano existe toujours : son *Punt e Mes* est d'ailleurs un des vermouths les plus appréciés. Mais elle n'est plus seule. En Italie, la concurrence vient de Cinzano, de Martini et de Gancia.

En France, la marque la plus populaire est Noilly-Prat, mais le meilleur produit, peut-être, se fait à Chambéry où le sieur Chavasse, en 1821, inventa une recette particulière. Plus léger, très caractéristique, le *vermouth de Chambéry* bénéficie d'une appellation connue surtout aux Etats-Unis qui importent les trois quarts de la production.

On entend parfois parler de *vermouth italien* et de *vermouth français*, la première de ces appellations désignant un vermouth doux, la seconde un produit plus sec. En fait, chacun de ces deux pays fabrique l'un et l'autre type.

On boit le vermouth frais ou, mieux sur des glaçons, pur ou allongé d'eau (gazeuse ou plate). On peut ajouter aussi un zeste de citron.

Les apéritifs à la gentiane

A l'origine de ces apéritifs, fabriqués aujourd'hui industriellement, on trouverait sans doute ces « liqueurs de ménage », que la saveur extrêmement prononcée de la gentiane n'a pas dû manquer de faire naître dans les temps les plus reculés. La nature offre peu d'exemples d'un parfum aussi tenace que celui-là : une petite goutte d'alcool de gentiane, posée sur la langue, parfume la bouche pour plusieurs heures, voire pour la journée. L'extrême « efficacité » de ce parfum compense heureusement la rareté de la plante et, par conséquent, le prix élevé de l'essence qu'on en tire. La gentiane dont il est question ici est la grande gentiane ou *Gentiana lutea* qui pousse en montagne, dans les prairies du Jura, des Alpes, des Pyrénées, et surtout du Massif central (Auvergne), à des altitudes variées mais rarement inférieures à quinze cents pieds. C'est une plante singulière, dont on connaît mal le mode de germination et dont les belles fleurs jaunes apparaissent subitement. Sa croissance est si lente que ce n'est guère avant une vingtaine d'années qu'on peut l'utiliser aux fins qui nous occupent. Enorme par rapport à la tige, la racine s'enfonce profondément dans le sol rocheux ou semi-rocheux et s'avère d'une extraction difficile. On dit qu'un ouvrier entraîné parvient à en tirer trois cents livres environ dans une journée et qu'il faut 650 à 900 livres de ses racines pour obtenir une pinte d'extrait dont le prix de revient est à peu près celui des essences florales. Par chance, comme nous l'avons vu, une très petite dose suffit pour communiquer ce goût à de l'alcool.

Les racines subissent un premier traitement au cours duquel elles sont d'abord triées, lavées, puis fragmentées. On les met ensuite dans des fûts, on verse par-dessus quelques pintes d'alcool, on ferme les récipients et on laisse macérer, dans une cave fraîche, pendant une période qui va de dix-huit mois à deux ans.

Une partie de ces racines, choisies parmi les plus tendres, continuera à macérer dans de l'alcool pour donner l'*infusion*. Les racines restantes sont plongées dans un mélange d'eau et d'alcool pour être distillées.

Pour obtenir le produit final, chaque marque assemble, dans des proportions variables qui constituent une partie de son secret, le distillat et l'infusion. Au mélange obtenu on ajoute alors... la seconde partie du secret, c'est-à-dire une essence d'herbes aromatiques qui dosera l'amertume du produit final.

En France, il n'y a guère que Suze qui produise cet apéritif dont le goût un peu amer ne convient pas à tout le monde. Les apéritifs à la gentiane se boivent très frais, purs ou additionnés d'eau. La gentiane, rappelons-le en passant, sert aussi à fabriquer une eau-de-vie qui, elle, est digestive.

Les apéritifs à l'anis

Apprécié à Babylone voilà 4 000 ans, l'anis possédait pour les Hébreux et les Egyptiens des vertus miraculeuses. S'il a perdu, au cours des siècles, tout pouvoir particulier, il n'a jamais cessé d'être utilisé pour la fabrication de boissons familiales qui ont fini par donner quelques grands apéritifs traditionnels. Mais il y a anis et anis : à ce sujet il est bon, afin d'éviter toute confusion, de faire une première distinction. D'abord les plantes.

L'anis vert (*Pimpinella anisum*), de la famille des ombellifères, est une des plus anciennes plantes aromatiques connues. Ses graines sont ramassées avant leur complète maturité et servent à fabriquer des dragées à l'anis et surtout à parfumer l'*anisette*. On le trouve encore à l'état sauvage en Anjou et dans la Drôme, mais les grands pays producteurs sont Malte, l'Espagne, l'Italie et, jusqu'en 1914, la Russie.

L'anis étoilé ou badiane (*Illicium verum*) est un arbre de la famille des magnoliacées qui croît dans certaines régions peu accessibles du Tonkin et de la Cochinchine. Ses graines, couleur acajou, en forme d'étoile, sont parfois utilisées en Chine comme condiment. Ce sont elles, et elles seules, qui entrent dans la composition de tous nos apéritifs anisés.

La première distillation des graines est faite sur place dans les alambics de création chinoise. Ingénieux mais lents, ces appareils laissent subsister de 10 à 15% d'impuretés. Il faut donc procéder à une seconde distillation pour obtenir un extrait utilisable.

Selon les principes qui ont présidé à leur préparation, on divise les apéritifs anisés en deux grandes catégories.

Les *anis macérés*, parmi lesquels figure le groupe très important des *pastis* (*Ricard*, *Pastis 51*, *Casanis*, etc.), sont obtenus par mélange d'extrait d'anis et d'extrait de réglisse. On prépare ce « fond de réglisse » en faisant macérer pendant quelques jours du bois de réglisse en poudre dans de l'alcool rectifié à 45°. A ce mélange on ajoute encore du sucre, de l'alcool « bon goût » et surtout de l'eau très pure.

Les *anis distillés* (type *Pernod*), outre leur mode de fabrication, se distinguent par l'emploi d'un grand nombre d'herbes aromatiques : anis vert, fenouil, coriandre, etc. On distille donc toutes ces plantes, après les avoir laissées macérer dans de l'alcool rectifié, et l'on mélange ce distillat avec de l'extrait d'anis. On ajoute aussi du sucre, de l'alcool et de l'eau.

En France, ces boissons se servent presque toujours étendues d'eau (un volume d'anis pour cinq volumes d'eau), ce qui a l'avantage de réduire le pourcentage d'alcool. Mais dans certains pays du bassin méditerranéen, on les boit sèches (notamment en Espagne), en apéritif, au cours du repas, ou comme digestif.

LES COCKTAILS

L'origine de ce mot pose une énigme au philologue. La traduction en est pourtant simple : queue de coq. Trop simple, car il s'agit, on l'a deviné, d'une image. Dès lors l'interprétation que l'on en donne peut varier à l'infini.

Avant d'ouvrir le débat, il convient de définir ce qu'est un cocktail.

Il s'agit généralement d'un mélange — plus ou moins « explosif » — dans lequel entrent diverses boissons alcooliques, mais aussi des sirops, des jus de fruits, voire du lait et des épices. Vaste champ ouvert aux plus folles expériences pour le barman professionnel ou amateur dont l'imagination pourra s'exercer sans aucune contrainte. La fortune sourira aux audacieux. Mais, comme en bien d'autres domaines, le succès repose tout autant sur la technique du créateur que sur sa connaissance parfaite de la psychologie et de la personnalité du consommateur auquel est destiné le breuvage qu'il vient d'inventer.

L'amateur averti est par essence éclectique, et c'est pourquoi il n'hésitera point à parcourir le monde pour satisfaire sa passion. C'est presque toujours, en effet, un grand voyageur — par profession ou par plaisir. Comme le gourmet, il apporte à sa quête un goût inné de l'ordre et de la méthode. Un petit carnet alphabétique scrupuleusement tenu à jour lui permet de se diriger, où qu'il se trouve, vers l'établissement qui lui a été signalé pour

la qualité des cocktails que l'on y sert. La *buttery* du *Hyde Park Hotel*, à Londres, rendez-vous des starlettes et des hommes d'affaires de la City, le petit salon cossu tapissé de cuir et clouté de cuivre du *Kempinski* à Berlin-Ouest, le café *Moskau*, de l'autre côté du mur qui coupe en deux la ville depuis le 13 août 1961, les célèbres boudoirs du *Sacher*, à Vienne, dont le nom est par ailleurs attaché au destin fabuleux d'une inimitable tarte, le *Harry's Bar*, à Paris, comptent parmi les hauts lieux d'un itinéraire européen que Stendhal eût aimé parcourir. L'Amérique en recèle bien d'autres, et quiconque a eu l'insigne honneur d'être convié par le gouvernement québécois à une réception au château Frontenac sait qu'il est encore de par le monde bien des escales à découvrir hors des sentiers battus par les princes élus du *Bloody Mary* et du *Dry Martini*.

Les playboys bourlingueurs du *Jet Set* — entendez cette race d'hommes qui saute dans un *Jumbo* comme d'autres changent de cravate — ne dédaignent pas pour autant la simplicité du *French Brûlot* ou de l'*orange vodka*, et, entre deux safaris sibériens, les meilleurs fusils d'Occident ont eu tôt fait de rallier l'adhésion des barmen soviétiques aux mérites du *Tom Collins* ou de l'*Irish Coffee*. Et la dernière visite de Léonid Brejnev aux Etats-Unis aura permis au leader soviétique de les apprécier comme il convient.

Le « coquetel » de Richard Cœur de Lion

Quant à l'étymologie d'une appellation aujourd'hui universelle, elle mérite qu'on lui consacre, à défaut d'une thèse, un exposé fortement motivé avant d'aller plus loin et de n'y plus revenir.

Car si la plupart des dictionnaires énumèrent volontiers les composants ordinaires du cocktail de base et l'effet tonique que provoque leur mélange, ils se montrent infiniment plus réservés sur l'origine d'un vocable aujourd'hui universel.

« Queue de coq », certes, mais qu'est-ce à dire ?

Pour tous ceux qui encouragent le développement de la race chevaline, aucun doute : c'est la disposition fâcheuse de l'appendice caudal qui révèle à coup sûr que l'animal n'est pas un pur-sang. C'est un bâtard. Par analogie, le mot cocktail désignerait une boisson complexe née de croisements accidentels. Comparaison peu flatteuse qui ne satisfait point l'amateur épris de subtils raffinements. On ne peut la rejeter catégoriquement si l'on veut bien se souvenir que le *Jockey Club* fut jadis le plus puissant bastion du cocktail, bien avant que la mode s'en soit répandue dans des cercles moins fermés. Et puis cette explication bénéficie de l'estimable caution de l'abbé Prévost, l'auteur de *Manon Lescaut*, qui la formula en 1755.

Mais aux turfistes les plus avertis, les Américains passionnés de combats de coqs opposent leurs propres coutumes. Au XIXe siècle, il était de règle outre-Atlantique que le propriétaire de la bête victorieuse offrît à boire à ses compagnons. Et le breuvage préparé sera aussi richement coloré que la queue déployée de l'héroïque gallinacé : *like the tail of a cock*, puis, par contraction, *like a cocktail*. Une espèce d'arc-en-ciel en somme, dont le goût sera aussi... flamboyant que les couleurs!

Les Européens réfutent évidemment ces deux définitions, arguant que la coutume — sinon le mot — vint droit d'Italie jusqu'en Amérique avant de reconquérir le Vieux Continent. Ce ne serait pas la première fois, et certains exégètes français vont jusqu'à affirmer que les Bordelais appelaient autrefois *coquetel* un breuvage fait de leur composition fait de plusieurs boissons énergiquement mélangées. Rien d'étonnant, au fond, en un pays qui fut longtemps le fief préféré de Richard Cœur de Lion et que des liens affectifs unissent encore aujourd'hui à la Grande-Bretagne. Ainsi Marcel Aymé, francisant avec humour tous les américanismes, à commencer par le titre de l'un de ses meilleurs romans — *Travelingue* — et baptisant *coquetèles* les réceptions apéritives offertes par les cinéastes en mal de producteur, aurait apporté une eau jaillissante et pure au moulin des tenants

d'un breuvage issu des amours légitimes de l'Aquitaine et des Plantagenêts.

Quoi qu'il en soit, les Britanniques, eux, ont bien d'autres raisons de vouer une certaine tendresse aux cocktails, et tout particulièrement au *Dry Martini*, lequel a bien mérité de la patrie aux heures les plus sombres de leur histoire.

Le dernier verre des deux espions

On raconte toujours à Londres la mésaventure de deux espions nazis qui se firent prendre pour avoir voulu, un soir de 1941, boire un verre de ce vermouth blanc allongé de gin qu'on leur avait dit être une sorte d'institution nationale pour les sujets de Sa Très Gracieuse Majesté, alors le roi George VI.

Les deux hommes, formés dans l'une des écoles de sabotage ouvertes en Europe occupée par l'*Abwehr*, le service de renseignements que dirigeait le célèbre amiral Canaris, avaient acquis, au prix d'un sévère entraînement, une connaissance encyclopédique de la Grande-Bretagne. Parvenus sans encombre dans la capitale anglaise, ils constatèrent avec satisfaction que nul ne se méfiait d'eux. Au restaurant, dans l'autobus, dans le quartier où ils s'étaient installés dans une chambre meublée, on les prenait pour ce qu'ils affirmaient être : deux paisibles voyageurs de

commerce. Encore quelques jours et ils pourraient commencer à transmettre par radio les précieux renseignements collectés au cours de leurs « tournées » ou glanés à la faveur de conversations entendues dans les *pubs* fréquentés par des soldats en permission.

Tout alla fort bien jusqu'au fameux soir... Après avoir bu quelques pintes de *stout*, les deux agents nazis, gagnés par l'euphorie, décidèrent de passer sans transition de la bière au cocktail.

— *Dry Martini ?* questionna le barman.

— *Zwei !* laissa échapper le plus ivre des deux espions.

Pour avoir confondu l'anglais *dry* (sec) avec l'allemand *drei* (trois), les deux agents de l'*Abwehr* furent démasqués, arrêtés et fusillés.

Il avait suffi d'un cocktail pour les trahir...

Les années folles

Cosmopolite par essence comme par vocation, le cocktail connaîtra un boom au lendemain de la Grande Guerre, pendant cette extraordinaire décennie qui va du défilé de la victoire à ce *jeudi noir* d'octobre 1929 où craqua la bourse de Wall Street.

Le whisky, le gin, le champagne, le rhum, la grenadine et le jus de pamplemousse composent des mélanges étonnants toujours, détonants souvent, dont l'originalité ravit les nouveaux riches et les snobs.

A Hollywood, la prohibition s'arrête sur le seuil des palais néo-gothiques abritant des patios andalous et des piscines d'aigue-marine en forme de cœur...

Sur la côte Pacifique, Hearst, le magnat de la presse américaine, s'est fait construire un manoir à la grecque qu'on croirait emprunté, le temps d'un grandiose bal masqué, aux décors d'un *remake de la Guerre de Troie* tourné par Cecil B. de Mille.

A Paris, les princes russes en exil ouvrent des cabarets où le lamento nostalgique des violons tziganes apaise le feu incolore de la vodka que chacun assaisonne selon sa fantaisie.

Victor Margueritte, Pierre Frondaie, Maurice Dekobra découvrent à leurs lecteurs tout un monde étrange peuplé de fascinantes créatures, garçonnes provocantes et madones androgynes, surgies des nuits blanches de Deauville ou de Budapest, casquées de cuir, pare-brise rabattu, au volant d'une torpédo couleur de flamme. Elles vivent déjà demain aux côtés de nouveaux riches qui s'inventent un passé à coups de particules mais préfèrent quand même les croisières aux croisades. Ainsi la vie elle-même est devenue un cocktail fantastique où tout n'est que choc, collision, télescopage : une rasade de Kafka, trois mesures de Marx Brothers, un zeste d'Ange bleu, un soupçon de Cocteau. A boire bien frappé et d'un seul trait.

Un jour d'août 1944, la petite histoire du cocktail fera irruption en *battle dress* sur les larges épaules d'Hemingway qui, ayant câblé à son journal le reportage de la libération de Paris, s'emploiera pour son compte à libérer... le bar du *George-V* ! C'est son adieu aux années folles.

Cuba si, cola no !

Entre-temps, il est vrai, un cocktail vraiment révolutionnaire a été lancé. C'est bien le mot qui convient — et ceux qui l'ont inventé lui ont donné le nom de guerre d'un certain Viatcheslav Mikhaïlovitch Scriabine, plus connu sous le pseudonyme de Molotov.

Pour n'être pas exactement un breuvage, ce mélange explosif a fait, depuis, une belle carrière. Fidel Castro, qui l'emploiera volontiers contre les troupes du dictateur Batista, ne se désintéressera pas pour autant des cocktails préférés de ses compatriotes : le célèbre *rhum and Coca-Cola*, qui troquera son nom, jugé trop capitaliste, pour celui de *Cuba libre*, plus conforme à l'éthique du nouveau régime. Mais, quinze ans avant la victoire des *barbudos*, la libération de l'Europe par une armée où les G'Is venus d'outre-Atlantique sont de loin les plus nombreux est une victoire éclatante pour le *Manhattan* et le *bourbon lancer*, qui feront les beaux jours des hauts lieux de l'*American way of life* sur le Vieux Continent.

Transformées pendant plus de cinq ans en abris contre les bombardements aériens qui n'ont pas épargné les grandes villes françaises, les caves vont devenir en quelques mois, une fois la guerre finie, les temples enfumés où se retrouveront les fidèles d'une nouvelle philosophie : l'existentialisme.

Autour de Jean-Paul Sartre se presse une foule de jeunes — filles et garçons — aujourd'hui quadragénaires : Juliette Gréco, Anne-Marie Cazalis, Anouk Aimée, les Frères Jacques, Claude Luter, Raymond Queneau et bien d'autres, célèbres, oubliés ou prématurément disparus comme Boris Vian.

Les théories de Sartre ont vite suscité un mouvement multiforme qui se manifeste dans des domaines complètement étrangers à la philosophie. Une mode se crée qui, préfigurant l'emploi généralisé et systématique des mass media, récupère à son profit un mot que seule une minorité composée d'universitaires est capable de définir, pour en faire un label, une image de marque.

Le phénomène est d'autant plus intéressant que c'est probablement la première fois en Europe qu'une philosophie — dont ni les principes ni la dialectique ne prêtent à sourire — est traitée comme un produit de consommation propre à servir de support à une campagne publicitaire qui vise à sensibiliser toute une génération.

Le triomphe du « new look »

Ainsi y aura-t-il une mode existentialiste :
veste de velours côtelé, pantalon étroit à
haut revers, chemise à col anglais, chaus-
settes rayées « bagnard », chaussures à
semelles de crêpe, cheveux en brosse à
la façon des *marines* pour les hommes
qui puisent aussi dans les magasins de
surplus américains qui s'ouvrent par
dizaines. Quant aux femmes, elles adop-
teront la coiffure en queue de cheval et
la frange, les cothurnes lacés sur le mollet
rejoignant la jupe maxi, étroite et mou-
lante, caractéristique du *new look* ima-
giné par Christian Dior.

Pour tous, une couleur dominante : le
noir sans concession de la robe fourreau
que Juliette Gréco porte dans les caves
où elle chante *Si tu t'imagines*...

Jamais les boîtes de nuit n'ont été si
petites. Et pourtant, on y présente, outre
un spectacle complet, d'extraordinaires
numéros de danse exécutés sur le rythme
obsédant du boogie-woogie par ceux que
l'on appelle les « rats de Saint-Germain-
des-Prés ». La moiteur des lieux, la foule
qui s'y écrase chaque nuit pour danser ou
participer à d'interminables *jam sessions*
auxquelles se joignent nombre de musiciens noirs de passage à Paris, tout cela...
donne soif.

A la *Rose-Rouge*, à la *Rhumerie martini-
quaise*, au *Tabou*, on invente chaque soir
de nouveaux cocktails dont certains — tel
le rhum and Coca-Cola déjà cité — sont
entrés depuis au panthéon de la limonade.
De Saint-Germain-des-Prés, cette « rage
de vivre » dont le musicien de jazz Mezz
Mezzrow donne, dans un livre qui sera
réédité beaucoup plus tard, une version
américaine, a déjà gagné Greenwich Village, le quartier Latin de New York.

Partout bientôt, tout ce qui constitue,
cocktails compris, les signes extérieurs
de l'existentialisme, et souvent aussi son
contenu psychologique et moral, va marquer profondément la mentalité et les
mœurs des jeunes de cet après-guerre
que les privations qu'ils ont connues n'inclinent guère à blâmer la surconsom-
mation.

Chemin faisant, le cocktail est devenu en
Occident une sorte d'étalon de la prospérité revenue. Certes, sa popularité, cette
fois comme dans les années 20, est
née d'une mode d'abord limitée comme
toujours à une petite minorité d'initiés.
Mais désormais la puissance des media,
l'évolution des techniques publicitaires,
allant de pair avec l'élévation rapide du
niveau de vie, suffisent à étendre presque
instantanément la consommation d'un
produit, la pratique d'un usage, d'une
activité, voire d'un langage, à des millions d'hommes dans le monde entier.

Les cocktails n'ont pas échappé — qui
s'en plaindrait ? — aux effets de cette
accélération de la communication.

Ainsi, où qu'il se trouve, l'amateur pourra, pour peu qu'il ait le goût du rêve,

entreprendre mille voyages immobiles. Le *kangaroo* le conduira en Australie, le *kalinka* en Ukraine, le *King Cole* à Harlem, le *carioca* à Rio, le *Vanderbilt* chez les héritiers du fabuleux roi des chemins de fer américains... La fumée d'une cigarette, un vieil air de piano-bar, une étrangère aux yeux verts composent un paysage et une histoire, uniques l'un et l'autre parce qu'ils sont imaginaires. Un seul verre, un seul cocktail promettent l'évasion à qui l'espère.

Qu'on n'aille pas confondre marijuana et cocktail, même si le mot est entré dans l'argot des drogués pour indiquer un mélange de stupéfiants. Le *Katmandou* des buveurs d'Alexandra n'est jamais, en vérité, que l'antichambre de la grande cuisine. Et si l'on s'y pique par mégarde, ce ne peut être que la « ruche », comme disent plaisamment les Lyonnais d'un Parisien qui s'est « laissé aller sur le beaujolais nouveau »...

Les accessoires

On mélange les différents ingrédients d'un cocktail, lorsqu'ils doivent être secoués, dans un *shaker* (de l'anglais *to shake*, agiter), appareil métallique, souvent argenté, constitué de deux gobelets qui s'emboîtent l'un dans l'autre. Il existe des shakers à deux et à trois compartiments, mais ces derniers présentent deux inconvénients. D'une part, les liquides épais ne s'écoulent que très lentement au moment de servir ; d'autre part, il est impossible de nettoyer parfaitement la passoire qui sert à arrêter les pépins et les particules de pulpe lorsqu'on a utilisé des jus de fruits.

Comment se sert-on d'un shaker ? Il convient, d'abord, de le rafraîchir, et, pour cela, on commence par y mettre quelques cubes de glace qui fondront rapidement pendant qu'on préparera les divers éléments à utiliser. On vide ensuite le shaker

de l'eau qui s'y est accumulée et l'on y verse les divers liquides prescrits par la recette. Après l'avoir fermé, on l'entoure, s'il contient plus de deux cocktails, d'une serviette, afin d'éviter que des gouttes de liquide ne s'en échappent accidentellement. Il reste alors à secouer l'appareil, ce qui se fait dans le sens horizontal. Le secouement doit être énergique (shaker tenu des deux mains), simple, c'est-à-dire sans gestes fantaisistes, et durer, selon la quantité de liquide, de 4 à 20 secondes. Tous les cocktails ne se préparent pas par secouement ; il en est beaucoup qui demandent simplement à être mélangés. On utilise alors un *verre mélangeur* ou *verre à bar*. Comme dans l'utilisation du shaker, on met d'abord quelques glaçons et l'on rejette l'eau qu'ils ont produite dès que le verre est suffisamment rafraîchi, puis l'on verse les diverses liqueurs. On mélange avec la *cuillère à bar*, verticalement, d'un mouvement rapide, en

prenant soin, chaque fois, de remuer les glaçons et les ingrédients qui se sont accumulés au fond du verre.

Lorsqu'on se sera procuré un assortiment de *tumblers* (verres sans pied) et de *ballons* (verres à pied), on aura, certes, l'essentiel, mais les accessoires indiqués ci-après n'en sont pas moins indispensables :

● pour les débutants, un *verre mesureur*, sur lequel des lignes indiquent les diverses fractions (1/8, 1/6, 1/3, 1/2, etc.);

● une *cuillère à bar* pour agiter les mélanges dans le verre mélangeur ;

● une *cuillère à glaçons* ;

● un *presse-citron*, à moins que l'on ne préfère utiliser les excellents jus d'agrumes vendus dans le commerce ;

● une *râpe à muscade* ;

● une *passoire métallique* (appelée *strainer* en argot de métier) constituée d'une plaque à trous autour de laquelle court un ressort spiral (elle sert à filtrer les boissons mélangées qu'on prépare avec le shaker ou le verre à bar);

● un *bouchon compte-gouttes* pour les *bitters* ;

● une petite *étagère porte-épices* avec, notamment, de la noix muscade, des clous de girofle, de la cannelle ;

● un *gobelet* pour les pailles ;

● un *seau à glace* ;

● un *appareil à broyer la glace* ou, simplement, un *pic* ;

● de *petites assiettes* pour les amandes, les olives, les crackers, etc. ;

● enfin un *tire-bouchon*, des *serviettes en papier*, des *picks* pour les olives et les cerises.

Sur les étagères

L'habitude est prise désormais, pour les grandes occasions, c'est-à-dire pour celles où l'on doit recevoir beaucoup de monde, d'inviter ses amis au restaurant. Et même lorsqu'on désire simplement les réunir devant un buffet froid, il reste encore la possibilité de tout commander chez un traiteur ou dans un restaurant spécialisé, qui fourniront le nécessaire, jusqu'au garçon qui s'occupera de tout. C'est dire que le cocktail à la maison ne réunit, le plus souvent, qu'un petit nombre de personnes et même, en fait, que quelques intimes.

Mais cela ne résout pas pour autant le délicat problème du choix des bouteilles qu'il faut avoir sur ses étagères. Tout dépend, en effet, des goûts et des habitudes de chacun, des cocktails que l'on sait préparer, enfin des prédilections de ses amis, car inviter quelqu'un, c'est d'abord lui être agréable.

Voici donc une liste, non exhaustive certes (et qu'il n'est pas nécessaire non plus de posséder en entier), des principaux produits qui entrent dans la préparation des cocktails les plus courants.

Vermouths et bitters

Vermouth blanc doux
Vermouth blanc sec
Vermouth rouge
Amer Picon
Bitter Campari
Angostura

Alcools

Scotch whisky
American rye whiskey
Bourbon whiskey
Canadian whisky
Irish whiskey
Un cognac de prestige
Un cognac trois étoiles
Un armagnac
London gin et Plymouth gin
Vodka
Rhum Bacardi (Puerto Rican rum)
Rhum de la Jamaïque
Tequila
Calvados

Liqueurs

Chartreuse
Bénédictine
Cointreau
Curaçao-orange
Grand-Marnier
Cusenier
Peppermint
Apricot
Cherry-brandy
Maraschino
Kirsch

C'est là déjà une liste assez longue : on peut très bien la réduire de moitié, quitte à suppléer au manque de variété en se spécialisant dans un certain nombre de mélanges et en établissant un programme pour chaque réunion. On invitera ainsi ses amis à une *Manhattan party* ou à un *Daiquiri day*, ce qui permet en outre d'éviter la longue et fastidieuse préparation de nombreux cocktails différents.

En s'exerçant à réussir parfaitement une recette par réunion — ce qui n'empêche pas, bien sûr, de satisfaire en même temps le goût particulier d'un ami —, on parvient rapidement à se constituer un répertoire assez varié.

Au stock des liqueurs et des alcools, il convient d'ajouter quelques eaux gazeuses (Perrier, soda water, etc.), quelques sirops (grenadine, fraise, framboise, menthe), ainsi que quelques jus de fruits (ananas, orange, pamplemousse, tomate).

Glossaire

On trouvera ci-après, accompagnés souvent d'indications utiles, un certain nombre de termes couramment employés par les hommes du métier.

Allonger : étendre d'eau un alcool ou une liqueur trop forte (spécialement pour les *long drinks*).

Angostura : écorce d'un arbuste de l'Amérique du Sud (*Galipea febrifuga*). On en

tire un extrait amer dont quelques gouttes suffisent pour communiquer une saveur particulière au verre le plus grand.

Boissons gazeuses : aucune boisson gazeuse ne doit être « travaillée » dans le shaker.

Bordure de sucre : certains cocktails, en particulier les *crustas,* se servent dans des verres dont le bord doit être préalablement recouvert d'une bordure de sucre. Voici comment procéder pour réaliser celle-ci : on découpe au couteau un quartier de citron (avec l'écorce) dont on incise la pulpe. On introduit le bord du verre dans la fente et l'on fait tourner de façon à bien humecter la paroi interne et externe sur une largeur de 1 cm environ. On enfonce ensuite délicatement le bord du verre dans du sucre en poudre fin et sec et on laisse sécher. Il faut prendre garde, lorsqu'on verse la boisson dans un verre ainsi préparé, à ne pas toucher le sucre.

Compléter : ajouter dans le verre les derniers ingrédients nécessaires à la composition d'un cocktail tels que champagne, soda, ginger ale, tonic water, etc.

Décorer : disposer sur le bord du verre, ou dans celui-ci, après y avoir versé le cocktail, les feuilles, les fruits ou la tranche de citron ou d'orange prévus par la recette.

Givrer : action consistant à refroidir le verre en y introduisant quelques cubes de glace qu'on agite par un mouvement rotatoire de la main jusqu'à ce qu'une légère buée recouvre le cristal.

Glace : élément indispensable à la préparation des cocktails, ne serait-ce que pour rafraîchir le shaker ou le verre lui-même. On l'utilise pilée, sous forme de glaçons ou en écailles. Pour piler de la glace, on la met dans un sac de toile et on l'écrase avec un maillet de bois ou même avec une bouteille vide. Cette opération doit être effectuée sur une surface plane et dure, de préférence en bois. On veillera à toujours disposer de glaçons de différentes grosseurs. Quant à la glace en écailles, on ne la trouve encore que dans certains bars bien équipés. Ce à quoi il faut toujours veiller, c'est que la glace qu'on utilise ne soit pas trop vieille et que son séjour dans le réfrigérateur ne lui ait pas communiqué, à cause de la présence de certains aliments, d'odeur particulière. C'est pourquoi il est conseillé d'installer, près de son bar, un petit réfrigérateur uniquement destiné à la fabrication des glaçons et au rafraîchissement des boissons gazeuses.

Enfin, il n'est pas inutile de rappeler que l'eau de nos robinets n'est plus ce liquide pur et agréable dont nous disposions il y a trente ou quarante ans. L'eau est non seulement polluée, mais additionnée de chlore, de fluor, etc., ce qui lui donne les goûts les plus divers et, il faut en convenir, les plus inattendus.

Or ces saveurs ne disparaissent pas parce qu'on transforme l'eau en glace : on les retrouve avec celle-ci dans le verre. Il

est donc préférable d'utiliser, pour faire des glaçons, de l'eau minérale plate.

On the rocks : boisson servie sur des glaçons. Ceux-ci sont placés en premier dans le verre et c'est sur eux que l'on verse les divers ingrédients du cocktail. On déguste lentement, sans attendre que la glace ait fondu, celle-ci servant simplement à rafraîchir la boisson.

Passer : verser le cocktail dans le verre à travers la passoire.

Râpe à muscade : petite râpe cylindrique qui permet, au moment de servir, de parfumer certains *short drinks,* en particulier les *flips.* On passe une seule fois la noix sur la râpe, ce qui est amplement suffisant.

Thermo-plongeur : appareil électrique dont on se sert pour réchauffer un liquide contenu dans un verre ou un bol.

Zeste de citron, d'orange : petit morceau de l'écorce de ces fruits prélevé, sans toucher à la partie blanche, à l'aide d'un couteau à lame mince. On en exprime l'huile au-dessus de la boisson lorsque celle-ci est prête à être servie, ou on le place au fond du verre, dont on peut aussi en frotter le bord.

Classification

A la vérité, nous avons employé jusqu'ici le terme de *cocktail* dans sa signification la plus courante, c'est-à-dire comme un simple synonyme de mélange. Peut-être même quelques connaisseurs ont-ils fait la moue. Mais il est bien difficile de s'entendre sur le sens exact de ce mot. En effet, si, pour certains, un cocktail est un mélange qui comporte obligatoirement de l'alcool, pour d'autres, c'est un mélange d'alcools où entre par définition un sirop. Les moins exigeants se contentent de désigner par ce mot tout breuvage constitué d'au moins deux ingrédients. C'est pourquoi le mieux est de s'en tenir à la classification des professionnels.

Les barmen désignent les boissons mélangées sous la dénomination d'*American drinks,* qu'ils subdivisent ainsi :

● Les *short drinks,* qui peuvent être apéritifs (*before-dinner drinks*) lorsqu'ils ne contiennent aucun élément sucré, ou digestifs (*after-dinner drinks*) lorsqu'ils sont à base de liqueurs. C'est à la catégorie des short drinks qu'appartiennent les cocktails proprement dits.

● Les *long drinks,* grandes boissons désaltérantes, servies normalement dans un tumbler avec une cuillère et des pailles. En outre, selon les ingrédients de base, le mode de préparation, etc., on distingue différents types d'American drinks, dont voici, par ordre alphabétique, les principaux.

Cobblers : long drinks qui se préparent sans le shaker. Après avoir rempli le verre à moitié de glace pilée, on décore avec des fruits et l'on verse les liquides par-dessus. On les sert avec une cuillère et des pailles.

Collins : long drinks préparés directement dans le verre (tumbler) avec un alcool de base et du jus de citron.

Coolers : long drinks préparés dans le shaker (glace, sucre, jus de citron, alcool de la recette) où on les secoue fortement avant de les filtrer au-dessus d'un tumbler qu'on finit de remplir avec du ginger ale. Servir avec des pailles.

Crustas : on les considère comme des long drinks. La première opération consiste à garnir un verre d'une bordure de sucre, ensuite à y introduire l'écorce entière d'un citron. On prépare ensuite dans le shaker

un mélange composé de jus de citron, de sucre, de marasquin ou de curaçao, de quelques gouttes de bitter (ou d'angostura) plus l'alcool prescrit par la recette (cognac, gin, rhum, whisky). Servir avec des pailles.

Cups (ou **bols**) : il s'agit là de boissons typiquement familiales. On les prépare en ajoutant du sucre à un excellent vin (bien remuer), puis du mousseux (ou, mieux encore, du champagne), de l'eau minérale et des fruits de saison. On ne mélange plus, ou alors qu'avec d'infinies précautions une fois que le mousseux a été versé dans le bol. Enfin, on place celui-ci dans un récipient plus grand rempli de glace pour rafraîchir doucement la boisson. Servir avec une petite cuillère.

Daisies : long drinks que l'on sert dans des coupes de forme large. On les prépare dans un shaker en mélangeant du jus de citron, du sirop de grenadine et la liqueur ou l'alcool indiqués par la recette (whisky, cognac, rhum, gin, cherry ou apricot-brandy, etc.). On ajoute des cerises dans le verre et l'on verse ensuite un peu d'eau de Seltz ou de soda. On les sert avec une cuillère et des pailles. Ces drinks semblent être particulièrement prisés des dames.

Egg-Noggs : boissons réconfortantes à base d'œufs qu'on peut boire chaudes ou froides.

Chaudes : avec une fourchette, on mélange dans un grand gobelet un ou deux jaunes d'œufs avec un peu de sucre. Sans cesser de remuer, on ajoute du lait très chaud puis le spiritueux prescrit par la recette, cognac ou rhum de préférence. On râpe un peu de noix muscade et l'on sert avec des pailles.

Froides : mettre dans le shaker, successivement, deux ou trois petits cubes de glace, un œuf entier, un peu de sucre en poudre, deux verres de lait froid, un verre de l'alcool prescrit dans la recette. On secoue très énergiquement puis on filtre sur un verre. Avant de servir on ajoute encore un peu de noix muscade.

Fixes : on dilue, dans un tumbler, un peu de sucre en poudre avec de l'eau froide, à quoi on ajoute le jus d'un petit citron, une dose de cherry-brandy puis le spiritueux indiqué dans la recette. On finit de remplir le verre avec de la glace pilée et on remue soigneusement. Enfin on place sur la glace une mince tranche de citron. On sert les *fixes* avec une cuillère et des pailles.

Fizzes : long drinks très appréciés, dont le plus célèbre est sans doute le *gin-fizz*. On emplit le shaker jusqu'au tiers de glace réduite en tout petits morceaux, on ajoute le jus d'un citron et l'alcool prescrit par la recette, enfin une giclée d'eau de Seltz. Ensuite, on secoue le shaker énergiquement pendant deux ou trois minutes (tout le secret d'un bon *fizz* réside en cela). On filtre au-dessus d'un tumbler qu'on finit de remplir avec du soda ou de l'eau de Seltz.

Flips : short drinks particulièrement appréciés le matin. On commence par mettre dans le shaker deux ou trois gros cubes de glace, et, dès que l'on voit se former une légère buée, on rejette l'eau qui s'est formée. Ensuite on met un jaune d'œuf dans le shaker, on ajoute un peu de sucre en poudre et l'ingrédient alcoolique indiqué dans la recette (du porto, par exemple).

Contrairement aux *fizzes*, les *flips* ne doivent être secoués que pendant quelques secondes, mais il faut y mettre de la vigueur pour que le jaune d'œuf se mélange parfaitement aux autres ingrédients. On sert immédiatement le *flip* en le filtrant dans un verre à pied au-dessus duquel on râpe un soupçon de noix muscade. On le boit avec une paille.

Frappés : boissons rafraîchissantes, alcoolisées ou non, qui sont de plus en plus à la mode. On emplit de glace pilée, jusqu'à mi-hauteur, un tumbler dans lequel on verse ensuite un sirop de fruit ou une liqueur. Servir avec une cuillère et des pailles.

Grogs : boissons chaudes réconfortantes particulièrement appréciées en hiver. Le mélange se fait dans un verre à grog ou dans un tumbler qui se puisse ajuster parfaitement dans un porte-verre métallique. On y verse successivement le rhum (ou tout autre liquide prescrit par la recette), quelques cuillerées de sucre, un petit morceau de cannelle, un ou deux

clous de girofle, de l'eau fraîche. On verse ce mélange dans une petite casserole et on le porte à ébullition sur feu doux. On retire la cannelle et le girofle, on ajoute une tranche de citron et on verse dans le verre préalablement ébouillanté.

Juleps : boissons rafraîchissantes très agréables en été, qui seraient originaires du Kentucky. Faire fondre dans un tumbler un peu de sucre avec de l'eau ; ajouter quelques branches de menthe fraîche et en exprimer le suc en les pressant avec le dos d'une cuillère ; les retirer ensuite. Emplir le verre aux trois quarts de glace finement pilée et verser l'alcool indiqué dans la recette, le plus souvent un whisky américain (*rye* ou *bourbon*). Remuer longuement avec une cuillère en allant jusqu'au fond du verre. Garnir avec une branche de menthe et servir avec cuillère et pailles.

Nota. — On peut, au lieu de menthe fraîche, utiliser de l'extrait de menthe.

Sangarees : boissons d'origine indienne, assez peu courantes en Europe. Mettre dans le shaker de la glace pilée, une cuillerée de sucre en poudre et l'alcool prescrit par la recette. Agiter suffisamment et verser dans un verre. Avant de servir, ajouter un soupçon de noix muscade. On peut boire ces boissons chaudes. Il suffit pour cela de verser dans une casserole le mélange indiqué et de l'amener à ébullition. On les servira alors dans des verres à grog ou à punch.

Shrubs : boissons qu'on ne trouve plus dans les bars, mais qui sont intéressantes pour la maison, car on en prépare plusieurs pintes à la fois qu'on peut conserver facilement en bouteilles. Mettre dans un grand récipient deux livres de sucre, verser par-dessus deux pintes d'une bonne eau-de-vie, une pinte de sherry, le jus de cinq ou six citrons et l'écorce entière de trois de ces fruits. Laisser macérer pendant six jours, puis filtrer et mettre en bouteilles. En été, on boira le *shrub* dans un tumbler à moitié rempli de glace pilée ; en hiver comme grog en ajoutant, au lieu de glace, de l'eau bouillante (moitié-moitié).

Slings : on les boit chauds ou froids, selon la saison. Diluer, dans un verre à grog, un peu de sucre avec de l'eau, verser le jus d'un demi-citron et, lorsqu'il s'agit d'un *sling* froid, une cuillerée de grenadine et quelques petits cubes de glace. Ajouter alors la liqueur ou l'alcool prescrits par la recette ; verser ensuite de l'eau froide pour un *sling* froid, de l'eau bouillante pour un *sling* chaud, et remuer soigneusement. Râper un peu de noix muscade sur le *sling* chaud.

Smashes : long drinks rafraîchissants, très agréables en été. Diluer dans le shaker un peu de sucre en poudre avec une cuillerée d'eau. Introduire une belle branche de menthe fraîche et la presser avec la cuillère pour en extraire le suc ; ajouter la liqueur indiquée par la recette et secouer le shaker avec énergie. Filtrer dans un verre à moitié plein de glace pilée. Décorer avec une branche de menthe.

Sours : long drinks qui se préparent dans le shaker. Mettre dans celui-ci quelques petits cubes de glace, le jus d'un demi-citron et quelques cuillerées de sucre en poudre, puis l'alcool indiqué dans la recette (cognac, whisky, rhum, etc.). Agiter alors le shaker assez longtemps pour qu'une buée légère se forme sur l'appareil. Verser dans un tumbler et décorer avec quelques cerises, une tranche de citron. Servir avec une cuillère et des pailles.

Punches : on peut boire le *punch* chaud ou froid.

Chaud : dissoudre dans un tumbler un peu de sucre avec un peu d'eau, ajouter le jus d'un demi-citron et l'alcool désiré (rhum, cognac, whisky, etc.). Finir de remplir le verre avec de l'eau. Verser ce mélange dans une petite casserole et l'amener à ébullition. Reverser dans le verre qu'on prendra soin d'ébouillanter.

Froid : dissoudre deux ou trois cuillerées de sucre avec un peu d'eau dans un tumbler. Ajouter le jus d'un demi-citron, le jus d'un demi-ananas puis l'alcool prescrit par la recette. Finir de remplir le verre avec de la glace pilée et remuer bien à fond. Décorer avec une tranche de citron.

Toddies : boissons du soir, que l'on peut déguster chaudes ou froides.

Chaudes : dissoudre dans un verre à grog un peu de sucre en utilisant de l'eau chaude, ajouter le jus d'un demi-citron et l'alcool désiré (rhum, cognac, whisky, gin). Finir de remplir le verre avec de l'eau bouillante. Servir avec une tranche de citron.

Froides : dans un verre ballon, dissoudre un peu de sucre avec une cuillerée d'eau, ajouter quelques tout petits cubes de glace et l'alcool prescrit par la recette. Remplir le verre avec de l'eau fraîche, remuer et servir.

Rickeys : exprimer dans un grand tumbler tout le jus d'un demi-citron, verser l'alcool indiqué dans la recette (du whisky, par exemple) et finir de remplir le verre avec de l'eau de Seltz. Boissons recommandées dans les soirées d'été, après le dîner.

Zooms : boissons assez peu répandues qu'il est recommandé de boire de préférence dans l'après-midi. Mettre dans le shaker quelques glaçons, une cuillerée de miel très fluide, autant de crème fraîche et l'alcool indiqué dans la recette (cognac, whisky, rhum, etc.). Secouer énergiquement et servir dans un grand verre.

Recettes pour une année

Alaska
Shaker, glace.
3/4 dry gin,
1/4 chartreuse jaune.

Alexander
Shaker, peu de glace.
1/3 cognac,
1/3 crème de cacao,
1/3 crème fraîche,
un soupçon de noix de muscade.
Variante :
1/2 gin,
1/4 crème fraîche,
1/4 crème de cacao.

Bacardi
Shaker.
3/5 rhum Bacardi,
1/5 grenadine,
1/5 jus de citron.

Between the sheets
Shaker, glaçons.
1/3 rhum,
1/3 gin,
1/3 jus de citron,
une larme de Cointreau.

Bloody Mary
Shaker, quelques glaçons.
1/3 vodka,
2/3 jus de tomate,
jus d'un demi-citron,
sel de céleri, poivre, sauce Worcester (une petite cuillerée).
Cocktail inventé par Pete Petiot, en 1921, au *New York Bar* de Paris.

Bronx
Shaker, glaçons.
3/6 dry gin,

1/6 vermouth rouge,
1/6 vermouth dry,
1/6 jus d'orange.

Brooklyn
Tumbler, glaçons.
1/3 rye whiskey,
1/3 vermouth dry,
1/3 marasquin,
une goutte d'Amer Picon.

Capri
Shaker, quelques petits glaçons.
1 mesure de Bénédictine
2 mesures de Cinzano dry
1 mesure de jus de citron

Caruso
Shaker, glaçons.
1/3 dry gin,
1/3 vermouth dry,
1/3 crème de menthe.

Champagne Cocktail
Dans une belle coupe :
2 gouttes d'angostura,
2 mesures de Grand-Marnier
3 mesures de cognac
Terminer avec du champagne ; ajouter quelques glaçons ; décorer avec une tranche d'orange.

Claridge
Shaker, glaçons.
1/3 dry gin,

1/3 vermouth dry,
1/6 Cointreau,
1/6 apricot-brandy.

Cuba libre
Tumbler, glaçons.
2 onces de rhum Bacardi
jus d'un quart de citron.
Terminer avec du Coca-Cola.

Daiquiri
Shaker, glaçons.
3/4 rhum White Label,
1/4 jus de citron,
3 gouttes de sirop de sucre.
Variante :
1 mesure de jus de citron
1 mesure de Cointreau
3 mesures de rhum

Duchesse
Shaker, glaçons.
1/3 vermouth rouge,
1/3 vermouth sec,
1/3 anisette.

Egg-Nogg
Shaker, glaçons.
1 jaune d'œuf,
2 mesures de Cointreau
3 mesures de rhum
9 mesures de lait
cannelle et noix de muscade.
Cette boisson est un excellent reconstituant.

Gin and Tonic
Tumbler, glaçons.
2 onces de dry gin
1 tranche de citron.
Terminer avec de la tonic water (Schweppes).

Gin-Fizz
Shaker, glaçons.
Jus d'un demi-citron,
2 onces de dry gin
sucre.
Verser dans un tumbler et terminer avec de l'eau de Seltz.

Grasshopper
Shaker, glace pilée.
1/3 crème de menthe,
1/3 crème de cacao blanche,
1/3 crème fraîche.

Horse's Neck
Tumbler.
Eplucher une orange de façon à obtenir un beau ruban. Placer celui-ci dans un tumbler, en accrochant l'une des extrémités au bord du verre. Ajouter 2 ou 3 glaçons, 2 jets d'angostura, 2 onces de whiskey (bourbon) ou de whisky. Compléter avec du ginger ale.

Irish Coffee
Verre à pied, 2 morceaux de sucre.
Remplir de café noir et très chaud jusqu'aux trois quarts. Ajouter 1 once de

Irish whiskey ; mélanger. Compléter avec de la crème légèrement fouettée qui restera à la surface. Boire le café à travers la couche de crème.

Jack Rose
Shaker, beaucoup de glace.
7/10 calvados,
2/10 jus de citron,
1/10 grenadine.

Manhattan
Tumbler, cuillère à bar.
1/4 vermouth italien,
1/4 vermouth français,
1/2 rye whiskey.
Variante 1 :
2/3 rye whiskey,
1/3 Cinzano,
1 cerise.
Variante 2 :
2/3 Canadian whisky,
1/3 vermouth rouge,
1 cerise au marasquin.

Martini
Tumbler, pour toutes les recettes.

Sweet (pour les dames)
2/3 dry gin,
1/3 vermouth rouge.

Medium
2/4 dry gin,
1/4 vermouth rouge,
1/4 vermouth blanc sec.

La plus grande fantaisie commence avec le *Dry Martini*, qui semble avoir inspiré les recettes les plus déconcertantes. Selon Hemingway, le *Montgomery's Martini* (du nom d'un célèbre général anglais qui ne commençait jamais une bataille sans s'en être fait servir un) se composerait de quinze parties de gin pour une de vermouth. Une autre recette préconise de... simplement frotter le bouchon de la bouteille de vermouth sur le bord du verre dans lequel on versera le gin ! Une autre encore prône de laver le verre au vermouth pour y boire, encore, du gin. Le *Martini* sec est un excellent apéritif. Le mélange le plus acceptable et le plus courant semble être celui-ci :
5/6 dry gin,
1/6 dry vermouth.

Mary Pickford
Shaker, glaçons.
3 volumes de rhum White Label,
1 volume de sirop d'orange,
un jet de grenadine et un de marasquin.

Milady
Tumbler, glace pilée.
1/2 armagnac,
1/2 Scotch whisky.

Mint Julep
Dissoudre dans un tumbler avec un peu d'eau, une cuillère à café de sucre. Mettre

5 ou 6 feuilles de menthe fraîche, les écraser avec une cuillère puis les retirer. Remplir aux trois quarts de glace pilée. Verser par-dessus une mesure de bourbon whiskey et remuer. Décorer avec une branche de menthe.

Moscou Mule
Tumbler, glace pilée.
2 onces de vodka
Ajouter du ginger ale ; garnir avec un zeste de citron.

Negroni
Tumbler, glaçons.
1/3 dry gin,
1/3 bitter Campari,
1/3 Punt e Mes.
Remuer légèrement.
Cocktail inventé par le comte Negroni, en 1920, à Florence.

Old Fashioned
Tumbler, glaçons.
Morceau de sucre,
3 gouttes d'angostura,
1/2 tranche d'orange,
1/2 tranche de citron,
2 cerises au marasquin,
1 mesure de bourbon whiskey.
Bien remuer ; ajouter un peu de soda water.

Old Pale
Tumbler.
1/3 rye whiskey,
1/3 vermouth sec,
1/3 bitter Campari.

Orange Blossom
Shaker, glaçons.
1/4 jus d'orange,
1/4 Grand-Marnier,
1/2 dry gin.
Variante :
8 parties de gin,
4 de jus d'orange,
sirop de sucre.
Ce cocktail prend parfois le nom de *Adirondack* ou *Florida*.

Paradis
Shaker, beaucoup de glace.
8 parties de gin,
2 de jus d'orange,
1 d'apricot-brandy.

Perroquet
dans le verre :
3 mesures de pastis
1 mesure de sirop de menthe verte
Compléter avec de l'eau glacée.

Pimm's Number One
Verre Pimm's à poignée, glace.
2 onces de Pimm's n° 1 Cup,
tranche d'orange et de citron,
lamelle de cornichon,
cerise au marasquin.
(On peut aussi, selon les goûts, y ajouter une tranche de pomme.)

Pink Lady
Shaker, glaçons.
1 mesure dry gin,
petite cuillerée de grenadine,
blanc d'œuf (moitié ou entier),
jus d'un demi-citron.
Passer sur un verre à cocktail.

Planters
Tumbler, glaçons.
1/2 rhum de la Jamaïque,
1/2 jus d'orange,
5 gouttes de citron,
jet d'angostura.

Playboy
Grand tumbler, glaçons.
Spirale d'écorce de pamplemousse (dans
le verre),
jus d'un demi-pamplemousse,
1 once de vodka.
Compléter avec de l'Indian tonic
(Schweppes).

Porto Flip
Shaker, glaçons.
Un œuf entier, sucre,
2/3 porto,
1/3 cognac.
Ajouter de la noix de muscade.

Rainbow
Dans un verre haut et étroit, verser (à
l'aide d'une cuillère à café, goutte à
goutte, de façon que les liqueurs ne se
mélangent pas, mais se superposent) :
anisette,
menthe verte,
chartreuse jaune,
cherry-brandy,
kummel,
chartreuse verte,
cognac.
La quantité de liqueur à verser varie
selon la grandeur du verre et sa forme ;
on essaiera d'obtenir des couches superposées d'égale épaisseur.

Rocking-Chair
Shaker, glaçons.
1/3 bénédictine,
1/3 vermouth Noilly-Prat,
1/3 whisky.

Rose
Shaker, glaçons.
2/5 vermouth dry,
3/5 kirsch.
Une petite cuillerée de sirop de framboise
par verre ; servir en décorant avec une
cerise.

Sangria
Dans un grand récipient (coupe, bol...)
couper quelques fruits (ananas, pêches,
bananes, poires) en petits morceaux et,
en petites lamelles, une orange et un
citron, en gardant l'écorce. Ajouter de
la noix de muscade, une petite cuillerée
de cannelle en poudre, ainsi que du sucre
à volonté (ou du sirop de sucre). Ajouter

encore un demi-verre de rhum blanc ou du curaçao. Compléter abondamment avec du vin rouge ou du rosé. Bien mélanger. Ajouter un peu de poivre noir. Laisser macérer au froid pendant au moins une heure.

Side Car
Shaker, glaçons.
1/2 cognac,
1/4 Cointreau,
1/4 jus de citron.
Variante « Embury »:
8 parties de cognac,
1 de Cointreau,
2 de jus de citron.
Jet d'angostura ; compléter avec du soda.

Singapour
Shaker, glaçons.
1/4 jus de citron,
1/4 cherry-brandy,
1/2 dry gin.

Sweet Memories
Shaker, glaçons.
1/3 rhum,
1/3 vermouth Martini,
1/3 Cusenier orange.

Tom Collins
Tumbler, glaçons.
Jus d'un citron,
2 onces de dry gin.
Jet de grenadine ; compléter avec du Perrier.

Tzarine
Tumbler.
6 mesures de vodka,
3 d'apricot-brandy,
1 de vermouth sec,
1 de vermouth Cinzano.

Vie en rose
Shaker, glaçons.
3/6 cordial Campari,

2/6 vodka,
1/6 bitter Campari.
Verser dans un verre ; presser au-dessus un zeste d'orange. (Version la plus courante.)

Whiskey Sour
Shaker, beaucoup de glace.
Une petite cuillerée de sucre,
jus d'un demi-citron,
2 onces de bourbon whiskey.
Agiter très fort.
Ces *sours* peuvent aussi être faits avec du whisky, du cognac, de l'armagnac, du rhum, du gin.

White Lady
Shaker, glaçons.
2/4 dry gin,
1/4 Cointreau,
1/4 jus de citron.
Ce cocktail a été inventé en 1818 par Harry Mac Elhane au *Ciro's* de Londres.

Index analytique

191